JN050493

改訂新版

TOEIC® L&Rテスト この1冊で750点

生越秀子・著

TOEIC is a registered trademark of ETS.
This publication is not endorsed or approved by ETS.
L & R means LISTENING AND READING.

はじめに

本書は、「TOEIC® Listening & Reading テストでスコア 750 点をクリアしたい人」のために作りました。例えば、「最近 650 点を取ったので、次は 750 点を目標としたい」と思う方、また「600 点は取れたのだけど、そこからなかなかスコアが伸びない」と感じている方、あるいは、「これから初めて TOEIC® L&R テストを受けるけれど、いきなり 750 点ぐらい取りたい」とテスト対策の勉強法を探し始めた方、そのような方々の願いに応えるべく本書を作りました。

600 点台と 700 点台との差は何か。何ができるようになれば、750 点を獲得できるのか。本気で 750 点を目指すのであれば、そこをまずクリアにする必要があります。特にこれまで何回か受験を重ねてきたけれど、600 点前後で伸び悩んでいる方は、まず、何が解けて何が解けなかったのか、しっかりと認識することが必要です。といっても、テスト問題を持ち帰れない TOEIC® L&R テストでは、自分の解いた問題を後日 1 つ 1 つ振り返ることもできません。「リスニングは思ったよりよくできたな」といった手応えのようなものをなんとなく感じたり、「リーディングの最後の 10 問は時間切れで手つかずだった」といった漠然とした反省をしたりすることはあっても、自分の改善点ははっきり見えてきません。また、テストの模擬試験形式の問題集を買って家で本番さながらに模擬試験に取り組んでみたけれど、やっぱり換算点は 600 点前後で、なかなか点数が伸びない——。そんな方もいらっしゃることでしょう。

そこで本書では、750 点を取るために各パートで必要な正解数の目安を示しながら、その正解数を達成するために、700 点の大台をまだ突破していない多くの方が間違いやすい難しい問題を〈難問攻略〉と〈重点攻略〉の 2 つに分け、それぞれの対策を解説しました。リスニングセクションとリーディングセクション全部合わせて、20 の〈難問攻略〉と 14 の〈重点攻略〉をサンプル問題として扱い、練習問題でもう一度解いて確認する構成になっています。また 600 点台を取っている人はすでに攻略済みだと考えられる問題も〈基本攻略〉として多少取り上げています。この機にもう一度解法を確認してみてください。

私は2005年から複数の大学でTOEIC® L&R テスト対策を延べ2000人位の学生に教えてきました。ここでよく相談されるのが、「どうしてもリーディングセクションの問題をすべて時間内に解ききれないが、どうしたらいいか」ということです。これに対して私はいつも2つの提案をしています。1つはタイムマネジメントをしっかりすること、もう1つは日頃から英文記事を読むこと、です。

タイムマネジメントについては、本書でも折にふれて解説していますので、本書を通じてぜひ身につけてください。100問を75分で解くリーディングセクションでは、自分のターゲット・スコアと自分の得手不得手に合わせて、パート別の時間配分をあらかじめ決めておき、テスト前にそれが実践できるよう、十分に練習しておく必要があります。

もう1つおすすめしたいのが英文記事を毎日読むことです。今はインターネット上でも多様な英文ニュースを読むことができます。300語ぐらいの短めのニュースで十分なので、自分の興味のある分野の記事を毎日読む習慣をつけてください。日本語でも報道されて内容を知っているニュースなら、英文記事を読みながら、自分の理解度を確認することもできます。わからない単語があっても立ち止まらないで300語をできるだけ短時間で趣旨を理解しようとしながら読み切るようにしてください。もし二度三度と繰り返し出てくる単語がわからなかったら、それはキーワードですから、辞書で調べてぜひこの機に覚えましょう。このような日頃の積み重ねが、Part 6やPart 7はもちろん、リスニングセクションでも役に立つ英語理解力をワンランクもツーランクも底上げしてくれます。ぜひ本書での学習と併行して、今日から実行してみてください。750点獲得にも必ずプラスになります。

最後に本書刊行にあたって尽力してくださった、コスモピア社長の坂本由子さん、同社の方々に心よりお礼申し上げます。

2019年7月
生越秀子

CONTENTS

本書の構成と使い方

750 点を取るためのストラテジー

最初に、*p.*14 ～ *p.*19 の「750 点を取るためのストラテジー」を読んで、全体的な攻略のイメージをつかんでください。

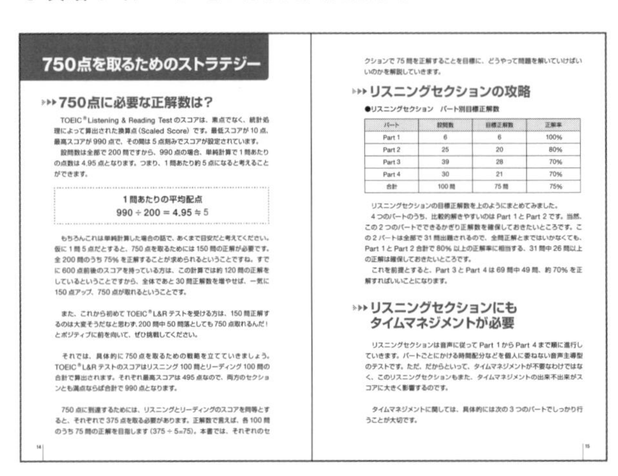

750点を取るためのストラテジー

750点に必要な正解数は？

TOEIC®Listening & Reading Test のスコアは、素点でなく、統計処理によって算出された換算点（Scaled Score）です。最低スコアが 10 点、最高スコアが 990 点で、その間は 5 点刻みでスコアが設定されています。

設問数は全部で 200 問ですから、990 点の場合、単純計算で 1 問あたりの点数は 4.95 点となります。つまり、1 問あたり約 5 点になると考えることができます。

1 問あたりの平均配点
990 ÷ 200 = 4.95 ≒ 5

もちろんこれは単純計算した場合の話で、あくまで目安だと考えてください。仮に 1 問 5 点だとすると、750 点を取るためには 150 問の正解が必要です。全 200 問のうち 75% を正解することが求められるということですね。すでに 600 点前後のスコアを持っている方は、この計算では約 120 問の正解をしているということですから、全体であと 30 問正解数を増やせば、一気に 150 点アップ、750 点が取れるということです。

また、これから初めて TOEIC®L&R テストを受ける方は、150 問正解するのは大変そうだなと思わず、200 問中 50 問落としても 750 点取れるんだ！とポジティブに前を向いて、ぜひ挑戦してください。

それでは、具体的に 750 点を取るための戦略を立てていきましょう。TOEIC®L&R テストのスコアはリスニング 100 問とリーディング 100 問の合計で算出されます。それぞれ最高スコアは 495 点なので、両方のセクションとも満点ならば合計で 990 点となります。

750 点に到達するためには、リスニングとリーディングのスコアを同等とすると、それぞれで 375 点を取る必要があります。正解数で言えば、各 100 問のうち 75 問の正解を目指します（375 ÷ 5=75）。本書では、それぞれのセクションで 75 問を正解することを目標に、どうやって問題を解いていけばいいのかを解説していきます。

14

リスニングセクションの攻略

●リスニングセクション　パート別目標正解数

パート	設問数	目標正解数	正解率
Part 1	6	6	100%
Part 2	25	20	80%
Part 3	39	28	70%
Part 4	30	21	70%
合計	100 問	75 問	75%

リスニングセクションの目標正解数を上のようにまとめてみました。

4 つのパートのうち、比較的解きやすいのは Part 1 と Part 2 です。当然、この 2 つのパートでできるかぎり正解数を確保しておきたいところです。この 2 パートは全部で 31 問出題されるので、全問正解とまではいかなくても、Part 1 と Part 2 合計で 80% 以上の正解率に相当する、31 問中 26 問以上の正解は確保しておきたいところです。

これを前提とすると、Part 3 と Part 4 は 69 問中 49 問、約 70% を正解すればいいことになります。

リスニングセクションにもタイムマネジメントが必要

リスニングセクションは音声に従って Part 1 から Part 4 まで順に進行していきます。パートごとにかける時間配分などを個人に委ねない音声主導型のテストです。ただ、だからといって、タイムマネジメントが不要なわけではなく、このリスニングセクションもまた、タイムマネジメントの出来不出来がスコアに大きく影響するのです。

タイムマネジメントに関しては、具体的には次の 3 つのパートでしっかり行うことが大切です。

15

各 Part の概要と攻略の手順

各 Part の攻略では、最初に「概要と攻略の手順」が掲載されています。問題の形式や攻略に必要な知識を確認しておきましょう。

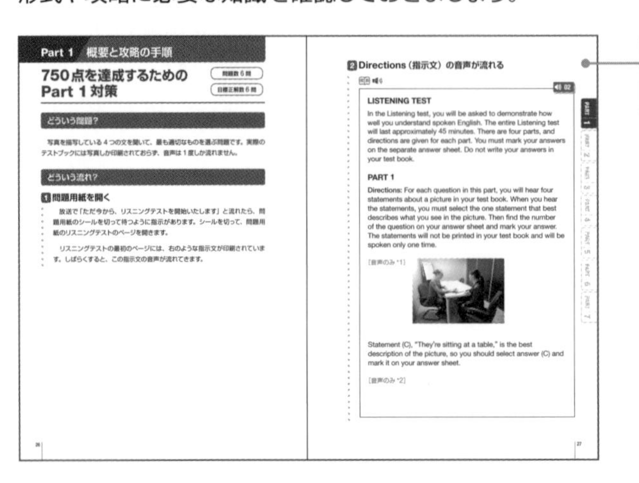

Part 1　概要と攻略の手順

750点を達成するための Part 1 対策

問題数 6 問
目標正解数 6 問

どういう問題？

写真を描写している 4 つの文を聞いて、最も適切なものを選ぶ問題です。実際のテストブックには写真しか印刷されておらず、音声は 1 度しか流れません。

どういう流れ？

1 問題用紙を開く

放送で「ただ今から、リスニングテストを開始いたします」と流れたら、問題用紙のシールを切って待つように指示があります。シールを切って、問題用紙のリスニングテストのページを開きます。

リスニングテストの最初のページには、右のような指示文が印刷されています。しばらくすると、この指示文の音声が流れてきます。

26

2 Directions（指示文）の音声が流れる

02

LISTENING TEST

In the Listening test, you will be asked to demonstrate how well you understand spoken English. The entire Listening test will last approximately 45 minutes. There are four parts, and directions are given for each part. You must mark your answers on the separate answer sheet. Do not write your answers in your test book.

PART 1

Directions: For each question in this part, you will hear four statements about a picture in your test book. When you hear the statements, you must select the one statement that best describes what you see in the picture. Then find the number of the question on your answer sheet and mark your answer. The statements will not be printed in your test book and will be spoken only one time.

［音声のみ *1］

Statement (C), "They're sitting at a table," is the best description of the picture, so you should select answer (C) and mark it on your answer sheet.

［音声のみ *2］

PART 1 / PART 2 / PART 3 / PART 4 / PART 5 / PART 6 / PART 7

27

Part 1の「概要と攻略の手順」

サンプル問題

各パートのサンプル問題が用意されていますので、実際に解いてみましょう。解答欄も印刷されています。

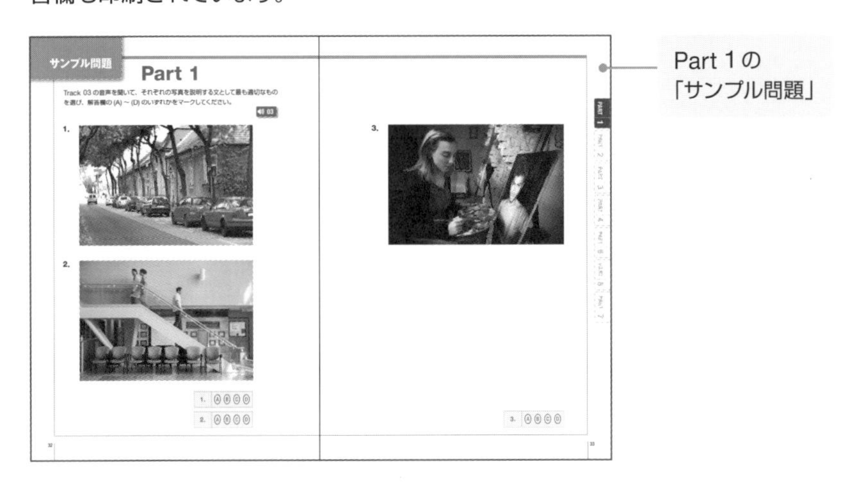
サンプル問題

Part 1

Track 03 の音声を聞いて、それぞれの写真を説明する文として最も適切なものを選び、解答欄の (A) ~ (D) のいずれかをマークしてください。

1.

2.

3.

1. Ⓐ Ⓑ Ⓒ Ⓓ

2. Ⓐ Ⓑ Ⓒ Ⓓ

3. Ⓐ Ⓑ Ⓒ Ⓓ

32

33

Part 1 の
「サンプル問題」

設問パターンの解説

サンプル問題を使って、設問パターンについて解説しています。設問の特徴とともに、正解を選ぶための解き方を学習しましょう。

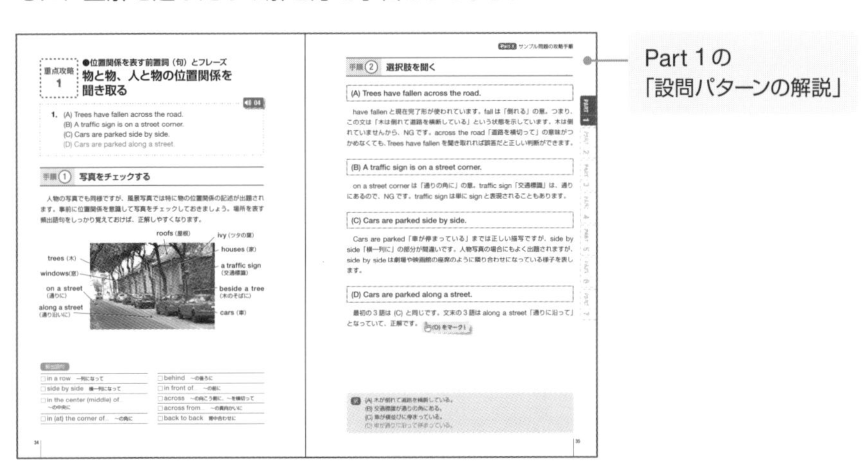
重点攻略 1

●位置関係を表す前置詞（句）とフレーズ

物と物、人と物の位置関係を聞き取る

1. (A) Trees have fallen across the road.
(B) A traffic sign is on a street corner.
(C) Cars are parked side by side.
(D) Cars are parked along a street.

手順① 写真をチェックする

人物の写真でも同様ですが、風景写真では特に物の位置関係の記述が出題されます。事前に位置関係を意識して写真をチェックしておきましょう。場所を表す頻出語句をしっかり覚えておけば、正解しやすくなります。

□in a row　一列になって

□side by side　横一列になって

□in the center (middle) of...　～の中央に

□in (at) the corner of...　～の角に

□behind　～の後ろに

□in front of...　～の前に

□across　～の向こう側に、～を横切って

□across from...　～の真向かいに

□back to back　背中合わせに

34

Part 1 サンプル問題の攻略手順

手順② 選択肢を聞く

(A) Trees have fallen across the road.

have fallen と現在完了形が使われています。fall は「倒れる」の意。つまり、この文は「木は倒れて道路を横断している」という状態を示しています。木は倒れていませんから、NG です。across the road「道路を横切って」の意味がつかめなくても、Trees have fallen を聞き取れれば誤答だと正しい判断ができます。

(B) A traffic sign is on a street corner.

on a street corner は「通りの角に」の意。traffic sign「交通標識」は、通りにあるので、NG です。traffic sign は単に sign と表現されることもあります。

(C) Cars are parked side by side.

Cars are parked「車が停まっている」までは正しい描写ですが、side by side「横一列に」の部分が間違いです。人物写真の場合にもよく出題されますが、side by side は劇場や映画館の座席のように隣り合わせになっている様子を表します。

(D) Cars are parked along a street.

最初の3語は (C) と同じです。文末の3語は along a street「通りに沿って」となっていて、正解です。(D) をマーク！

訳 (A) 木が倒れて道路を横断している。
(B) 交通標識が通りの角にある。
(C) 車が横並びに停まっている。
(D) 車が通りに沿って停まっている。

35

Part 1 の
「設問パターンの解説」

会話・トーク・文書の流れ

Part 3、Part 4、Part 6、Part 7の攻略では、「設問パターンの解説」の前に、「会話の流れ」「トークの流れ」「文書の流れ」の解説があります。

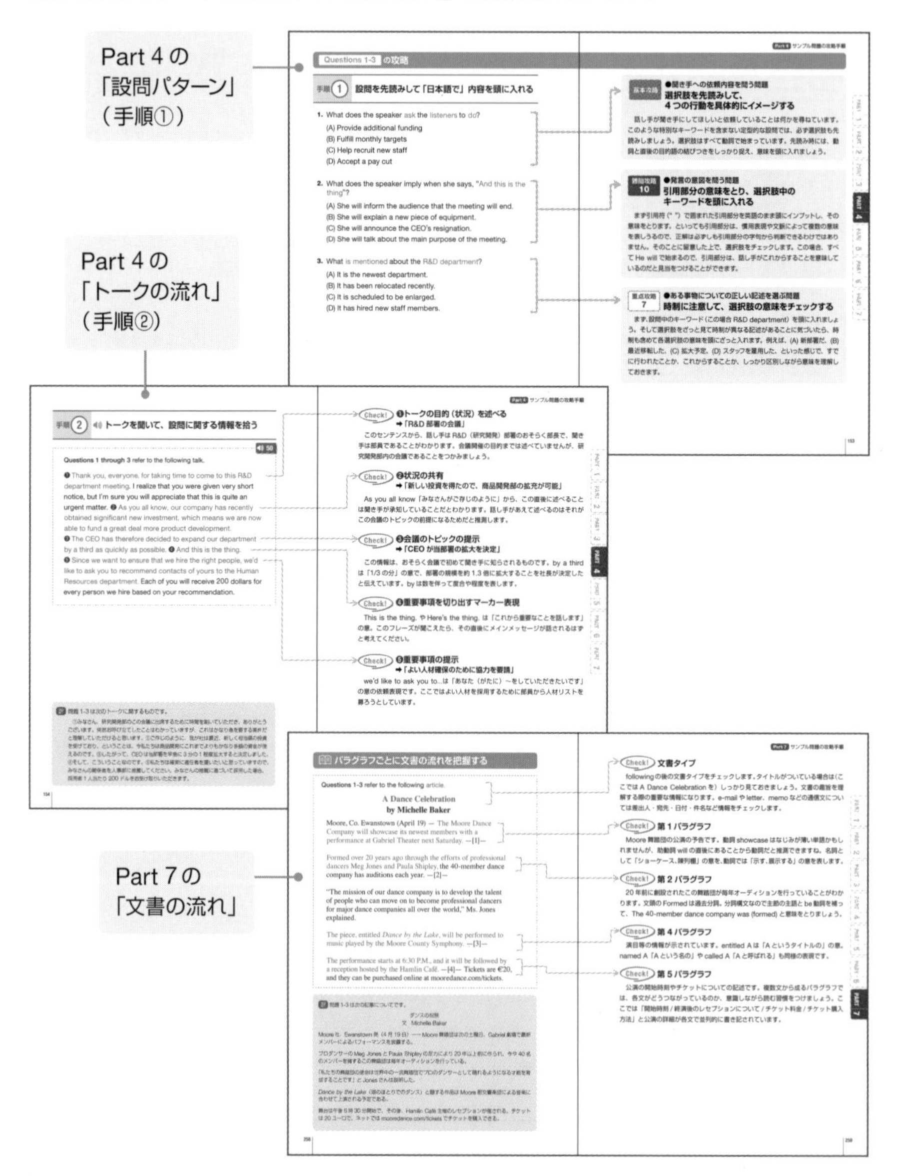

 練習問題

設問パターンについて理解したところで、練習問題にチャレンジしてみましょう。設問パターンを意識しながら解くように心がけてください。

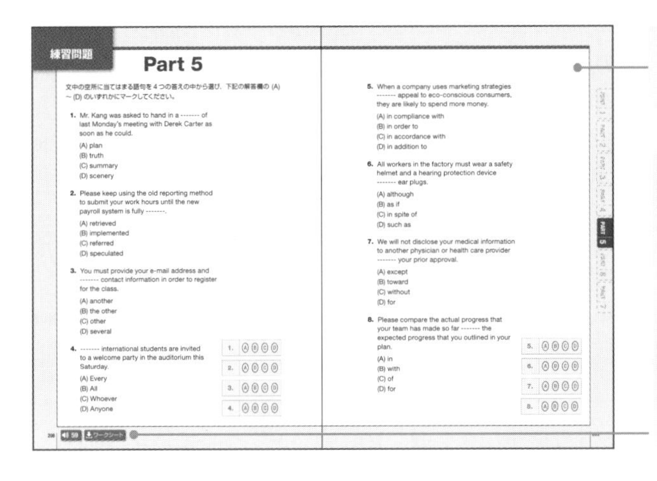

練習問題

Part 5

文中の空所に当てはまる語句を4つの答えの中から選び、下記の解答欄の (A) ～ (D) のいずれかにマークしてください。

1. Mr. Kang was asked to hand in a ------- of last Monday's meeting with Derek Carter as soon as he could.
(A) plan
(B) truth
(C) summary
(D) scenery

2. Please keep using the old reporting method to submit your work hours until the new payroll system is fully -------.
(A) retrieved
(B) implemented
(C) referred
(D) speculated

3. You must provide your e-mail address and ------- contact information in order to register for the class.
(A) another
(B) the other
(C) other
(D) several

4. ------- international students are invited to a welcome party in the auditorium this Saturday.
(A) Every
(B) All
(C) Whoever
(D) Anyone

5. When a company uses marketing strategies ------- appeal to eco-conscious consumers, they are likely to spend more money.
(A) in compliance with
(B) in order to
(C) in accordance with
(D) in addition to

6. All workers in the factory must wear a safety helmet and a hearing protection device ------- ear plugs.
(A) although
(B) as if
(C) in spite of
(D) such as

7. We will not disclose your medical information to another physician or health care provider ------- your prior approval.
(A) except
(B) toward
(C) without
(D) for

8. Please compare the actual progress that your team has made so far ------- the expected progress that you outlined in your plan.
(A) in
(B) with
(C) of
(D) for

1. Ⓐ Ⓑ Ⓒ Ⓓ
2. Ⓐ Ⓑ Ⓒ Ⓓ
3. Ⓐ Ⓑ Ⓒ Ⓓ
4. Ⓐ Ⓑ Ⓒ Ⓓ
5. Ⓐ Ⓑ Ⓒ Ⓓ
6. Ⓐ Ⓑ Ⓒ Ⓓ
7. Ⓐ Ⓑ Ⓒ Ⓓ
8. Ⓐ Ⓑ Ⓒ Ⓓ

208 ワークシート

Part 5 の「練習問題」

リーディングパートの「サンプル問題」と「練習問題」にはトレーニングのための音声とファイルがダウンロードできるページあり、マークで示されています。340 ページを参照してください。

 練習問題の解答と解説

練習問題の解説には、解答と解説や日本語訳とともに、分類される設問パターン、問題の難易度といった情報も掲載されています。

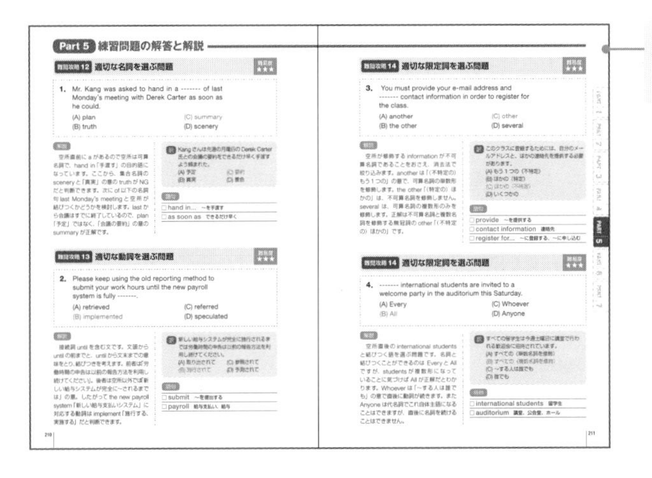

Part 5 練習問題の解答と解説

難問攻略 12 適切な名詞を選ぶ問題

1. Mr. Kang was asked to hand in a ------- of last Monday's meeting with Derek Carter as soon as he could.
(A) plan
(B) truth
(C) summary
(D) scenery

空所直前に a があるので空所は可算名詞で、hand in「手渡す」の目的語になっています。ここから、集合名詞の scenery と「真実」の意の truth が NG だと判断できます。次に of 以下の名詞句 last Monday's meeting と空所が結びつくかどうかを検討します。last から会議はすでに終了しているので、plan「予定」ではなく、「会議の要約」の意の summary が正解です。

□hand in... ～を手渡す
□as soon as できるだけ早く

難問攻略 13 適切な動詞を選ぶ問題

2. Please keep using the old reporting method to submit your work hours until the new payroll system is fully -------.
(A) retrieved
(B) implemented
(C) referred
(D) speculated

□submit ～を提出する
□payroll 給与支払い、給与

210

難問攻略 14 適切な限定詞を選ぶ問題

3. You must provide your e-mail address and ------- contact information in order to register for the class.
(A) another
(B) the other
(C) other
(D) several

□provide ～を提供する
□contact information 連絡先
□register for... ～に登録する、～に申し込む

難問攻略 14 適切な限定詞を選ぶ問題

4. ------- international students are invited to a welcome party in the auditorium this Saturday.
(A) Every
(B) All
(C) Whoever
(D) Anyone

□international students 留学生
□auditorium 講堂、公会堂、ホール

211

Part 5 の「練習問題の解答と解説」

TOEIC® L&R テストについて

TOEIC® L&R テストとは？

TOEIC は Test of English for International Communication の略称で、英語によるコミュニケーション能力を幅広く評価する世界共通のテストです。TOEIC® L&R テストの正式名称は、TOEIC® Listening & Reading Test で、Listening（聞く）と Reading（読む）という 2 つの英語力を判定します。

TOEIC® テストを開発したのは、世界最大級の規模とノウハウをもつテスト開発機関として知られるアメリカの ETS（Educational Testing Service）です。日本における実施・運営は、（一財）国際ビジネスコミュニケーション協会が行っています。

問題形式

- 問題はリスニングセクション（45 分間、100 問）と、リーディングセクション（75 分間、100 問）で構成され、2 時間で 200 問に解答します。
- マークシート方式の一斉客観テストです。

パート	Name of Each Part	パート名	問題数
	リスニング セクション（45分間）		
1	Photographs	写真描写問題	6
2	Question-Response	応答問題	25
3	Conversations	会話問題	39
4	Talks	説明文問題	30
	リーディング セクション（75分間）		
5	Incomplete Sentences	短文穴埋め問題	30
6	Text Completion	長文穴埋め問題	16
7	Reading Comprehension	読解問題	54
	・Single Passages	ひとつの文書	(29)
	・Multiple Passages	複数の文書	(25)*

* ダブルパッセージが 10 問、トリプルパッセージが 15 問です。

TOEIC® L&R テストの採点

TOEIC® L&R テストは、合否ではなく、10 点〜 990 点のスコアで評価され、公開テスト終了後 30 日以内に、受験者に Official Score Certificate（公式認定証）が発送されます。また、統計分析による Equating（スコアの同一化）という処理により、英語能力に変化がないかぎり、何回受験してもスコアに変動がないように作られています。

こうした特徴から、英語力を測る「ものさし」として、約 3,400 の企業･団体･学校で英語研修の効果測定や昇進・昇格の条件、単位認定や推薦入試などの目的で採用されています。

TOEIC® L&R テストの採点

TOEIC® L&R テストを受験するには、インターネットおよびコンビニ店頭で申し込みが可能です。詳しくは、下記の公式ウェブサイトにてご確認ください。

https://www.iibc-global.org/toeic/test/lr.html

750点を取るためのストラテジー

▶▶▶750点に必要な正解数は？

TOEIC® Listening & Reading Test のスコアは、素点でなく、統計処理によって算出された換算点（Scaled Score）です。最低スコアが 10 点、最高スコアが 990 点で、その間は 5 点刻みでスコアが設定されています。

設問数は全部で 200 問ですから、990 点の場合、単純計算で 1 問あたりの点数は 4.95 点となります。つまり、1 問あたり約 5 点になると考えることができます。

1問あたりの平均配点

990 ÷ 200 = 4.95 ≒ 5

もちろんこれは単純計算した場合の話で、あくまで目安だと考えてください。仮に 1 問 5 点だとすると、750 点を取るためには 150 問の正解が必要です。全 200 問のうち 75% を正解することが求められるということですね。すでに 600 点前後のスコアを持っている方は、この計算では約 120 問の正解をしているということですから、全体であと 30 問正解数を増やせば、一気に 150 点アップ、750 点が取れるということです。

また、これから初めて TOEIC® L&R テストを受ける方は、150 問正解するのは大変そうだなと思わず、200 問中 50 問落としても 750 点取れるんだ！とポジティブに前を向いて、ぜひ挑戦してください。

それでは、具体的に 750 点を取るための戦略を立てていきましょう。TOEIC® L&R テストのスコアはリスニング 100 問とリーディング 100 問の合計で算出されます。それぞれ最高スコアは 495 点なので、両方のセクションとも満点ならば合計で 990 点となります。

750 点に到達するためには、リスニングとリーディングのスコアを同等とすると、それぞれで 375 点を取る必要があります。正解数で言えば、各 100 問のうち 75 問の正解を目指します (375 ÷ 5=75)。本書では、それぞれのセクションで 75 問を正解することを目標に、どうやって問題を解いていけばいいのかを解説していきます。

▶▶▶リスニングセクションの攻略

●リスニングセクション　パート別目標正解数

パート	設問数	目標正解数	正解率
Part 1	6	6	100%
Part 2	25	20	80%
Part 3	39	28	70%
Part 4	30	21	70%
合計	100 問	75 問	75%

リスニングセクションの目標正解数を上のようにまとめてみました。

4 つのパートのうち、比較的解きやすいのは Part 1 と Part 2 です。当然、この 2 つのパートでできるかぎり正解数を確保しておきたいところです。この 2 パートは全部で 31 問出題されるので、全問正解とまではいかなくても、Part 1 と Part 2 合計で 80% 以上の正解率に相当する、31 問中 26 問以上の正解は確保しておきたいところです。

これを前提とすると、Part 3 と Part 4 は 69 問中 49 問、約 70% を正解すればいいことになります。

▶▶▶リスニングセクションにもタイムマネジメントが必要

リスニングセクションは音声に従って Part 1 から Part 4 まで順に進行していきます。パートごとにかける時間配分などを個人に委ねない音声主導型のテストです。ただ、だからといって、タイムマネジメントが不要なわけではなく、このリスニングセクションもまた、タイムマネジメントの出来不出来がスコアに大きく影響するのです。

タイムマネジメントに関しては、具体的には次の 3 つのパートでしっかり行うことが大切です。

1. Part 1　写真描写問題

テスト冒頭で、リスニングテスト全体の説明と Part 1 のディレクションが流れている間に写真 6 枚をチェックします。

2. Part 3　会話問題

3. Part 4　トーク問題

前のパートが終わって、このパートのディレクションが流れている約 30 秒間に、最初の 3 つの設問の先読みをします。

また、1 つ目の会話（トーク）が終わったあと、設問が流れますが、2 問目ぐらいのタイミングで次の 3 つの設問の先読みをします。

以上のリスニングセクションのタイムマネジメントに関しては、それぞれのパートの概要ページにも詳しく書いてありますので、参照してください。

750 点を取るために、Part 3 と Part 4 で 70% 以上の得点をするためには、1 つの会話（トーク）についている 3 つの設問のうち 2 問を確実に正解しただけでは少し足りません。本書で取り上げている重点攻略・難問攻略の方法をぜひ身につけて、スコアアップをはかりましょう。

▶▶▶リーディングセクションの攻略

続いて、リーディングセクションです。このセクションは Part 5 ～ Part 7 までの 3 つのパートから構成されています。まず下のように各パートの目標正解数をまとめてみました。

●リーディングセクション　パート別目標正解数

パート	設問数	目標正解数	正解率
Part 5	30	24	80%
Part 6	16	12	80%
Part 7 SP	29	25	80%
Part 7 DP	10	7	70%
Part 7 TP	15	7	50%
合計	100 問	75 問	75%

Part 5とPart 6で約80%の正解数を確保すると、Part 7では54問中39問、約70%の正解率達成で750点が取れる計算です。

Part 7のSP、DP、TPはそれぞれsingle passage、double passage、triple passageの略で、問題を解くために見るべき文書の数を表しています。見るべき文書の数が多いほど、解答にも時間がかかりますので、左ページ下の表では、目標正解率にも傾斜をもたせています。

もちろん、この表は1つの目安ですので、参考にしつつ、みなさん独自の目標を設定することをおすすめします。例えば、語彙や文法力が直接問われるPart 5より、問われている情報を文書から読み取るPart 7の方がすでに得意であれば、Part 7で44問、約80%の正解率を確保した上で、Part 5とPart 6の合計46問中31問を正解すれば、やはり750点を達成できます。

▶▶▶リーディングセクションの時間配分

リスニングセクションは音声に従ってPart 1からPart 4まで順に進行しますが、リーディングセクションではどの問題から解いていってもかまいません。ですから、75分間という試験時間をいかにうまく使って、効率よく問題を解いていくかというタイムマネジメントがポイントになります。

Part 5から順に解いていく場合、Part 5やPart 6に時間をかけ過ぎてしまうと、Part 7の問題をかなり解き残したままテスト時間が終了してしまう危険性があります。そこで、各パートにかける時間を前もってある程度決めておくことが大切です。

目安としては、次のような配分を考えておくとよいでしょう。

パート	設問数	時間	1問あたりの解答時間
Part 5	30問	10分	20秒
Part 6	16問	10分	35～40秒
Part 7	54問	55分	1分

ただし、すべての設問を解こうとすると、設問によっては解答に大幅に時間がかかってしまうということも考えられます。一度時間配分が乱れてしまうと、立て直すのは容易ではなく、結果的に目標スコアの達成が難しくなります。

そこでおすすめするのが、設問を順番にただ解いていくのではなく、「解く問題」と「捨てる問題」または「後回しにする問題」に分けることです。こうすることで、難問に時間を取られてやさしい問題を解き残すといった残念な事態を回避できます。もちろんこの分別に時間がかかるようであれば問題を最初から解いていって、前ページの表の1問あたりの解答時間を超えそうな時点で、どれか解答をマークし、次に進むという方法を取った方がいいでしょう。

難問を〈難問攻略〉〈重点攻略〉として全34パターンに分類

本書では、これが解けたら、750点の扉を開けることになるようなTOEIC® L&Rテストに頻出する難問と準難問を全34パターンに分類し、例題で解法を詳しく解説しています。右ページにその詳細をまとめましたので参考にしてください。

リスニングセクションでもリーディングセクションでも、問題タイプを難易の別を意識しながら、各タイプに応じた方法で解くことで、正解を効率的に得られます。

攻略種類別ターゲット・リスト

難問攻略

1 状態を表す現在完了形の受動態 Part 1	12 適切な名詞を選ぶ問題 Part 5
2 動作を表す現在進行形の受動態 Part 1	13 適切な動詞を選ぶ問題 Part 5
3 付加疑問文 Part 2	14 適切な限定詞を選ぶ問題 Part 5
4 否定疑問文 Part 2	15 文挿入問題（適切な挿入文を選ぶ） Part 6
5 選択疑問文 Part 2	16 推測問題 Part 7
6 平叙文 Part 2	17 文挿入問題（適切な挿入位置を選ぶ） Part 7
7 間接的な応答が頻出する疑問文 Part 2	19 詳細を問うクロスレファランス問題 Part 7
8 11 図表問題 Part 3 / Part 4	20 真偽を問う問題 Part 7
9 10 18 発言の意図を問う問題 Part 3 / Part 4 / Part 7	

重点攻略

1 位置関係を表す前置詞（句）とフレーズ Part 1	8 11 適切な接続表現を選ぶ問題 Part 5 / Part 6
2 助動詞を用いた慣用表現 Part 2	9 適切な前置詞を選ぶ問題 Part 5
3 ひねった応答が頻出する Why 疑問文 Part 2	10 適切な動詞の形を選ぶ問題 Part 6
4 懸念・トラブルについて問う問題 Part 3	12 適切な語を選ぶ問題（動詞） Part 6
5 示唆・要望を問う問題 Part 3	13 文書の目的を尋ねる問題 Part 7
6 推測問題 Part 3	14 詳細を問う問題 Part 7
7 ある事物についての正しい記述を選ぶ問題 Part 4	

基本攻略

場所を問う問題 Part 3	トークの目的を尋ねる問題 Part 4
詳細を尋ねる問題 Part 3	理由を尋ねる問題 Part 4
〔3 人の会話〕職業を尋ねる問題 Part 3	職業 / 業種を尋ねる問題 Part 7
〔3 人の会話〕詳細を尋ねる問題 Part 3	予定を問う問題 Part 7
聞き手への依頼内容を問う問題 Part 4	語彙問題 Part 7

▶▶▶サンプル問題のパート別攻略ターゲット・リスト

パート	パート内問題番号	ページ	難問攻略	重点攻略	基本攻略	攻略ターゲット	備考
Part 1	1	34		1		位置関係を表す前置詞（句）とフレーズ	
	2	36	1			状態を表す現在完了形の受動態	[物 + have (has) been + 過去分詞] ☞物が〜された状態であることを表す
	3	38	2			動作を表す現在進行形の受動態	[物 + be 動詞 + being + 過去分詞] ☞誰かが物に対して何かをしているところを表す
Part 2	1	56	3			付加疑問文	
	2	58	4			否定疑問文	
	3	60	5			選択疑問文	
	4	62	6			平叙文	
	5	64	7			間接的な応答が頻出する疑問文	
	6	66		2		助動詞を用いた慣用表現	
	7	68		3		ひねった応答が頻出する Why 疑問文	
Part 3	1	94			○	場所を問う問題	Where is the conversation taking place?
	2	95		4		懸念・トラブルについて問う問題	What problem does the woman mention?
	3	96		5		示唆・要望を問う問題	What does the woman suggest the man do?
	4	102		6		推測問題	What is implied about...?
	5	103	8			図表問題	Look at the graphic...
	6	105		4（再掲）		懸念・トラブルについて問う問題	What is the problem with...?
	7	110			○	詳細を尋ねる問題	What subject does today's seminar cover?
	8	111			○	詳細を尋ねる問題	What does the man want to improve?
	9	112	9			発言の意図を問う問題	What does the man mean when he says, "..."?
	10	118			⊕	〔3 人の会話〕職業を尋ねる問題	What kind of business does Steve most likely work for?
	11	119			⊕	〔3 人の会話〕詳細を尋ねる問題	Why does Shelley want to change the Web site?
	12	120			⊕	〔3 人の会話〕詳細を尋ねる問題	What is the one thing Eric will most likely do next?
Part 4	1	156			○	聞き手への依頼内容を問う問題	What does the speaker ask the listeners to do?
	2	157	10			発言の意図を問う問題	What does the speaker imply when he says, "..."?

パート	パート内問題番号	ページ	難問攻略	重点攻略	基本攻略	攻略内容	備考
Part 4	3	158		7		ある事物についての正しい記述を選ぶ問題	What is mentioned about...?
	4	164			○	トークの目的を尋ねる問題	What is the main purpose of...?
	5	165			○	理由を尋ねる問題	Why was the yoga class canceled?
	6	166	11			図表問題	Look at the graphic...
Part 5	1	198	12			適切な名詞を選ぶ問題	
	2	200	13			適切な動詞を選ぶ問題	
	3	202	14			適切な限定詞を選ぶ問題	
	4	204		8		適切な接続表現を選ぶ問題	
	5	206		9		適切な前置詞を選ぶ問題	
Part 6	1	228		10		適切な動詞の形を選ぶ問題	
	2	229		11		適切な接続表現を選ぶ問題	
	3	230		12		適切な語を選ぶ問題（動詞）	
	4	231	15			文挿入問題（適切な挿入文を選ぶ）	
Part 7	1	260		13		文書の目的を尋ねる問題	What is the purpose of...?
	2	262	16			推測問題	What is indicated about...?
	3	264	17			文挿入問題（適切な挿入位置を選ぶ）	In which of the positions marked [1], [2], [3], and [4] does the following sentence best belong?
	4	270			○	職業 / 業種を尋ねる問題	In what department do the writers most likely work?
	5	272	16（再掲）			推測問題	What is suggested about...?
	6	274		14		詳細を問う問題	What is decided about...?
	7	276	18			発言の意図を問う問題	At 4:16 P.M., what does Roberto Fuentes mean when he writes, "..."?
	8	286			○	予定を問う問題	What will *Gaming Monthly* do at the Washington Future Games Expo?
	9	288	19			詳細を問うクロスレファランス問題	At what time will Bob Peters be speaking?
	10	290	20			真偽を問う問題	What is true about...?
	11	292	16（再掲）			推測問題	What is implied about...?
	12	294			○	語彙問題	In the review, the word "..." in paragraph 2, line 1, is closest in meaning to

※図表問題など同じターゲットが複数のパートに出てくる場合、解法が多少異なるものは別の攻略番号を付しています。

ダウンロード音声ファイル一覧

TRACK	内容	ページ
1	オープニング	-
2	Part 1 Directions	27-28
3	Part 1 サンプル問題 1-3	32-33
4	Part 1 サンプル問題 1	34
5	Part 1 サンプル問題 2	36
6	Part 1 サンプル問題 3	38
7	Part 1 練習問題 1-4	40-41
8	Part 1 練習問題 1	42
9	Part 1 練習問題 2	43
10	Part 1 練習問題 3	44
11	Part 1 練習問題 4	45
12	Essential Words & Phrases No.1	46
13	Part 2 Directions	48
14	Part 2 サンプル問題 1-7	54
15	Part 2 サンプル問題 1	56
16	Part 2 サンプル問題 2	58
17	Part 2 サンプル問題 3	60
18	Part 2 サンプル問題 4	62
19	Part 2 サンプル問題 5	64
20	Part 2 サンプル問題 6	66
21	Part 2 サンプル問題 7	68
22	Part 2 練習問題 1-12	70
23	Part 2 練習問題 1	72
24	Part 2 練習問題 2	72
25	Part 2 練習問題 3	73
26	Part 2 練習問題 4	73
27	Part 2 練習問題 5	74
28	Part 2 練習問題 6	74
29	Part 2 練習問題 7	75
30	Part 2 練習問題 8	75
31	Part 2 練習問題 9	76
32	Part 2 練習問題 10	76
33	Part 2 練習問題 11	77
34	Part 2 練習問題 12	77
35	Essential Words & Phrases No.2	78
36	Part 3 Directions	80/86
37	Part 3 サンプル問題 1-12	86-89
38	Part 3 問題 1-3	92
39	Part 3 問題 4-6	100
40	Part 3 問題 7-9	108
41	Part 3 問題 10-12	116
42	Part 3 練習問題 1-12	122-125
43	Part 3 練習問題 1-3	126
44	Part 3 練習問題 4-6	130
45	Part 3 練習問題 7-9	134
46	Part 3 練習問題 10-12	138

4 発展トレーニング用ワークシート

Part 6 サンプル問題（本文 p.222）

Dear Ms. Walters,/

Thank you for submitting your application/
for the Marketing Executive position/
that we currently have open at Hargreaves Bennet. //
We read your résumé with great interest,/
and were particularly impressed by your academic achievements. //
Although you don't have the full amount
of relevant work experience /
specified in the job ad, /
we are keen to meet with you/
to discuss the position further. //

In order to assess/
whether you would be a good fit/
for this role with us,/
we would like to invite you/
to attend an interview/
with our Director of Marketing,/
Margaret Byron,/
at 2:30 P.M. on August 15. //
Please get back to me as soon as possible/
to let me know/
this time is convenient for you.//

I look forward to hearing from you.//

Kind regards,/
Anthony Chung/
Human Resources Manager,/
Hargreaves Bennet/

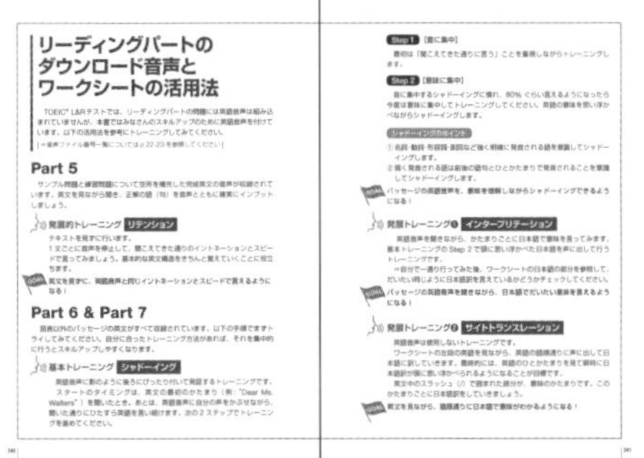

リーディングパートの
ダウンロード音声と
ワークシートの活用法

Part 5

発展的トレーニング リテンション

Part 6 & Part 7

基本トレーニング シャドーイング

発展トレーニング❶ インタープリテーション

発展トレーニング❷ サイトトランスレーション

●リーディングパートのワークシートと使い方

Part 5 から Part 7 のリーディングパートでは、音声ファイルとワークシートをダウンロードして、トレーニングができます。詳細は 340 ページを参照してください。

TRACK	内容	ページ
47	Essential Words & Phrases No.3	142
48	Part 4 Directions	144/150
49	Part 4 サンプル問題 1-6	150-151
50	Part 4 問題 1-3	154
51	Part 4 問題 4-6	162
52	Part 4 練習問題 1-12	168-171
53	Part 4 練習問題 1-3	172
54	Part 4 練習問題 4-6	176
55	Part 4 練習問題 7-9	180
56	Part 4 練習問題 10-12	184
57	Essential Words & Phrases No.4	188
58	Part 5 サンプル問題 1-5	196
59	Part 5 練習問題 1-8	208
60	Essential Words& Phrases No.5	214
61	Part 6 サンプル問題 1-4	222

TRACK	内容	ページ
62	Part 6 練習問題 1-4	232
63	Part 6 練習問題 5-8	233
64	Essential Words& Phrases No.6	242
65	Part 7 サンプル問題 1-3	250
66	Part 7 サンプル問題 4-7	252
67	Part 7 サンプル問題 8-9 上のパッセージ	254
68	Part 7 サンプル問題 10-12	255
69	Part 7 練習問題 1-4	296
70	Part 7 練習問題 5-6	298
71	Part 7 練習問題 7-10	300
72	Part 7 練習問題 11-15 下のパッセージ	302
73	Part 7 練習問題 16-20 最初のパッセージ	304
74	Part 7 練習問題 16-20 2 番目のパッセージ	304
75	Part 7 練習問題 16-20 3 番目のパッセージ	305
76	Essential Words& Phrases No.7	335

音声を聞くには

[無料] 音声ダウンロードの方法

簡単な登録で、音声をスマートフォンや
PC にダウンロードできます。

方法1 ストリーミング再生で聞く場合

面倒な手続きなしにストリーミング再生で聞くことができます。

※ストリーミング再生になりますので、通信制限などにご注意ください。
また、インターネット環境がない状況でのオフライン再生はできません。

このサイトにアクセス!

https://soundcloud.com/yqgfmv3ztp15/sets/toeic-l-r-1-750-1

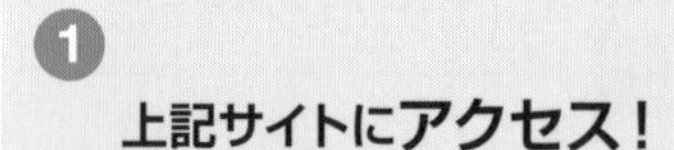

2 アプリを使う場合は SoundCloud に アカウント登録(無料)

方法2 パソコンで音声ダウンロードする場合

パソコンで mp3 音声をダウンロードして、スマホなどに取り込むことも可能です。(要アプリ)

下記のサイトにアクセス

https://www.cosmopier.com/download/4864541602/

音声は PC の一括ダウンロード用圧縮ファイル(ZIP 形式)でのご提供です。解凍してお使いください。

Part 1
写真描写問題の攻略

750点を達成するための Part 1対策

問題数 6 問

目標正解数 6 問

どういう問題？

写真を描写している 4 つの文を聞いて、最も適切なものを選ぶ問題です。実際のテストブックには写真しか印刷されておらず、音声は 1 度しか流れません。

どういう流れ？

1 問題用紙を開く

放送で「ただ今から、リスニングテストを開始いたします」と流れたら、問題用紙のシールを切って待つように指示があります。シールを切って、問題用紙のリスニングテストのページを開きます。

リスニングテストの最初のページには、右のような指示文が印刷されています。しばらくすると、この指示文の音声が流れてきます。

2 Directions（指示文）の音声が流れる

02

LISTENING TEST

In the Listening test, you will be asked to demonstrate how well you understand spoken English. The entire Listening test will last approximately 45 minutes. There are four parts, and directions are given for each part. You must mark your answers on the separate answer sheet. Do not write your answers in your test book.

PART 1

Directions: For each question in this part, you will hear four statements about a picture in your test book. When you hear the statements, you must select the one statement that best describes what you see in the picture. Then find the number of the question on your answer sheet and mark your answer. The statements will not be printed in your test book and will be spoken only one time.

[音声のみ *1]

Statement (C), "They're sitting at a table," is the best description of the picture, so you should select answer (C) and mark it on your answer sheet.

[音声のみ *2]

指示文の写真のところ [音声のみ *1] で、次の音声が流れます。

02

Look at the example item below.

Now listen to the four statements.
(A) They're moving some furniture.
(B) They're entering a meeting room.
(C) They're sitting at a table.
(D) They're cleaning a carpet.

また、最後の [音声のみ *2] で、次の音声が流れます。

02

Now Part 1 will begin.

訳 リスニングテスト
リスニングテストでは、話される英語をどれくらい理解できるかを示すことになります。リスニングテスト全体で約 45 分間です。4 つのパートがあり、指示文がそれぞれのパートにあります。別紙の解答用紙に答えをマークしてください。テストブックに答えを書いてはいけません。

Part 1
指示：
このパートの設問では、テストブックの写真についての 4 つの文を聞きます。文を聞いて、写真に写っている内容を最も適切に描写している 1 文を選んでください。そして、解答用紙の設問番号を探し、答えをマークしてください。4 つの文はテストブックには印刷されておらず、1 度しか流れません。

下の例題を見てください。
それでは、4 つの文を聞いてください。
(A) 彼らは家具を移動させている。
(B) 彼らは会議室に入ろうとしている。
(C) 彼らはテーブルに着いている。
(D) 彼らはカーペットを掃除している。

(C) の文、They're sitting at a table. がこの写真の最も適切な描写です。 ですから、解答 (C) を選び、解答用紙にマークします。

それでは、Part 1 が始まります。

2 設問の音声が流れる

次の音声に続いて、問題 1 の選択肢の文が読まれます。

No.1: Look at the picture marked No.1 in your test book.

訳 問題 1：テストブックの 1 と書かれた写真を見てください。

3 5 秒間で答えを解答用紙にマークする

4 つの選択肢の音声が流れた後に、解答用紙にマークする時間が 5 秒あります。すばやくマークして、次の設問に備えましょう。

解答用紙

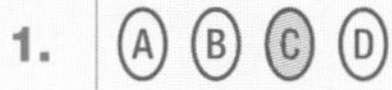

全問正解を目指すための攻略の手順

Part 1は6問出題されます。750点を取るためには、平均的に約75%の正解が必要ですが、Part 3やPart 4に比べて正解しやすいPart 1ではぜひ満点を取りたいもの。6問全問正解を目指しましょう。

Part 1の攻略の手順

手順① 写真をチェックする

テスト開始の合図があると、まずリスニングテスト全体の説明とPart 1のディレクションが約1分30秒間聞こえてきます（*p*.27-28参照）。この説明とディレクションは聞く必要がないので、この間、写真6枚をチェックしてください。

●写真別チェックポイント

写真の種類別に次の点に注意して、見えるものについて英語表現を思い浮かべながらチェックしていきましょう。特に1番と2番の写真はよく見ておくと、スムーズに正解できてリスニングテストのいいスタートが切れます。

写真の種類	チェックポイント
人物が1人のみの写真	人物は女性か、男性か。どんな服装をしているか。 人物は何の動作をしているか。人物以外には何があるか。
複数の人物がいる写真	人物は何人いるか（男女の内訳）。それぞれどんな服装か。 人物はそれぞれ何の動作をしているか。 人物はどのような位置関係にあるか。 人物以外には何があるか。
人物が写っていない写真	特に目立つアイテムは何か。 各アイテムはどんな状態になっているか。 各アイテムの位置関係はどうなっているか。

手順② 選択肢を聞く

No.1: Look at the picture marked No.1 in your test book. に続いて4つの選択肢が読まれます。1つ聞くごとに、「正解・不正解・不明」に3大別しておき、4つめの選択肢を読み終えた後の5秒間のポーズの間に総合判断します。

選択肢を読んでいる途中で正解だと思った場合でも、解答用紙へのマークは、ポーズの間にしましょう。本当の正解を聞き逃さずにすみます。

難問攻略のカギ

Part 1では次の2つの難問を攻略しましょう。

1. 現在完了形の受動態 [物 ＋ have (has) been ＋ 過去分詞]

これは「物が～された状態であること」を表しています。

この表現とともに頻出する動詞は *p*.46 でも紹介していますが、物を主語にした現在完了形の受動態で「そこにある」という状態を表すことができるのは be set、be placed、be positioned、be left、be hung などです。

下の写真についての記述「何枚かの絵が壁に掛かっている」は There are some pictures on the wall. や Some pictures are hung on the wall. とシンプルに表すこともできますが、Part 1 では現在完了形の受動態で表現される場合が多いのです。

Some pictures have been hung on the wall.

絵が壁に掛かっている
↓
絵が壁に掛けられたままになっている

2. 現在進行形の受動態 [物 ＋ be 動詞 ＋ being ＋ 過去分詞]

これは、誰かが物に対して何かをしているところを表しています。

物を主語とする現在進行形の受動態が聞こえてきたら、「人が物に対して～をしているところだ」と理解しましょう。

例えば、下の写真では、「女性が商品をチェックしている」という、人を主語にした文をイメージしやすいため、One of the products is being checked by a woman. という文は間違いだと勘違いしてしまう傾向があります。

この Part 1 の頻出表現を知って意識しているだけで、このような間違いを防ぐことができます。

女性が商品をチェックしている最中だ
↓
商品が女性にチェックされている最中だ

章末に Part 1 に頻出する語句をまとめています。難問攻略のためにも、よくチェックしておいてください。

Part 1

No.03 の音声を聞いて、それぞれの写真を説明する文として最も適切なものを選び、解答欄の (A) ～ (D) のいずれかをマークしてください。

🔊 03

1.

2.

1.	Ⓐ Ⓑ Ⓒ Ⓓ
2.	Ⓐ Ⓑ Ⓒ Ⓓ

3.

PART 1
PART 2
PART 3
PART 4
PART 5
PART 6
PART 7

3.	(A) (B) (C) (D)

重点攻略 1

●位置関係を表す前置詞（句）とフレーズ

物と物、人と物の位置関係を聞き取る

04

1. (A) Trees have fallen across the road.
   (B) A traffic sign is on a street corner.
   (C) Cars are parked side by side.
   (D) Cars are parked along a street.

手順① 写真をチェックする

人物の写真でも同様ですが、風景写真では特に物の位置関係の記述が出題されます。事前に位置関係を意識して写真をチェックしておきましょう。場所を表す頻出語句をしっかり覚えておけば、正解しやすくなります。

頻出語句

□ in a row 一列になって	□ behind ～の後ろに
□ side by side 横一列になって	□ in front of... ～の前に
□ in the center (middle) of... ～の中央に	□ across ～の向こう側に、～を横切って
	□ across from... ～の真向かいに
□ in (at) the corner of... ～の角に	□ back to back 背中合わせに

手順② 選択肢を聞く

(A) Trees have fallen across the road.

have fallen と現在完了形が使われています。fall は「倒れる」の意。つまり、この文は「木は倒れて道路を横断している」という状態を示しています。木は倒れていませんから、NG です。across the road「道路を横切って」の意味がつかめなくても、Trees have fallen を聞き取れれば誤答だと正しい判断ができます。

(B) A traffic sign is on a street corner.

on a street corner は「通りの角に」の意。traffic sign「交通標識」は、通りにあるので、NG です。traffic sign は単に sign と表現されることもあります。

(C) Cars are parked side by side.

Cars are parked「車が停まっている」までは正しい描写ですが、side by side「横一列に」の部分が間違いです。人物写真の場合にもよく出題されますが、side by side は劇場や映画館の座席のように隣り合わせになっている様子を表します。

(D) Cars are parked along a street.

最初の 3 語は (C) と同じです。文末の 3 語は along a street「通りに沿って」となっていて、正解です。 (D) をマーク！

訳 (A) 木が倒れて道路を横断している。
(B) 交通標識が通りの角にある。
(C) 車が横並びに停まっている。
(D) 車が通りに沿って停まっている。

●状態を表す現在完了形の受動態

[物+have (has) been+過去分詞]は「物が～された状態だ」

05

2. (A) Some railings are being installed.
(B) Some chairs have been placed side by side.
(C) Some people are seated on the chairs.
(D) Some people are polishing a floor.

手順① 写真をチェックする

人物の動作、物の位置関係をチェックします。複数の人物が写っている場合、選択肢はSome peopleやPeople、Theyで始まることが多いですが、物が主語になる場合もあります。写真中の物をよく見て英単語を思い浮かべておきましょう。

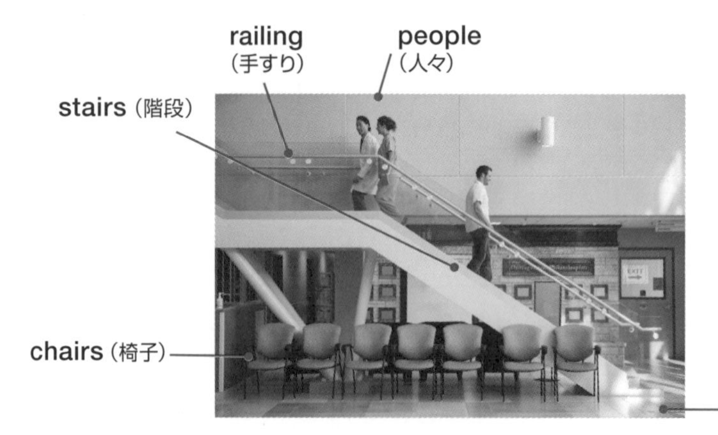

手順② 選択肢を聞く

(A) Some railings are being installed.

railing は「手すり」。「物が主語の現在進行形の受動態」の文です（p.31「難問攻略②」参照）。この文型は、人を表す単語はないけれど、「誰かが～をしているところだ」の意を表します。この場合「誰かが手すりを取り付けています」となり、手すりはすでにあるので、NG です。

(B) Some chairs have been placed side by side.

物が主語の現在完了形の受動態は、「～が…された状態である」ことを表します。ここでは place「置く」を用いて「横一列に並べられている」と描写しています。

この文型で用いられるほかの主な動詞（の過去分詞）には、set (up) や left 、positioned「置かれている・設置されている」、removed「外されている（そこにない）」、planted「植えられている」、hung「吊されている」、moved to...「～に移動されている（～にある）」などがあります。

(B) をマーク！

(C) Some people are seated on the chairs.

Some people は写真に写っていますが、誰も椅子には座っていないので、NG です。

(D) Some people are polishing a floor.

floor「床」は見えますが誰も polish「磨く」ことはしていないので、NG です。

訳 (A) いくつかの手すりが取り付けられているところだ。
(B) いくつかの椅子が横一列に並べられている。
(C) 何人かが椅子に座っている。
(D) 何人かが床を磨いている。

難問攻略
2

●動作を表す現在進行形の受動態
[物(主語)+be動詞+being+過去分詞]は「誰かが何かをしている」

06

3. (A) A paintbrush is being used.
(B) A picture is being taken.
(C) A woman is drawing a picture.
(D) A woman is taking a picture.

手順① 写真をチェックする

問題1と2で1人の人物写真が出題される場合、多くは選択肢がSheやA womanのような同じ主語で始まります。でも問題3～6では、人が物に対して何か働きかける動作をしている場合、物が主語の文が複数含まれる難問が出題されることが多々あります。人物が物に対してどんな「働きかけ」をしているか、それを表す動詞や物を英語で頭に思い浮かべておきましょう。

この写真の場合、動詞としては、絵筆を使う（use）、絵の具を混ぜる（mix）、パレットを持つ（hold）、絵を描く（paint）など。物を表す語も事前にチェックしておきましょう。

picture / canvas / oil painting
（絵）（キャンバス）（油絵）
wall（壁）

paint brush（絵筆）
pallet（パレット）/ paint（絵の具）

手順② 選択肢を聞く

Part 1 の後半では 4 つの選択肢の主語がバラバラで、かつ難しい構文が用いられている場合が多いので、[主語＋動詞] を軸に、動詞の直後の語句を関連させて意味をとりましょう。

(A) A paintbrush is being used.

A paintbrush「絵筆」という物が主語で、後に is being used（be 動詞＋being ＋過去分詞）が続きます。現在進行形の受動態ですね。「A paintbrush が use されている最中だ」つまり、「誰かが絵筆を使っている最中だ」ということです。写真では女性が絵筆を使っているので、正解です。 (A) をマーク！

(B) A picture is being taken.

やはり A picture という物が主語の現在進行形の受動態です。動詞 take が使われているので、ここでの picture は take a picture「写真を撮る」の「写真」という意味を表します。この文を直訳すれば「1 枚の写真が撮られている最中だ」、つまり、「誰かが写真を撮っている最中だ」の意で、不正解です。

(C) A woman is drawing a picture.

人が主語で［be 動詞＋動詞の ing 形］が続いています。現在進行形ですね。draw はペンや鉛筆などで「描く」の意で、draw a map（地図を描く）、draw a sketch（スケッチをする）のように使われます。draw a picture と言えば「線画を描く」ということです。写真のように絵筆を使って描くことは、paint a picture と表すため、この選択肢は不正解です。

(D) A woman is taking a picture.

これも (C) と同じく「女性が～している最中だ」の意のシンプルな現在進行形の能動態です。でも、take a picture と言えば「写真を撮る」の意を表すので、不正解です。

訳 (A) 絵筆を使っている最中だ。
(B) 写真を撮っている最中だ。
(C) 女性が絵を描いている最中だ。
(D) 女性が写真を撮っている最中だ。

Part 1

No.07の音声を聞いて、それぞれの写真を説明する文として最も適切なものを選び、解答欄の (A) ～ (D) のいずれかをマークしてください。

07

1.

2.

1.	Ⓐ Ⓑ Ⓒ Ⓓ
2.	Ⓐ Ⓑ Ⓒ Ⓓ

3.

4.

3.	Ⓐ Ⓑ Ⓒ Ⓓ
4.	Ⓐ Ⓑ Ⓒ Ⓓ

Part 1 練習問題の解答と解説

重点攻略 1 位置関係を表す前置詞（句）とフレーズ

難問攻略 1 状態を表す現在完了形の受動態

難易度 ★★★

08

1. (A) They are putting away their instruments.
(B) They are surrounded by a small audience.
(C) All the doors have been opened.
(D) Two people are sitting side by side.

解説

選択肢を１つ１つ聞きながら正誤を判断していきます。

(A) の instruments は「楽器」の意も表しますが、put away「片付ける、しまう」という動作を表す語句が NG です。

(B) be surrounded by... は「～に囲まれている」の意ですが、そもそも audience「聴衆」が写真の中にありませんね。写真にない英語が聞こえてきたら、その選択肢は誤りです。

(C) まず現在完了形の受動態に注意しましょう。have been opened は are open と同じで、「開かれたままである」の意。doors は写真にありますが、少なくとも右のドアは閉まっているので NG です。

(D) side by side は「横に並んで」の意。壁を背に男性２人が並んで座ってギターを弾いているので、正解です。

訳

(A) 彼らは楽器を片付けている最中だ。
(B) 彼らは少数の聴衆に囲まれている。
(C) すべてのドアは開いている。
(D) ２人が並んで座っている。

語句

- □ **put away...** ～を片付ける、～をしまう
- □ **instrument** 楽器、器具
- □ **be surrounded by...** ～に囲まれている
- □ **side by side** 横に並んで

難問攻略 2 動作を表す現在進行形の受動態

難易度 ★★★

09

2. (A) People are working in the backyard.
(B) Food is being shared.
(C) A table is being carried into the house.
(D) Food is being sold outdoors.

解説

(A) people と backyard らしき場所は写真にありますが、人々は食事をしているので、「働いている」の意の are working は不適切です。

(B) 物が主語の現在進行形の受動態です。このままでわかりづらければ、人を主語にした能動態の文に即、置き換えてイメージしましょう。この場合、People を主語にした People are sharing food. という能動態の文と同義で、正解です。

(C) A table と物が主語の現在進行形の受動態ですね。これは人を主語にすれば People are carrying a table into the house. の意。table も house も写真にはありますが、carry a table という動作は見られないので NG です。

(D) これも能動態の文にすれば、People are selling food outdoors. となりますね。写真は outdoors「屋外で」のものですが、sell food の部分が不適切です。

訳

(A) 人々が裏庭で働いている。
(B) 人々が食べ物を分け合っているところだ。
(C) テーブルが家に運び込まれているところだ。
(D) 食べ物が屋外で売られているところだ。

語句

- □ **backyard** 裏庭
- □ **share** ～を共有する、～を分ける
- □ **carry A into B** A を B に運び入れる
- □ **outdoors** 屋外で

難問攻略 1　状態を表す現在完了形の受動態

難問攻略 2　動作を表す現在進行形の受動態

難易度 ★★★

🔊 10

3. (A) Curtains are being pulled open.
(B) Windows are being cleaned.
(C) Some cushions are stacked on the sofa.
(D) A plant has been placed on the table.

解説

(A) 物が主語の現在進行形の受動態 [be 動詞 + being + 過去分詞] の表現は、「(物が) ～されているところだ」の意。つまり「誰かが (物を) ～しているところだ」ということです。この場合、「誰かがカーテンを引いて開けているところだ」の意。写真ではカーテンはすでに開いているので、NG です。

(B) も現在進行形の受動態です。誰も窓を清掃していないので誤りです。

(C) は受動態で、are stacked は「積み上げられている」という状態を表しています。ソファの上のクッションは積み重ねられてはいないので、NG です。

(D) place は「～を置く」の意。現在完了形の受動態もイメージしづらいですが、植物がすでにテーブルに置かれ、今もその状態が続いているので現在完了時制で表現しているだけです。これは、現在形の受動態と同様に「状態」を表しています。

訳

(A) カーテンが開けられているところだ。
(B) 窓が掃除されているところだ。
(C) クッションがソファに積み上げられている。
(D) 植物がテーブルの上に置かれている。

語句

- □ **pull... open**　～を引っ張って開ける
- □ **clean**　～を掃除する
- □ **stack**　～を積み重ねる
- □ **place**　～を置く

難問攻略 1 状態を表す現在完了形の受動態

難問攻略 2 動作を表す現在進行形の受動態

難易度 ★★★

🔊 11

4. (A) The men are paying a cashier.
(B) Items are being loaded into a basket.
(C) Some merchandise has been hung on the wall.
(D) One of the men is arranging items in a basket.

解説

(A) 男性が 2 人いますが、cashier「レジ係」は写真には見えないので、NG です。

(B) load A into B は「AをBに積む」の意。items や basket は見えますが、商品がかごに入れられている様子は見られないので、誤りです。

(C) は物を主語にした現在完了形の受動態ですね。hung は hang の過去分詞で has been hung は「掛けられたままになっている」の意になります。つまり、この文は、Some merchandise is hung on the wall. と言い換えることもできます。壁にはペンチなどの商品が吊されているので、正解です。

(D) 1 人の男性は basket「かご」を手に持っていますが、arrange items「商品を並べる」動作はしていないので、不正解です。

訳

(A) 男性たちがレジ係に支払っているところだ。
(B) 品物がかごに入れられているところだ。
(C) いくつかの商品が壁に掛かっている。
(D) 男性の 1 人がかごの中の品物を並べているところだ。

語句

□ cashier　レジ係
□ item　品物　<可算名詞>
□ load（荷物などを）積む
□ merchandise　商品　<不可算名詞>
□ arrange　～を配置する、～を並べる

Check! Essential Words & Phrases ▶ No. 1

進行中の動作を表す重要動詞

- □ exit　～を出る
- □ organize　～を整頓する
- □ post　～を立てる、～を掲示する
- □ face　～の方を向く
- □ stock　～を仕入れる、～を補充する
- □ assemble　～を組み立てる
- □ pour　～を注ぐ
- □ discard　～を捨てる
- □ sip　～をすする
- □ bag　～を袋に入れる
- □ unplug　～の電源を抜く
- □ unzip　～のファスナーを開ける
- □ circle　旋回する
- □ hand　～を手渡す
- □ paddle　漕ぐ
- □ wheel　～を車で運ぶ
- □ spread out...　～を広げる
- □ reach for...　～を求めて手を伸ばす

状態を表す受動態の表現

- □ be suspended　吊されている
- □ be hung　掛けられている
- □ be occupied　埋まっている、空きがない
- □ be lined up　並んでいる
- □ be positioned　設置されている
- □ be located　ある
- □ be placed / be set　置かれている
- □ be displayed　陳列されている
- □ be piled / be stacked　積み重ねられている
- □ be gathered　集まっている
- □ be propped　つっかえ棒で支えられている
- □ be fastened to...　～に取り付けられている
- □ be docked　（港に）係留されている
- □ be seated　座っている
- □ be elevated on...　（～の上に）上がっている
- □ be stopped　止められている
- □ be left　ある、残っている
- □ be planted　植えられている

難度高めの名詞

- □ pier　埠頭、桟橋
- □ awning　日よけ
- □ porch　玄関先（屋外）
- □ foyer　玄関ロビー
- □ deck　デッキ、ポーチ
- □ column　柱
- □ window pane　窓ガラス
- □ stove　コンロ
- □ groceries　食料品
- □ item　品物〔可算名詞〕
- □ merchandise　品物〔不可算名詞〕
- □ supplies　備品
- □ uphill / downhill　上り坂、下り坂
- □ pavement　舗装道路、舗道

難度高めの位置表現

- □ next to each other　隣同士に並んで
- □ across from each other　向かい合って
- □ back to back　背中合わせに
- □ on both sides of...　～の両側に
- □ on either side of...　～の両側に
- □ adjacent to...　～の隣に

Part 2
応答問題の攻略

750点を達成するための Part 2 対策

問題数 25 問

目標正解数 20 問

どういう問題？

1つの質問文（疑問文または平叙文・感嘆文・命令文）と、それに続く3つの返答を聞いて、最もふさわしい答えを選ぶ問題です。

どういう流れ？

1 Directions（指示文）の音声が流れる

最初に下記の Directions（指示文）の音声が流れます。

13

PART 2

Directions: You will hear a question or statement and three responses spoken in English. They will not be printed in your test book and will be spoken only one time. Select the best response to the question or statement and mark the letter (A), (B), or (C) on your answer sheet.

訳 PART 2
指示：英語による質問文または文、そして3つの応答が流れます。音声の英文はテストブックに印刷されておらず、1度しか流れません。質問文または文に対する最もふさわしい応答を選び、解答用紙の (A)、(B) または (C) の記号をマークしてください。

続いて、音声のみで次のアナウンスが流れます。

13

Now let us begin with question number 7.

訳 問題7から始めましょう。

2 設問の音声が流れる

テストブックには、7の問題は次のように印刷されています。

7. Mark your answer on your answer sheet.

訳 7. 解答用紙にあなたの答えをマークしてください。

設問では、最初に質問文の音声が流れます。

【例】

No.7 Who's the head of the marketing department?

訳 No.7 誰がマーケティングの部長ですか。

【例】

(A) Mr. Shin is.
(B) Yes, I'm meeting them in the afternoon.
(C) I moved to a new apartment.

訳 (A) Shin さんです。
(B) はい、午後に彼らと会います。
(C) 私は新しいアパートに引っ越しました。

3 5秒間で答えを解答用紙にマークする

3つの選択肢の音声が流れたあとに、解答用紙にマークする時間が5秒あります。すばやくマークして、次の設問に備えましょう。

解答用紙 7.

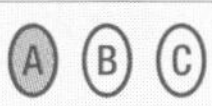

20問以上の正解を目指すための攻略の手順

Part 2 は 25 問出題されます。
750 点を取るためには、80% に当たる 20 問を正解できるようにしましょう。

Part 2 の攻略の手順

他のリスニングパートと異なり、Part 2 は事前にチェックすべき写真も英文もありません。1 つの質問文に対して 3 つの応答が流れますが、これが 25 回繰り返されるので、集中力を切らさないことが大事です。

具体的には、質問文（疑問文･平叙文･命令文など）と 3 つの応答が流れる間に、以下の 3 つの手順を踏んでみてください。

手順 1　質問文の意味を理解する
手順 2　質問文から状況をイメージする
手順 3　適切な応答を選ぶ

手順① 質問文の意味を理解する

主な質問文のパターンは以下の 7 つです。話者が何を求めているのかを考えて聞きましょう。

質問文のパターン	難易度
1. 疑問詞を使った疑問文	★★
2. be 動詞を使った疑問文	★～★★★
3. 助動詞を用いた慣用表現	★★★
4. 付加疑問文	★★★
5. 否定疑問文	★★★
6. 選択疑問文	★★★
7. 平叙文	★～★★★

手順② 質問文から状況をイメージする

質問文が聞こえてきたら、どんな場所で行われている応答なのかイメージしましょう。例えば、以下はどんなシチュエーションでしょうか。

I'd like to get your feedback on our proposal.

この1文からは、話し手と聞き手は仕事場にいて、話し手は企画書を書き上げ、聞き手に見てもらいたいと依頼していることがわかりますね。希望を述べる表現によって、I'd like to get your feedback「(企画書についての) あなたの意見をいただきたいのですが」と話し手は依頼しています。

これに対しては、Sure. I'll take a good look at it this afternoon.「ええ。今日の午後よく見ておきます」とか Can I review it tomorrow?「明日見てもかまいませんか」といった応答が考えられます。

手順③ 適切な応答を選ぶ

3つの選択肢を聞き終わった後、まだ解答に迷う場合は、消去法で選択肢を絞り込みましょう。

また、Part 2の誤答選択肢には次の3つの特徴があります。

① 質問文中の単語と同じ単語を使用

【例】Let's help Sho load the boxes into the truck.

× — Yes, I can drive a truck.

Sho が段ボール箱をトラックに積むのを手伝いましょう。
誤答　はい、私はトラックを運転できます。

② 質問文中の単語と似た音の単語や同音異義語を使用

【例】Let's help Sho load the boxes into the truck.

× — Traffic is very heavy on the road.

誤答　道路はかなり渋滞しています。

③ 質問文中の話題と関連のある単語を使用

【例】I'd like to know why my package wasn't delivered yesterday.

× — Sometime in the afternoon.

なぜ私の荷物が昨日届かなかったのか知りたいです。
誤答　今日の午後のいつか。

難問攻略のカギ

頻出する助動詞を用いた慣用的な表現と、間接的な応答表現の２つについて、攻略方法を確認しておきましょう。

1. 助動詞を用いた慣用表現

全25問のうち３～５問出題されることの多い、最頻出の助動詞を用いた慣用表現をここでしっかり整理しておきましょう。

❶ 許可を求める「～してもいいですか」
・May I...?　・Can I...?　・Could I...?　・Do you mind if I...?

・May I take a day off tomorrow?　明日休みを取ってもよろしいですか。
・Can I get a copy of that?　そのコピーをもらえますか。
・Could I borrow ten dollars?　10 ドルお借りできますか。
・Do you mind if I turn on the TV?　テレビをつけてもいいですか。

❷ 依頼する　「～していただけますか」
・Will you...?　・Would you...?　・Can you...?　・Could you...?

・Will you come to my office now?　私の部屋に来てもらえますか。
・Would you hand me that?　それを手渡してもらえますか。
・Can you help me move this desk?　このデスクを移動するのを手伝ってもらえますか。
・Could you take a look at this schedule?　このスケジュールを見ていただけますか。

❸ 申し出る　「～しましょうか」
・Can I...?　・Could I...?　・Should I...?
・Would you like to...?　・Would you like me to...?

・Can I help you?　何かお手伝いしましょうか。/ いらっしゃいませ。
・Could I get you a glass of water?　お水をお持ちしましょうか。
・Should I get you a taxi?　タクシーをお呼びしましょうか。
・Would you like to use my phone?　私の電話をお使いになりますか。
・Would you like me to give you a ride?　車に乗せていってあげましょうか。

❸ 誘う・招く　「～しませんか」
・Would you like to...?　・Will you be able to...?　・Should we...?

・Would you like to play golf with us this weekend?
今週末私たちと一緒にゴルフをしませんか。
・Will you be able to come to the party tonight?
今晩のパーティーにいらっしゃいませんか。
・Should we get something to eat now?　今何か食べませんか。

2. 間接的な応答表現

間接的な応答が正解になる問題が比較的多数出題されています。

正解のカギは、話者の意図を即座に理解することです。いくつか典型的な例を確認しておきましょう。

① Do you have time to review my proposal for the new product?
— I'm leaving in ten minutes.

➡話者の意図　「企画書を今、見てもらいたい」

Do you have time to do? は「今～する時間はありますか」の意。つまり、今、新製品の企画書を見る時間を取ってもらえるかどうか、話者は尋ねています。

➡間接的な応答　Yes/No を答えずに、No の理由だけを述べています。

訳 「新商品の企画書を見ていただくお時間ありますか」
「10 分後にはここを出るのです」

② Isn't it a bit dark in here?
— We're going to watch a movie.

➡話者の意図　「この部屋は暗すぎる」

Isn't で始まる否定疑問文で尋ねています。つまり、話者は「暗すぎる」ことに対して相手から同意を得られると思って「ちょっとここは暗いですよね」「どうして電灯をつけないんですか」と尋ねています。

➡間接的な応答　Yes/No を答えずに、部屋を暗くしている理由をいきなり説明しています。

訳 「ここはちょっと暗くないですか」
「これから映画を見るんです」

③ Isn't the company picnic this month?
— Sandy is in charge of that.

➡話者の意図　「会社のピクニックは今月にあると思う」

やはり否定疑問文で尋ねています。つまり、話者は「会社のピクニックは今月の予定だったよね」と相手に同意を求めて尋ねているのです。

➡間接的な応答　Yes/No を答えずに、会社のピクニックについての責任者であるサンディに尋ねればわかるでしょうと答えています。be in charge of A は「A の担当である、A の責任者である」の意。

訳 「会社のピクニックは今月ですよね」
「サンディがその責任者です」

Part 2

No.14 の音声を聞いて、質問または発言に対する応答として適切なものを選び、下記の解答欄の (A) ~ (C) のいずれかにマークしてください。

🔊 14

1. Mark your answer on your answer sheet.

2. Mark your answer on your answer sheet.

3. Mark your answer on your answer sheet.

4. Mark your answer on your answer sheet.

5. Mark your answer on your answer sheet.

6. Mark your answer on your answer sheet.

7. Mark your answer on your answer sheet.

1.	Ⓐ Ⓑ Ⓒ
2.	Ⓐ Ⓑ Ⓒ
3.	Ⓐ Ⓑ Ⓒ
4.	Ⓐ Ⓑ Ⓒ
5.	Ⓐ Ⓑ Ⓒ
6.	Ⓐ Ⓑ Ⓒ
7.	Ⓐ Ⓑ Ⓒ

NO TEST MATERIAL ON THIS PAGE

難問攻略 3

●付加疑問文

文末に tag があれば、話し手は「確認」している

15

1. You've already met with the event planner, haven't you?

(A) No, we're meeting tomorrow.
(B) We need thirty more invitations.
(C) That was a nice party.

手順① 質問文の意味を理解する

You've already met with the event planner, haven't you?

付加疑問文は、平叙文の文末に付加部分（=tag）が付いたもの。話し手は平叙文で「～は…だ」と言いきる自信がないので、この tag を付けることで「～は…だよね？」と確認をしています。文頭から［主語 + 動詞］の語順で聞こえてくると、平叙文だと思ってしまいますが、文末までしっかり聞いて tag の有無を確認し、質問文の意味を正確に理解しましょう。

手順② 質問文から状況をイメージする

文末の tag の前までは「あなたはもうそのイベントプランナーに会いました」の意。tag を付けることで「～に会ったんですよね」と確認の意が加わります。つまり、話し手は相手に対して「会ったかどうかちゃんと知りたい」のです。このことを質問文を聞きながらしっかりイメージすることが大切です。

手順③ 適切な返答を選ぶ

質問文が平叙文の場合、応答がYes/Noで始まるのは、おもに相手の意見に同意/否定するときです。付加疑問文はその名の通り疑問文の一種なので、Yes/Noで始まる返答が正解になる場合が多々あります。かといって、これらがなければ応答が成立しないわけでもありません。これが難問たるゆえんです。正解を得るにはYes/No以外の文全体の意味をしっかり理解し、それがYes/Noと整合するか、そして、質問文とかみ合うかチェックします。

(A) No, we're meeting tomorrow.

Noは「いいえ」、we're meeting tomorrowは「私たちは明日会う予定です」の意。つまり、「私はそのイベントプランナーと会ったことはなく、私たちは明日会う予定です」と整合性のある返答になっています。正解です。

(A)をマーク！

(B) We need thirty more invitations.

付加疑問文への返答は、必ずしも文頭にYes/Noが必要ではないので、これだけで不正解とは判断できません。文意をしっかり理解しましょう。「あと30の招待状が必要です」では話がまったくかみ合っていないので、誤答と判断します。

(C) That was a nice party.

「すてきなパーティーでした」の意で、質問文と整合しないのでNGです。質問文中のeventの類義語partyを用いた、典型的な引っかけの選択肢です。

訳 あなたはそのイベントプランナーにもう会ったんでしょう？
(A) いいえ、私たちは明日会う予定です。
(B) あと30の招待状が必要です。
(C) すてきなパーティーでした。

●否定疑問文

「～でしょ?」と同意を期待して確認している

🔊 16

2. Doesn't the bus going downtown run every hour?

(A) I never take a taxi.
(B) Please make a right turn.
(C) No, it's every ninety minutes.

手順① 質問文の意味を理解する

Doesn't the bus going downtown run every hour?

否定疑問文とは、not を含む語で始まる疑問文のこと。not を含むので、「～ではないのですか」という意味だと誤解しがちですが、実際は、「～でしょ？」の意で、話者は同意を期待して確認しています。この質問文は直訳すれば、「街中へのバスは、毎時走っているでしょ？」となります。

手順② 質問文から状況をイメージする

主語（主部）と動詞をしっかりセットで捉えましょう。ここでは the bus going downtown（街中へ向かうバス）というちょっと長めの句が主部になっています。every hour「毎時」は「1 時間ごとに」の意。つまり「街中へのバスは 1 時間に 1 便あるんでしょ？」ということですね。

手順③ 適切な返答を選ぶ

否定疑問文は Yes/No 疑問文の一種ですから、Yes/No やそれに類する言葉（例えば、Yes. と同義の Sure. など）で始まる返答は正解の可能性があります。ただ、Yes/No や Sure など、Yes/No 疑問文の応答のマーカーとなる語を含まない選択肢が正解の場合も実際多いので注意しましょう。

(A) I never take a taxi.

「私はタクシーには絶対に乗りません」の意で、バスの運行頻度を尋ねている質問文と合いません。NG です。

(B) Please make a right turn.

[Please＋動詞の原形] は「～してください」の意の命令文です。「～でしょう？」という質問文に対して「～してください」では答えになっていません。構文から NG と判断できます。

(C) No, it's every ninety minutes.

否定疑問文に対して、No, の部分はひとまず OK なので、次を聞きます。[every＋時間・期間] は、「～ごとに」の意。every ninety minutes は「90 分ごとに」「90 分に 1 回」ということです。「1 時間に 1 便でしょ？」という質問に対して、「いいえ、90 分に 1 便です」とかみ合っていますので、正解です。

(C) をマーク！

訳 街中へのバスは 1 時間に 1 本走っているんでしょ？
(A) 私はタクシーには絶対に乗りません。
(B) 右折してください。
(C) いいえ、90 分に 1 本です。

難問攻略 5

●選択疑問文

Yes/No 疑問文は最後までしっかり聞く

🔊 17

3. Would you like to buy a new car or lease one?

(A) Yes, it will be released in two weeks.
(B) A ten-year warranty.
(C) Which is better?

手順 1 質問文の意味を理解する

Would you like to buy a new car or lease one?

選択疑問文は、Yes/No 疑問文と間違えやすいのですが、よく聞くと文中で「A or B」と選択肢を明示して、どちらがいいか相手に尋ねています。ここでは「新車を買いたいですか、それとも借りたいですか」と 2 つの選択肢を明示して意向を尋ねています。

手順 2 質問文から状況をイメージする

文頭からの 2、3 語までは Yes/No 疑問文と同じ構造なので、質問文が Yes/No 疑問文っぽいなと思っても、早合点しないことが大事。必ず文末まで丁寧に聞き、選択肢が明示されているかどうかチェックします。選択肢は or の前後に示されます。話し手は相手に Yes か No かを求めて聞いているのではなく、どちらを選ぶつもりかを聞きたいということをしっかりイメージしてください。

手順 3 適切な返答を選ぶ

選択疑問文と Yes/No 疑問文をしっかり区別しましょう。選択疑問文の応答文は Yes/No やそれに類する Sure などの語では始まりません。提示された「A or B」の選択肢の「どちらか一方」、または「どちらでもない」「どちらでもいい」「決められない」「わからない」などの応答が正解になります。

(A) Yes, it will be released in two weeks.

Yes と聞き取った時点で NG だと判断してください。また後続部分も「2 週間後に発売される」は質問文と全然整合しません。質問文中の lease と似た音をもつ released を使った、典型的な引っかけの選択肢です。

(B) A ten-year warranty.

きっぱりと語句だけで答えている点は選択疑問文への応答らしく聞こえるのですが、「10 年保証」は選択肢に示されていないので NG です。質問文中の new car「新車」の関連語 warranty「保証」を組み込んだ、やはり典型的な引っかけの選択肢です。

(C) Which is better?

「どちらがいいですか」と選択疑問文に対して、疑問文で返しています。「買うかリースか」という 2 つの選択肢について決められないので逆に意見を求めて聞き返しているという状況で、正解です。このほか、(I'd like to) buy (one)./(I'd like to) lease (one.) や I prefer to buy (lease). なども正解になります。

(C) をマーク！

訳 新車を買いたいですか、それとも借りたいですか。
(A) はい、それは 2 週間後に発売されます。
(B) 10 年保証。
(C) どちらがいいですか。

難問攻略 6

●平叙文

[主語+動詞]を軸に、意図を聞き取る

🔊 18

4. We have to finish painting the house by the weekend.

(A) The door on the right.
(B) Yes, I'm taking an art class now.
(C) We need to find more workers, then.

手順① 質問文の意味を理解する

We have to finish painting the house by the weekend.

平叙文は、疑問文と異なり、相手に対して何か尋ねているわけではありません。でも、発せられる言葉には必ず「意図」があります。この意図をくみ取ることがポイントです。[主語 + 動詞] を軸に、さらに動詞の直後の語句との結びつきをしっかり聞いて、意図を理解しましょう。

手順② 質問文から状況をイメージする

文頭から語順通りに状況をイメージしていくと「私たちは / 終わらせなければならない / ペンキを塗ることを / 家に / 週末までには」となりますね。have to finish から「大変そうな仕事だな」、by the weekend と期限に言及していることから「急いでいるのかも」などと感じ取れると正解を選ぶのが楽になります。

手順③ 適切な返答を選ぶ

Part 2 の場合、ピンポイントで正解を決めきれなかったら、消去法で一つでもNG 出しをして選択肢を絞りましょう。特に質問文が平叙文の場合、応答はこれ、と決まった正解のマーカーがあるわけではないので、消去法は有効です。

(A) The door on the right.

「右側にあるドア」の意で、質問文の意図とはかみ合っていません。質問文中の house の関連語 door に引っ張られて正解だと勘違いしないようにしましょう。

(B) Yes, I'm taking an art class now.

平叙文に対して Yes/No で受け答えを始めることは可能です。その場合、Yes は平叙文への同意を、No は否定を表します。この場合だと Yes 自体は、質問文に同意しているとみて「そうだね、今週末までには終わらせないとね」の意を表すと考えることができます。しかし、Yes に続く「現在、美術のクラスを取っています」が、この意の Yes と結びつきませんね。また、質問文ともかみ合わないことから NG と判断します。質問文中の painting に関連した art (class) を用いた引っかけの選択肢です。

(C) We need to find more workers, then.

「それじゃあ、作業してくれる人をもっと見つけないといけませんね」の意で、「週末までに終わらせないといけない」という発言の意図をくみ取って、具体的に提案している内容は、応答としてしっかり成立しています。正解です。

(C) をマーク！

訳 私たちは週末までにはこの家のペンキ塗りを終わらせないといけません。
(A) 右側にあるドア。
(B) はい、現在、美術のクラスを取っています。
(C) それじゃあ、作業してくれる人をもっと見つけないといけませんね。

難問攻略 7

●間接的な応答が頻出する疑問文

応答文全体の意図を読み取る

🔊 19

5. Can you please turn off the air conditioner?

(A) Yes, I can get you some more.
(B) It's already off.
(C) We're out of air freshener.

手順① 質問文の意味を理解する

Can you please turn off the air conditioner?

この場合 Can you...? は「～してもらえますか」と依頼を表しています。「エアコンを切ってもらえますか」ということですね。Can you...? は、重点攻略②(*p*.66)でもふれていますが、「～ができますか」と能力があるかを尋ねるだけでなく、依頼を表すことも覚えておきましょう。

手順② 質問文から状況をイメージする

エアコンをオフにしてほしいということは、現在エアコンによって話し手は寒すぎる（または暑すぎる）と感じているわけですね。この話し手の意図をまず理解することが、間接的な応答表現から正解を選ぶベースになります。

手順③ 適切な返答を選ぶ

依頼表現には Can you...? のほか、Would (Could/Will) you...? や Would you be kind enough to...? など複数あり、どれもテストに頻出しています。これに対し、Yes. や Sure.、Certainly. などまず一言が聞こえてくればそれは快諾の印で、No. はもちろん断っていることを表します。

ただ、テストには、これらのわかりやすい正解のマーカー表現が用いられない選択肢を正解とするものも少なくありません。その場合、応答文全体の意図をしっかりとくみ取ることが大切です。Yes/No などの正解のマーカーが聞こえなくても正解となること、応答文の意図を［主語 + 動詞］を基軸にちゃんと把握することを 2 大ポイントと心しておきましょう。

(A) Yes, I can get you some more.

Yes, I can につられて正解と勘違いしないようにしましょう。I can get you some more. は「もっと取ってきてあげましょう」の意で、このように can は申し出るときにも使います。エアコンのオンオフとは関係ないので NG です。

(B) It's already off.

「(エアコンは) もう切れていますよ」の意で正解です。 (B) をマーク！

(C) We're out of air freshener.

「芳香剤を切らしているんです」とやはりエアコンには無関係の応答です。air conditioner に似た air freshener を用いた引っかけの選択肢です。

訳 エアコンを切ってもらえますか。
(A) はい、もっと取ってきてあげましょう。
(B) もう切れていますよ。
(C) 芳香剤を切らしているんです。

重点攻略 2

●助動詞を用いた慣用表現
冒頭の語句だけで判断しない

🔊 20

6. Would you like to see the new action movie this weekend?

(A) Your action was quite exaggerated.
(B) It's a newly remodeled theater.
(C) Actually, I'd prefer a comedy film.

手順① 質問文の意味を理解する

Would you like to see the new action movie this weekend?

would like to...の基本的な意味は「～したい」。want to...より少し丁寧なニュアンスをもつ表現です。この質問文は you を主語にした疑問文で、その意図は「～したいですか」、転じて「～しませんか」と招待の意を表します。「今週末、新しいアクション映画を見にいきませんか」ということです。

手順② 質問文から状況をイメージする

話し手は封切りになったばかりのアクション映画に相手を誘っている、と言う状況をイメージできれば OK です。

頻出表現 ＊ *p.*52 も参照してください

□ 依頼：～してもらえますか。
Would (Will, Can, Could) you...?

□ 許可を求める：～してもいいですか。
May (Could, Can) I...?
Would (Do) you mind if...?

□ 招待・勧誘：～しませんか。
Would you like to...?
Do you want to...?
Will you be able to...?
Should we...?

□ 申し出：～しましょうか。～なさいますか。
Could (Can, May, Should) I...?
Would you like to...?

手順 3 適切な返答を選ぶ

助動詞の慣用表現を用いた質問文、見かけは Yes/No 疑問文です。勧誘表現に対しても Yes/No で答えるほか、「ぜひ」の意の I'd love to. や Sure.、That'd be great.「それはいいですね」、All right. や OK.「そうしましょう」などが Yes 系の応答です。No の意向を伝える表現には I'd love to, but I can't.「とてもありがたいけど、無理そうです」、I'm afraid not.「残念だけどだめです」などがあります。また、これらの典型的な Yes/No の表現を用いずに文全体で意思表示する場合もあるので、文全体の意図の理解が正解の決め手となります。

(A) Your action was quite exaggerated.

「アクション映画へのお誘い」という質問文の意図を頭にしっかり入れれば、全然つじつまが合わない応答だとわかりますね。そもそも主語の Your action が何を指しているか不明です。質問文中の action movie と同じ語を用いた、典型的な引っかけの選択肢です。

(B) It's a newly remodeled theater.

やはり「お誘い」に対する応答にはなっていません。質問文中の movie の関連語 theater を用いた引っかけの選択肢です。

(C) Actually, I'd prefer a comedy film.

Actually, は相手の意見とは異なることを述べようとするときにもよく用いられます。「映画を見ることは賛成だけど、アクション映画でなくてコメディがいいな」の意を表し、質問文とかみ合っているので、正解です。

(C) をマーク!

訳 今週末、新しいアクション映画を見にいきませんか。
(A) あなたの行動は本当に大げさでした。
(B) それは新しく改築された劇場です。
(C) 実は、コメディ映画の方が見たいです。

重点攻略 3

●ひねった応答が頻出する Why 疑問文
Because や In order to で始まらない選択肢も正解に

🔊 21

7. Why isn't Susan's e-mail address included in the company directory?

(A) I guess there was a mistake.
(B) The director is included.
(C) Because I e-mailed it to her.

手順① 質問文の意味を理解する

Why isn't Susan's e-mail address included in the company directory?

isn't (=is not) が聞き取りにくいかもしれません。isn't の語尾ははっきりと発音されず、is に n の音が付け加えられ「イズン」のように聞こえます。「なぜスーザンのメールアドレスは会社の名簿に載っていないのですか」という意味です。

手順② 質問文から状況をイメージする

話し手はスーザンのメールアドレスが社員名簿から抜けている理由を尋ねています。もし上司が部下にこう言うのであればとがめる気持ちもあるでしょう。ともかく「スーザンのメアドが抜けている理由」を尋ねられている立場になって応答の選択肢を聞くようにします。

手順 3 適切な返答を選ぶ

理由や目的を尋ねるWhy疑問文に対しては、「〜だからです」と理由を答える[Because＋主語＋動詞]や[Because of＋名詞]、「〜するためです」の意の[(In order) to...]などが典型的な応答表現です。しかしテストに頻出するのはこれらのマーカーを使わない平叙文が正解となるパターンです。Because (of) や (In order) to などを用いない選択肢こそ、文全体が理由や目的の説明になっているかどうか、よくチェックしてください。

(A) I guess there was a mistake.

I guess...は「〜じゃないかな」の意。I think...より確信がないときに用います。この場合、「ミスがあったんじゃないかな」と、つじつまが合う応答になっています。つまり、「スーザンが辞める予定だから」といったことではなく、「ケアレスミスだと思う」と自分なりにその理由を述べているわけですね。

(A) をマーク！

(B) The director is included.

「局長は含まれている」の意で、この質問文の理由説明にはなっていないので不正解です。質問文中のdirectoryと似たdirectorを用いた引っかけの選択肢です。

(C) Because I e-mailed it to her.

文頭にBecauseがあるとWhy疑問文への正しい応答表現と思いがちですが、これだけでは正解と判断できません。Because以下をちゃんと聞くと「彼女にメールをした（から）」の意で、質問文とかみ合っていないことがわかります。

訳 なぜスーザンのメールアドレスは会社の名簿に載っていないのですか。
(A) ミスがあったんじゃないかな。
(B) 局長は含まれている。
(C) 私が彼女にメールをしたからです。

練習問題

Part 2

No.22 の音声を聞いて、質問または発言に対する応答として適切なものを選び、下記の解答欄の (A) ～ (C) のいずれかにマークしてください。

🔊 22

1. Mark your answer on your answer sheet.

2. Mark your answer on your answer sheet.

3. Mark your answer on your answer sheet.

4. Mark your answer on your answer sheet.

5. Mark your answer on your answer sheet.

6. Mark your answer on your answer sheet.

7. Mark your answer on your answer sheet.

8. Mark your answer on your answer sheet.

9. Mark your answer on your answer sheet.

10. Mark your answer on your answer sheet.

11. Mark your answer on your answer sheet.

12. Mark your answer on your answer sheet.

1.	Ⓐ Ⓑ Ⓒ	5.	Ⓐ Ⓑ Ⓒ	9.	Ⓐ Ⓑ Ⓒ
2.	Ⓐ Ⓑ Ⓒ	6.	Ⓐ Ⓑ Ⓒ	10.	Ⓐ Ⓑ Ⓒ
3.	Ⓐ Ⓑ Ⓒ	7.	Ⓐ Ⓑ Ⓒ	11.	Ⓐ Ⓑ Ⓒ
4.	Ⓐ Ⓑ Ⓒ	8.	Ⓐ Ⓑ Ⓒ	12.	Ⓐ Ⓑ Ⓒ

NO TEST MATERIAL ON THIS PAGE

難問攻略 3 付加疑問文

難易度 ★★★

🔊 23

1. You had to pay the parking ticket, didn't you?

(A) Yes, it was 50 dollars.
(B) You can park in front of the store.
(C) I try to abide by the law.

解説

付加疑問文の意図は、相手への確認です。ここでは違反切符を切られて罰金を支払ったかどうか確認しています。

(A) は Yes, の後に罰金の額面を答えていて、適切な応答になっています。

(B) は質問文中の parking ticket「駐車違反切符」と似た語 park「駐車する」を用いた引っかけの選択肢です。

(C) は質問文中の「駐車違反」に関連した語句 abide by the law「法律に従う」を用いた引っかけです。

訳 駐車違反切符のお金を払わないといけなかったのでしょ？
(A) はい、50 ドルでした。
(B) 店の前に駐車できますよ。
(C) 法律には従おうと思います。

語句

☐ **parking ticket** 駐車違反切符
☐ **park** 駐車する
☐ **abide by...** ～に従う、～を順守する

難問攻略 4 否定疑問文

難易度 ★★★

🔊 24

2. Won't this television be on sale until the end of the month?

(A) It's the most popular TV show.
(B) Yes, it's a specialty store.
(C) Yes, until Friday.

解説

自分ではそうだと思って相手に同意を求めるときに、否定疑問文は用いられます。この場合、話し手は、This television will be on sale until the end of the month.「月末までこのテレビは特売になっている」と思っていて、相手に肯定的な反応を求めています。もちろん相手がどう反応するかは相手次第で、否定的な応答ももちろん可能です。

この場合、質問文の問いかけに同意して、具体的に特売が終わる日を until Friday と表している (C) が正解です。

訳 このテレビは月末まで特売なのですよね？
(A) これは一番人気のあるテレビ番組です。
(B) ええ、これは専門店です。
(C) ええ、金曜日まで。

語句

☐ **until...** ～までずっと
☐ **on sale** 特価で、バーゲンで
☐ **specialty store** 専門店

難問攻略 5 選択疑問文

難易度 ★★★

🔊 25

3. Would you rather stay here or move to a new town?

(A) I prefer to live here.

(B) Yes, I've been here for two years.

(C) Of course, it's made of leather.

解説

Would you rather A or B? は、「A と B とどちらの方を～したいですか」の意で、A と B には動詞の原形が入ります。

(A) の prefer も、「～する方を好む」の意。後に to 不定詞が続きます。質問文の stay here を live here と言い換えて、引っ越さない方を選んでいるので、正解です。

(B) は「住む」ことに関連した内容ですが、質問に答えていませんね。そもそも選択疑問文への適切な応答は、原則的には Yes や No で始まりません。

訳 あなたはここにいたいですか、それとも新しい町に引っ越したいですか。
(A) 私はここで暮らしたいです。
(B) はい、ここに 2 年間います。
(C) もちろん、それは革製です。

語句

□ **would rather...** ～する方がいい

□ **move to...** ～に引っ越す

□ **prefer to...** ～する方がいい

□ **leather** 革

難問攻略 6 平叙文

🔊 26

4. We should order some more photocopier paper.

(A) Let me take a picture of you.

(B) Yes, we're running out.

(C) I'm still working on the papers.

解説

We should は動詞の原形を続けて「～した方がいい」の意。コピー用紙を注文した方がいいという考えを述べています。

(B) はそれに対して、Yes, と同意したあと、we're running out.「（コピー用紙を）使い果たしつつあるから」とその理由を付け加えていて整合性があるので正解です。run out は「使い果たす」の意で、「A を使い果たす」は run out of A と表現します。(C) は質問文と同じ paper を含む引っかけの選択肢です。

訳 コピー用紙をもうちょっと注文した方がいいですね。
(A) あなたの写真を撮らせてください。
(B) そうですね、なくなりそうです。
(C) まだ論文に取り組んでいる最中です。

語句

□ **photocopier paper** コピー用紙
photocopier/copier は「コピー機」

□ **run out** 使い尽くす、品切れになる

□ **paper** 論文

難問攻略 7 間接的な応答が頻出する疑問文

難易度 ★★★

27

5. Can we move our meeting to Room B?

(A) I'm not moving until next month.
(B) I think someone has already reserved it.
(C) About five more chairs.

解説

Can we...? は動詞の原形を続けて、「～してもいいですか」の意。ここでは会議室の移動について尋ねています。

(A) は質問文と同じ動詞 move の ing 形を含む引っかけの選択肢です。(B) は文末の it が質問文の Room B を指していて、「B 室はもう予約されていると思うから、移動できない」という意図を伝えているので、正解です。

(C) も meeting「会議」の関連語 chairs「椅子」を含む引っかけです。

訳 会議を B 室に移動してもいいですか。
(A) 来月まで引っ越しはしません。
(B) 誰かがすでにそれを予約していると思います。
(C) だいたい 5 つ以上の椅子。

語句

- □ **move** ～を移動する、引っ越す
- □ **reserve** ～を予約する

重点攻略 2 助動詞を用いた慣用表現

難易度 ★★

28

6. Would you help me install the new monitor?

(A) Yes, she is a new assistant.
(B) Sure. I'm free in the afternoon.
(C) You're getting taller.

解説

Would you...? は「～していただけますか」という依頼表現。「新しいディスプレイを設置するのを手伝ってほしい」と頼んでいます。

(B) はこれに対し、Sure.「もちろんです」と快諾し、「午後は空いている」と伝えているので正解です。free は「自由だ、都合がつく」の意。

(A) は Yes, までは OK ですが、she is a new assistant の部分が質問文にかみ合いません。(C) は質問文中の install と音の似た taller を用いた引っかけです。

訳 新しいディスプレイを設置するのを手伝ってもらえますか。
(A) はい、彼女が新しいアシスタントです。
(B) もちろん。午後は空いています。
(C) あなたはどんどん背が伸びていますね。

語句

- □ **help** + (人+) 動詞の原形 (人が) ～するのを手伝う
- □ **install** ～を設置する、～をインストールする
- □ **monitor** ディスプレイ、モニター

重点攻略 3 ひねった応答が頻出する why 疑問文

難易度 ★★

29

7. Why did you want to exchange the skirt?

(A) Oh, I just returned it to the store.

(B) With a salesperson.

(C) It's a little too big.

解説

質問文は「なぜ～」と理由を尋ねています。これに対して Because「なぜなら」や (In order) to「～するために」などの典型的な応答表現を用いないものが正解になる場合がよくあります。

(A) は少し紛らわしいですが、return「返品する」と exchange「交換する」は異なり、質問文には答えていないので誤りです。

(C) は「小さいサイズに交換したかった」と交換の理由を伝えているので、正解です。

訳 なぜそのスカートを交換したかったのですか。

(A) ああ、ちょうど店に返品しました。

(B) 販売員と。

(C) 少し大きめなんです。

語句

- □ **exchange** ～を交換する
- □ **return** ～を返品する
- □ **salesperson** 販売員、営業担当者
- □ **a little** 少し

難問攻略 7 間接的な応答が頻出する疑問文

難易度 ★★★

30

8. Who do I contact about getting a security card?

(A) Yes, please keep it secure.

(B) That wasn't my password.

(C) Ask the tech department.

解説

質問文は「誰に連絡を取ればいいですか」の意ですね。この場合、contact の目的語になる人について「誰」と尋ねているので、目的格の Whom が正用法でしたが、今は Who も正用法として定着しています。これに対し、Contact Mr. Smith. のように Who に対応する人名をストレートに答えていれば選びやすいですが、実際は間接的な応答表現が頻出するので注意しましょう。(C) の「(誰に連絡を取ればいいのか) 技術部に尋ねてください」が正解です。

訳 セキュリティカードを入手するには誰に連絡を取ればいいですか。

(A) はい、それを安全に保ってください。

(B) それは私のパスワードではありませんでした。

(C) 技術部に尋ねてください。

語句

- □ **contact** ～に連絡をと取る
- □ **keep A B** A を B の状態に保つ
- □ **secure** 安全な、不安のない
- □ **department** 部署

難問攻略 7 間接的な応答が頻出する疑問文

難易度 ★★★

31

9. Did he decide which applicant he's going to hire?

(A) I think he'll make a decision today.
(B) Several applications.
(C) Yes, I also signed up for it.

解説

質問文は Did he decide A?「彼は A を決めましたか」という文に、Which applicant is he going to hire? が埋め込まれた疑問文です。質問文は「どの応募者を雇うのか」を尋ねているので、「(まだ決まってはいないが) 今日中に決めるだろう」と答えている (A) が正解です。(C) のように Yes, や No, をまず答えてもかまいませんが、埋め込まれた疑問文に答えていないものは不正解だと判断します。

訳 彼はどの応募者を雇うことに決めたのですか。
(A) 彼は今日決めるつもりだと思います。
(B) 数人の応募書類。
(C) はい、私もそれに申し込みました。

語句

- □ **applicant** 応募者
- □ **make a decision** 決める
- □ **application** 応募書類、応募
- □ **sign up for...** ～に申し込む

難問攻略 6 平叙文

難易度 ★★★

32

10. I'd like to get your feedback on our proposal for the new product.

(A) Yes, the new factory was huge.
(B) Can I review it tomorrow?
(C) Don't go through the back door.

解説

I'd like to get... は「～を頂きたい」の意。この文から our proposal をすでに相手に渡していて、それについての意見を求めていることがわかります。

(B) はこの依頼に対して、Yes や No で答えず、Can I review it tomorrow? と聞き返しています。これは「明日また見直してからフィードバックを差し上げるのでよろしいですか」の意。適切な応答ですね。(A) は new、(C) は back と質問文中の単語(の一部) を用いた引っかけです。

訳 新製品に関する私共の企画書についてあなたのフィードバックを頂きたいのですが。
(A) はい、その新しい工場は巨大でした。
(B) 明日見直してもいいですか。
(C) 裏口を通り抜けないでください。

語句

- □ **proposal** 企画書、提案
- □ **huge** 巨大な
- □ **review** ～を見直す
- □ **go through** ～を通り抜ける

重点攻略 2 助動詞を用いた慣用表現

難易度 ★★

33

11. Can I pick that up at the office supply store?

(A) Yes, you'll pick up the language easily.
(B) They're out of stock at the moment.
(C) I think I will apply for the position.

解説

Can I...? は「～をしてもいいですか」と許可を求める表現。ここでは pick that up で「それを買ってもいいですか」と尋ねています。pick up はいろいろな場面で用いられますが、質問文中では buy と同じ「買う」の意。したがって、「今、品切れです」の意を表す (B) が正解です。一方、(A) の pick up the language は「その言語を身につける」の意。このように同じ語句や、質問文の supply に音が似た apply を用いた (C) に引っかからないようにしましょう。

訳 事務用品店でそれを買ってもいいですか。
(A) はい、あなたはその言語をたやすく身につけられますよ。
(B) 今、品切れです。
(C) その職に応募しようと思っています。

語句

□ **pick up...** ～を買う、～を習得する
「～を持ち上げる」が原意。車で人を迎えに行くときにも用いる
□ **out of stock** 品切れで、在庫切れで
□ **apply for...** ～に応募する

基本攻略 手段を尋ねる How 疑問文

難易度 ★

34

12. How is Kathy getting to Paris?

(A) She's taking the train.
(B) Sure, I'll get it for you.
(C) Only one night and two days.

解説

How は様子や手段を尋ねるときに用います。ここでは「Kathy はどのような交通手段でパリに行くのか」と尋ねています。

これに対して By train.「列車で」と短く答えることも可能ですが、同じ意を1文で表している (A) が正解です。

get to... は「～を始める」の意も表します。例えば、Let's get to it. は「それを始めよう」の意。Can you get to the point?「要点を言ってくれますか」もよく使われるフレーズです。

訳 どうやって Kathy はパリに行くのですか。
(A) 彼女は列車を使います。
(B) もちろん、あなたのためにそれを手に入れます。
(C) 1泊2日だけです。

語句

□ **get to...** ～に行く
□ **take the train** 列車に乗る
□ **get** ～を手に入れる
□ **one night and two days** 1泊2日

Check! Essential Words & Phrases ▶ No. 2

35

頻出の重要動詞

- □ sign the letter/agreement/contract
  手紙 / 同意書 / 契約書に署名する
- □ train the employee
  社員を教育する
- □ run out of copy paper
  コピー用紙を切らす
- □ take notes
  メモを取る
- □ review the paperwork
  事務書類を見直す
- □ offer discounts
  割引を提供する
- □ authorize credit card purchase
  クレジットカードでの購入を承認する
- □ extend the deadline
  締切を延期する
- □ fund the project
  プロジェクトに資金を提供する
- □ renovate the office
  オフィスを改装する
- □ reschedule the meeting
  会議の予定を変更する
- □ push back / postpone the meeting
  会議の予定を先に延ばす
- □ move up / bring forward the meeting
  会議の予定を前倒しする
- □ head the committee
  委員会を主導する
- □ block the roadway
  車道を閉鎖する
- □ submit an article
  記事を投稿する
- □ accept the position
  その職を引き受ける
- □ set up the equipment
  機材を設置する
- □ track the expenses
  経費を把握する

頻出の重要名詞

- □ training session 研修会
- □ office supplies 事務用品
- □ sales figures 売上高
- □ quarter 四半期
- □ customer complaints
  顧客からの苦情
- □ warranty policy 保証規定
- □ license agreement 使用許諾契約
- □ financial statement 財務諸表
- □ budget report 予算報告書
- □ expense report 経費報告書
- □ sales quota 販売ノルマ
- □ annual profit 年間利益
- □ client directory 顧客名簿
- □ conference call 電話会議
- □ executive board / board 取締役会
- □ research and development (R&D)
  研究開発
- □ company benefits 会社の福利厚生
- □ storage room 保管庫
- □ physical exam / checkup 健康診断
- □ going-away party 送別会
- □ company banquet 会社の宴会
- □ trade show / trade fair 見本市
- □ baggage claim area 手荷物引取所
- □ electronics store 電器店
- □ supplier 供給業者
- □ registration fee 登録費
- □ reference 照会先
- □ reference letter 推薦状
- □ application form 応募書類
- □ résumé 履歴書

Part 3
会話問題の攻略

750点を達成するための Part 3 対策

問題数 39 問

目標正解数 28 問

どういう問題？

2 人または 3 人による会話を聞いて、設問に答える問題です。1 つの会話につき 3 つの設問が用意され、全部で 13 の会話があります。設問の中には、会話と関連する図を見て答えを選ぶタイプの問題もあります。会話はテストブックに印刷されておらず、音声は 1 度しか流れません。

どういう流れ？

1 Directions（指示文）の音声が流れる

最初にテストブックに印刷されている下記の Directions（指示文）の音声が流れます。

36

PART 3

Directions: You will hear some conversations between two or more people. You will be asked to answer three questions about what the speakers say in each conversation. Select the best response to each question and mark the letter (A), (B), (C), or (D) on your answer sheet. The conversations will not be printed in your test book and will be spoken only one time.

訳 指示：2 人または 3 人以上による会話を聞きます。それぞれの会話について話し手たちが話していることに関する 3 つの設問に答えます。各設問について最も適切な返答を選び、解答用紙の (A)、(B)、(C)、(D) の記号にマークしてください。会話はテストブックに印刷されておらず、1 度しか流れません。

2 会話の音声が流れる

テストブックには、次のような設問が1つの会話に3つずつ印刷されています。

【例】

32. Where is the conversation taking place?
(A) In a library
(B) In a newspaper office
(C) In a print shop
(D) In an art exhibit

訳 この会話はどこで行われていますか。
(A) 図書館で
(B) 新聞社で
(C) 印刷屋で
(D) 美術展で

Directionsに続いて、会話の音声が流れます。会話が終わってから2秒後に、設問文の音声が読まれます。

No.32 Where is the conversation taking place?

3 解答時間は、8秒間または12秒間

会話が終わったら、3つの設問に解答することになります。通常の設問は8秒、図を見て答える問題は12秒の解答時間があります。すばやく設問に解答して、次の会話に備えましょう。

28問以上の正解を目指すために

Part 3 は 39 問出題されます。

750 点を取るためには、約 70%に当たる 28 問の正解を目指しましょう。

リスニングテストの 4 割近くを占める Part 3。これを制することが 750 点獲得のキーポイントとなります。

そして Part 3 攻略のカギは 1 にも 2 にもタイムマネジメントです。

以下でテストの進行に合わせて何をすればよいか、しっかり理解しておきましょう。

Part 3 の構成

Part 3 は次のような［会話+3つの設問のナレーション］を 1 セットとして、合計 13 セット・39 問で構成されます。おもに 2 人の会話ですが、3 人の会話も必ず含まれます。

● 1 セットの構成

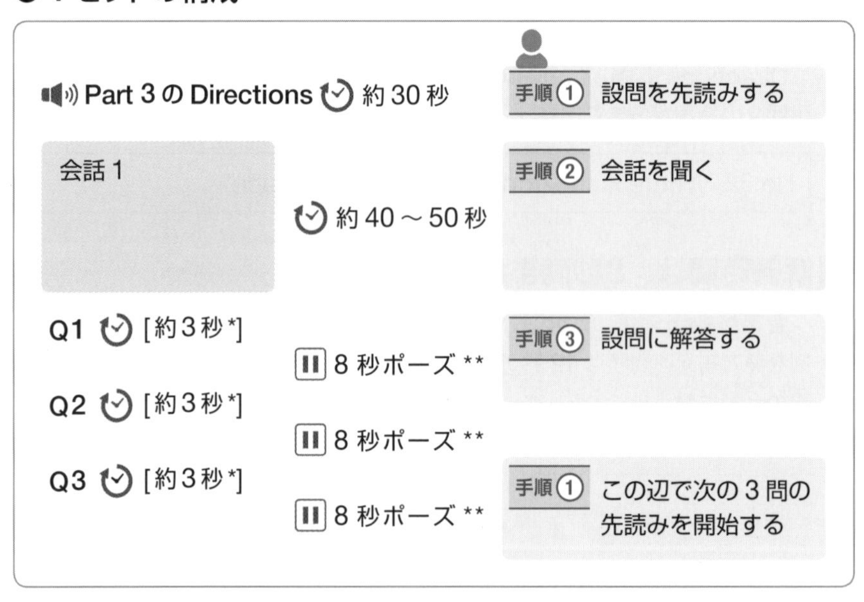

*1 つの設問が読まれる平均的時間です。実際は 1 問 2 ～ 4 秒くらいでばらつきがあります。

** 図表問題の場合は、次の設問までの（または 3 問目の場合は、次の会話までの）ポーズが 12 秒になります。他は一律 8 秒です。

手順① 設問を先読みして「日本語で」内容を頭に入れる

会話が始まる前にテストブックに印刷された3つの設問を1つずつ読んでいきます。意味を理解し、設問のキーワードやすぐに思い浮かぶ類義語を頭に入れておきます。こうすることで、会話から拾うべき情報を予測しやすくなります。

会話1の場合は、Part 2が終わった後、Part 3のDirectionsが流れる30秒間を利用して3つの設問を先読みします。

会話2以降では、ナレーターが2つ目の設問を読み終わる頃には、次の会話に付いている3問の先読みを始めましょう。この場合、Q2とQ3の間のポーズとQ3を読む時間、そしてQ3の読み終わりから次の会話が始まるまでの8秒のポーズを合計した約20秒を先読みに充てられることになります。

もし先読み時間に余裕があれば、選択肢もざっと見ておきましょう。特にWho most likely is the woman?「女性は誰だと考えられますか」のような、設問自体にキーワードが含まれないような場合は、選択肢に並ぶ職業名を見ておくと、会話が聞き取りやすくなります。

手順② 会話を聞いて、設問に関する情報を拾う

会話が始まったら、テストブックの設問と選択肢を見つつ、音声に意識を集中させて聞いてください。

すでに設問を先読みしているので、例えば、What does the man ask the woman to do?「男性は女性に何を頼んでいますか」という設問であれば男性の発言に気をつけながら、Can you...? やWould you...? などの依頼表現を「待ち受け」として意識しておくと、うまくキーセンテンスをキャッチできます。

手順③ 会話を最後まで聞いてから、設問に解答する

会話が終わったら、すばやく設問と選択肢にもう一度目を通して、解答を選びます。

1つの設問の解答がわかっても、会話の最中に解答用紙にマークしないようにしましょう。会話の重要な部分を聞き逃してしまわないようにするためです。

難問攻略のカギ

39問中3問出される図表問題の攻略ポイントは手順1にあります。

手順1　設問と図表を先読みして「日本語で」内容を頭に入れる
手順2　会話を聞いて、設問に関する情報を拾う
手順3　会話を最後まで聞いてから、設問に解答する

手順1で設問の先読み時に図表もチェックしておくことが重要です。このとき、図表は漫然と見ているとただ時間が過ぎていってしまうだけなので、設問と選択肢とセットで見てください。例外はありますが、図表中の項目で選択肢になっていない事柄を聞き取ることがポイントとなります。

手順2と3は先述の他の問題タイプと同じです。

【例題1】　講演会の予定表

PROGRAM	
11:00 A.M.	Dr. Nevin
1:00 P.M.	Prof. Grace
3:00 P.M.	Prof. Krause
5:00 P.M.	Dr. Coach

1. Look at the graphic. What time is the woman's speech?

(A) 11:00 A.M.
(B) 1:00 P.M.
(C) 3:00 P.M.
(D) 5:00 P.M.

訳　図を見てください。女性のスピーチは何時ですか。

手順1のポイント

図と設問と選択肢をセットで先読みします。

選択肢には時刻が並んでいて、図には時刻とセットで人名が並んでいます。つまり正解するために聞き取りたいポイントは人名です。人名とセットで時刻を聞き取るようにしましょう。設問中の the woman が誰を指すのかがこの場合、カギになります。

【例題 2】 フロア案内

Building Directory	
7～10th	Residence
6th	Management
5th	Accounting/HR
4th	Advertising/PR
3rd	Sales
2nd	Restaurant
1st	Reception

2. Look at the graphic. In which section does Mr. Suarez most likely work?

(A) Management
(B) Human Resources
(C) Public Relations
(D) Sales

訳 図を見てください。Suarez さんはおそらくどの部署で働いていますか。

手順 1 のポイント

図と設問と選択肢をセットで先読みします。もう何に気をつけて会話を聞けばいいか見えてきましたね。

選択肢には部署名が並んでいて、図にはフロア階数とセットで部署名が並んでいます。つまり正解するために聞き取りたいポイントはフロア階数です。部署名とセットでフロア階数を聞き取るようにしましょう。会話は Mr. Suarez を訪ねてきた人と受付係のものか、社内で Mr. Suarez を探している人と、彼がどこにいるかを教えてあげている人の会話かもしれません。いずれにしても Mr. Suarez をキーワードに、部署名よりむしろフロア階数を聞き取る必要があることを設問の先読み時にしっかりと頭に入れておきましょう。

● Part 3/Part 4 頻出の部署名を覚えておこう！

実際の会話では以下の部署名に department をつけて称する場合もあります。

- **management** 管理
- **accounting** 経理
- **payroll** 給与支払
  ＊ accounting の一部とされる場合も多い
- **sales** 営業
- **human resources (HR)** 人事
  ＊ personnel と称す企業も多々あり
- **advertising** 広告
- **public relations (PR)** 広報
- **general affairs** 総務

サンプル問題

Part 3

No.36 (Directions) と37の音声を聞いてください。2人または3人の人物による会話を聞いて、それぞれの設問について4つの答えの中から最もふさわしいものを選び、下記の解答欄の (A) ~ (D) のいずれかにマークしてください。

37

1. Where is the conversation taking place?

(A) In a library
(B) In a newspaper office
(C) In a print shop
(D) In an art exhibit

2. What problem does the woman mention?

(A) An article missed publication.
(B) An exhibition closed early.
(C) A technician is unavailable.
(D) A printer is malfunctioning.

3. What does the woman suggest the man do?

(A) Visit a local newsstand
(B) Contact technical support
(C) Come back later
(D) Increase the price of printing

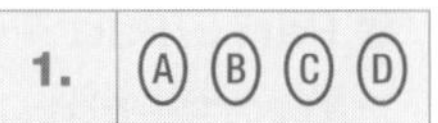

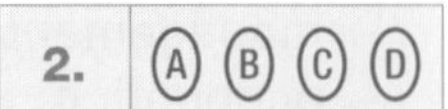

3. Ⓐ Ⓑ Ⓒ Ⓓ

Menu	
Vegetable Sandwich	$7.99
Meat Lasagna	$8.99
Spaghetti Carbonara	$10.99
Today's Special	$15.99

4. What is implied about the restaurant?

(A) Smoking is not allowed inside the restaurant.
(B) It is celebrating its anniversary.
(C) It is open only at lunchtime.
(D) Discount prices are offered for all menu items.

5. Look at the graphic. How much will the woman pay for her meal?

(A) $7.99
(B) $8.99
(C) $10.99
(D) $15.99

6. What is the problem with the woman's current table?

(A) It is too near the entrance.
(B) It is smaller than she expected.
(C) Someone is smoking nearby.
(D) It looks a bit dirty.

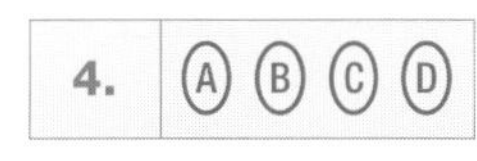

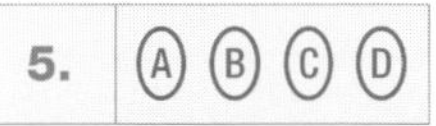

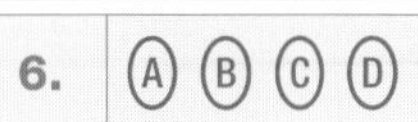

7. What subject does today's seminar cover?

(A) Marketing strategies
(B) Exercise techniques
(C) Résumé writing
(D) Interview skills

8. What does the man want to improve?

(A) His technical knowledge
(B) His managerial ability
(C) His educational qualifications
(D) His interview techniques

9. What does the man mean when he says, "That sounds better for me"?

(A) He has come up with a good idea.
(B) He thinks he can get better writing skills.
(C) He would prefer the workshop on the job interviews.
(D) He really wants to go to the résumé workshop.

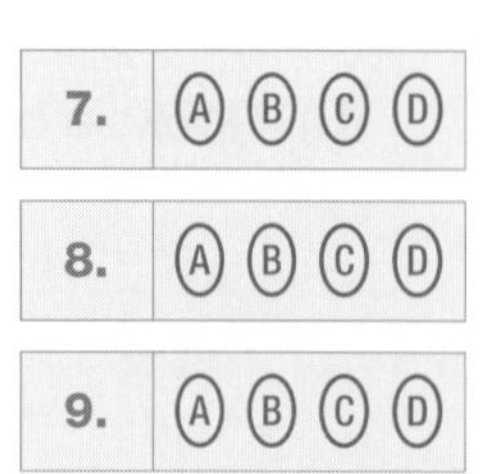

10. What kind of business does Steve most likely work for?

(A) A supermarket
(B) A restaurant
(C) A publishing company
(D) A Web design agency

11. Why does Shelley want to change the Web site?

(A) Customers have complained about it.
(B) There is a price mistake on the menu.
(C) She prefers a different main image.
(D) She doesn't like the overall design.

12. What is the one thing Eric will most likely do next?

(A) Check feedback from customers
(B) Remove Fettuccine from the menu
(C) Take a picture of customers
(D) Make a correction

10.	Ⓐ Ⓑ Ⓒ Ⓓ

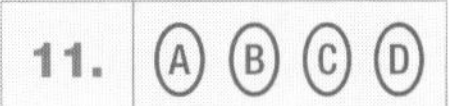

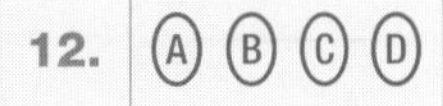

Questions 1-3 の攻略

手順1 設問を先読みして「日本語で」内容を頭に入れる

1. Where is the conversation taking place?

(A) In a library
(B) In a newspaper office
(C) In a print shop
(D) In an art exhibit

2. What problem does the woman mention?

(A) An article missed publication.
(B) An exhibition closed early.
(C) A technician is unavailable.
(D) A printer is malfunctioning.

3. What does the woman suggest the man do?

(A) Visit a local newsstand
(B) Contact technical support
(C) Come back later
(D) Increase the price of printing

基本攻略

●場所を問う問題

選択肢を頭に入れて、関連語を聞き取る心構えをする！

設問の先読み時に「場所の問題だな」とすばやく見取り、選択肢の4つの場所を頭にしっかり入れ、関連語を聞き取ろうと心しておきます。設問は Where does the conversation most likely take place? の場合もあります。

重点攻略 4

●懸念・トラブルについて問う問題

会話中のネガティブワードに注意する！

先読み時には各選択肢の「トラブル」の内容を手短に頭に入れておきます。例えば、(A) 出版不可能、(B) 早く閉館、といった具合です。

そして会話ではネガティブワードを聞き取るように心構えをしておきます。例えば issue、problem、trouble、defect「欠陥」、concerned (worried) about...「～を心配している」、can't など not を含む語にアンテナを張りましょう。

重点攻略 5

●示唆・要望を問う問題

設問と関連付けて、「誰の行為」か認識しながら選択肢を読む！

suggest / tell / ask 等の後に［主語 + 動詞］が続き、設問中に2人の人物が出てくるので少し複雑に感じられますが、語順通りに意味をとれば大丈夫です。このタイプの設問には、ほかに What does the woman tell (ask) the man to do? があります。

先読みのポイントは、設問と関連付けて、選択肢は「誰の行為」を表しているかしっかり認識しながら意味をつかむことです。

この問題だと、選択肢の動詞は「男性がした方がいい」と女性が考えている行為で、会話では女性の発話にヒントがあるはず――といった観点から、設問の先読み時にできるだけ各選択肢の意味まで理解しておきましょう。

手順 ② 会話を聞いて、設問に関する情報を拾う

38

Questions 1 through 3 refer to the following conversation.

M: Good morning. I'm trying to get a hold of an article that appeared in the local newspaper around four or five years ago. ❶ Do you think the library would have a copy? I'm not sure how far back your archives go.

W: Well, ❷ we only keep physical copies of the local paper for the previous year. However, ❸ we do keep every edition that's ever been published on an online database. ❹ So I should be able to help you find an electronic copy.

M: Fantastic! ❺ Will it be possible to print the article out?

W: Yes, we offer printing at fifteen cents per page. ❻ I'm afraid, though, that our printer isn't working at the moment. ❼ We have a technician coming in this afternoon, and we should have it fixed by tomorrow morning. ❽ Would you like to come back then?

訳 M：おはようございます。4、5 年前にここの地方紙に載ったある記事を手に入れたいのですが。①この図書館にその新聞があると思いますか。ここではどれくらい前のものまで保管されているかわからないものですから。

W：実は、②地方紙の現物は前年のものだけ保管しています。でも、③発行された新聞はすべてオンライン・データベースに保管してあります。④ですから、電子版を探すお手伝いができるはずですよ。

M：すばらしい！　⑤その記事をプリントすることは可能ですか。

W：ええ、1 ページ 15 セントでプリントいたします。⑥でも残念ですが、ただ今、プリンターが故障中なのです。⑦今日の午後、技術者に来てもらうことになっていますので、明朝までには修理が終わっているはずです。その頃にまたお越しいただけますか。

❶男性が女性に「この図書館に探している新聞があるか」と尋ねる

この文の前で男性は「4、5 年前にここの地方紙に載ったある記事を手に入れたい」と述べていて、その記事をこの図書館で読めるかどうか尋ねています。過去の新聞記事を探しに来ていることと、the library「この図書館」から、この場面は図書館の受付カウンターだと推測できます。

❷❸女性が図書館でのアーカイブ保存のルールについて説明する

②で「地方紙の現物は前年度のものだけ」、③「でもオンライン・データベース化されているものはすべて保管している」と説明しています。However の後ではより重要な情報が述べられることにも注意しておきましょう。ここでは③が男性にとって重要な情報となっていますね。

Check! ❹女性が男性の要望に対応する

女性は続けて、男性が探していると話していた 4、5 年前のものだったら、「電子版を探すお手伝いができるはず」と応対しています。

Check! ❺男性が記事の出力ができるかどうかを尋ねる

記事が見つかりそうだとわかった男性は、Will it be possible to...?「～することは可能でしょうか」と丁寧に出力を依頼しています。

Check! ❻❼女性が現在のプリンターの状況を説明する

⑥で「ただ今プリンターが故障中なのです」と女性は伝えています。I'm afraid... は「残念ながら～です」と、相手にとってよくない情報を伝えるときに用いられます。続いて⑦で「今日の午後、技術者に来てもらうことになっていますので、明朝までには修理が終わっているはずです」と話しています。

Check! ❽女性が男性に明日また来ることを示唆する

明朝にはプリントアウトができるようになるので、「その頃にまたお越しいただけますか」の意を表しています。

手順③ 会話を最後まで聞いてから、設問に解答する

基本攻略 ●場所を問う問題 複数の関連語から推測する

1. Where is the conversation taking place?

(A) In a library
(B) In a newspaper office
(C) In a print shop
(D) In an art exhibit

選択肢に関連したキーワード・キーフレーズを複数聞き取る！

この問題のように、ズバリ正解の場所を表す単語が会話に出てくることもありますが、そうでない場合も多いので、「場所の問題」は、複数の関連語から推測することを基本スタンスとしてください。

会話の冒頭で男性が Good morning. と挨拶したあと、I'm trying to get a hold of an article that appeared in the local newspaper around four or five years ago. 「4、5 年前にここの地方紙に載ったある記事を手に入れたいのです」と話しています。ここで「記事を探している場所だから、図書館かな」と気づくことがポイントです。I'm trying to... は「～しようと努力している」の意。「試しに～してみる」の意の [try + 動詞の ing 形] と区別して覚えておきましょう。

さらに男性は Do you think the library would have a copy?「この図書館にその新聞があるでしょうか」と尋ねています。ここにズバリ library が出てきました。前文で「図書館かな」と気づいた方もここで (A) が正解だと確認できますね。

(A) をマーク！

●正解のキーワード・キーフレーズ

- **I'm trying to get a hold of...**　～を手に入れようと探しています
- **an article**　記事
- **the library**　この図書館
- **a copy**　1 部（男性が探していた記事が掲載されている新聞）
- **archive**　アーカイブ、保存記録　＊「公文書、古文書」の意も表す。

訳　この会話はどこで行われていますか。
(A) 図書館で　(B) 新聞社で　(C) 印刷屋で　(D) 美術展で

重点攻略 4

●懸念・トラブルについて問う問題

ネガティブフレーズや not を含む語句に注意

2. What problem does the woman mention?

(A) An article missed publication.
(B) An exhibition closed early.
(C) A technician is unavailable.
(D) A printer is malfunctioning.

女性の発言から、ネガティブな情報を聞き取る！

手順 1 で選択肢をすでに見て、ネガティブな語句を聞き取る心構えができていますね。例えば problem、issue などの「問題」を表す語や、have a problem with...「～に問題があります」、The problem is...「問題は～です」などがその典型的なものです。ほかに I'm concerned (worried) about...「～を心配しています」も、問題・懸念をストレートに表すネガティブフレーズです。

気をつけたいのは、can't など not を含む語で、「～できない」「～していない」と否定の表現をすることで問題の所在を示すケースです。

この会話では、図書館に探していた記事があるとわかった男性が、Will it be possible to print the article out?「その記事をプリントすることは可能ですか」と尋ねていますね。これに対して図書館の女性は「1 ページ 15 セントでプリントいたします」と答えた後で、I'm afraid, though, that our printer isn't working at the moment.「でも残念ですが、ただ今プリンターが故障中なのです」と言っています。ここでは isn't working「正常に動いていない（故障中である）」がネガティブフレーズです。また、「残念ですが～です」の意を表す I'm afraid は、ネガティブ情報が直後にくるマーカー表現といえます。これが聞こえてきたら、「相手の意向通りにならないんだな」と文脈をつかみましょう。

(D) をマーク！

訳 女性はどんな問題があると言っていますか。
(A) ある記事が発行に間に合わなかった。
(B) ある展示会が早めに終了した。
(C) 技術者に来てもらえない。
(D) プリンターがうまく作動しない。

重点攻略
5

●示唆・要望を問う問題

suggestやrecommendの後の「主語＋動詞」が内容を表す

3. What does the woman suggest the man do?

(A) Visit a local newsstand
(B) Contact technical support
(C) Come back later
(D) Increase the price of printing

他者へのアドバイスや要求を表すフレーズを待ち構える！

設問は「女性は男性にどうするようにすすめていますか」の意。suggestの後に［主語＋動詞］が続く点がこの問題タイプのポイントです。つまり、女性が男性に対して「～したらどうですか」と会話の中で促していることが推測できます。

攻略１では、設問の先読み時に、選択肢を設問に関連付けて内容を把握してみました。これを念頭に置きながら、会話が始まったら、話し相手への示唆や要望を示す表現をターゲットに聞いていきましょう。

具体的には、下に挙げたようなフレーズを待ちながら会話を聞きます。

●示唆・要望を問う問題でのターゲット・フレーズ

〈設問にsuggestやrecommendが含まれているとき〉

☞「～してみてはどうですか」のフレーズを待つ！

- **Why don't you...?**
- **You can (could)...**
- **I suggest you...**
- **Would you like to...?**
- **You might want to...**

☞「～してもらえますか」「～してください」のフレーズを待つ！

〈設問にaskやtellが含まれているとき〉

- **Would (Will, Could, Can) you...?**
- **Will you be able to...?**
- **I'd like (I want) you to...**

では正解のヒントがどこにあるか聞いていきましょう。
会話の後半で、図書館の女性は男性に対し、「ただ今プリンターが故障中なのです」と伝えた後、次のように話しています。

We have a technician coming in this afternoon, and we should have it fixed by tomorrow morning.「今日の午後、技術者に来てもらうことになっていますので、明朝までには修理が終わっているはずです」。つまり、プリンター故障という問題への対処について示しているのですね。ちょっと長い1文ですが、「明朝までには修理が終わる」ことが最重要なメッセージです。

女性はさらに、その後、Would you like to come back then?「その頃にまたお越しいただけますか」と男性に尋ねています。はい、これが待っていたフレーズですね。then には「それから」の意味もありますが、話題になっている時を指して「その時、その頃」の意でもよく用いられます。ここでは「明朝」を示していますが、正解の選択肢では大まかに later「後で」という語に置き換えられていますね。 (C) をマーク！

さて、would like to... の基本的な意味は「〜したい」で、want to... より少し丁寧なニュアンスをもつ表現です。疑問文の意味は、単純に考えれば「〜したいですか」となりますが、「〜してはいかがですか」「〜しませんか」と、示唆・招待・勧誘の意を表す場合にもよく用いられます。また、Would you like to use my phone?「私の電話をお使いになりますか」のように「申し出」の表現としてもよく使われます。

訳 女性は男性にどうするようにすすめていますか。
(A) 町の新聞売店に行く
(B) 技術サポートに連絡する
(C) 後でまた来る
(D) 印刷代を値上げする

Questions 4-6 の攻略

設問を先読みして「日本語で」内容を頭に入れる

4. What is implied about the restaurant?

(A) Smoking is not allowed inside the restaurant.
(B) It is celebrating its anniversary.
(C) It is open only at lunchtime.
(D) Discount prices are offered for all menu items.

5. Look at the graphic. How much will the woman pay for her meal?

(A) $7.99
(B) $8.99
(C) $10.99
(D) $15.99

Menu

Vegetable Sandwich	$7.99
Meat Lasagna	$8.99
Spaghetti Carbonara	$10.99
Today's Special	$15.99

6. What is the problem with the woman's current table?

(A) It is too near the entrance.
(B) It is smaller than she expected.
(C) Someone is smoking nearby.
(D) It looks a bit dirty.

重点攻略 10

●推測問題

トピックと選択肢のキーワードを頭に入れておく

「何が示されていますか」の意の be implied (indicated / suggested) が設問に含まれているとき、それは推測して解く問題です。聞き取る観点をクリアにするために、① about 以下のトピックと、②各選択肢中のキーワードを頭に入れておきましょう。ここでは、トピックの restaurant と、赤字で示したキーワードの意味を頭に入れておきます。

難問攻略 8

●図表問題

図表問題は選択肢と設問内容とセットで頭に入れる

①まず設問と選択肢を先読みします。「女性は自分の食事にいくら払うか」、価格を尋ねています。選択肢にも価格が並んでいますね。

②次に図を見ます。図の表題に MENU とあることからもわかるように、レストランのメニューで、料理名と価格が書かれています。

③以上から、女性の食事の価格を問うこの設問に正解するためには、女性の食事の価格そのものでなく、女性が頼む料理が何かを聞き取る必要があることをしっかり認識しましょう。

基本攻略

●懸念・トラブルについて問う問題

選択肢のネガティブ情報をチェックしておく

設問が What is the problem...? の場合、話し手が何らかの問題点について語ります。さらに problem with...と with 以下で問題の所在が特定されている場合は、これもしっかり頭に入れます。この場合、女性は今のテーブルに不満があるのだなと考えて、どんな不満か選択肢を見ておきます。

手順 ② 🔊 会話を聞いて、設問に関する情報を拾う

🔊 39

Questions 4 through 6 refer to the following conversation and menu.

M: ❶ Can I take your order, madam?

W: Let me see. Both pasta dishes look good, but ❷ can you tell me about today's special?

M: Sure. It's roast beef with salad and soup. Bread is also included. ❸ And for today's special only, we're offering a discount price for our anniversary.

W: That sounds nice, but ❹ I'm not a big fan of meat. Is there a vegetarian version?

M: ❺ I'm afraid not. The vegetable sandwich doesn't contain meat. Or we can prepare a vegetarian version of the spaghetti carbonara, without bacon.

W: ❻ That would be great. I'll have the carbonara. Also, ❼ can I move to a table closer to the entrance? I don't like cigarette smoke.

M: Certainly. If you could just wait a moment, I'll clean a table and get it ready for you.

訳 問題4-6は次の会話とメニューに関するものです。

M: ① ご注文よろしいでしょうか。

W: ええと、パスタ料理は2つともおいしそうだけど、② 本日のスペシャルについて教えてくれます？

M: はい。ローストビーフにサラダとスープがついています。パンもついてきます。③ それから本日のスペシャルだけは、当店の開店記念日のため割引価格で提供させていただいています。

W: それはいいわね。でも ④ 私は肉好きということではないの。ベジタリアン用（のメニュー）はありますか。

M: ⑤ 残念ながらございません。野菜サンドウィッチなら肉は入っていません。あるいは、スパゲティ・カルボナーラは、ベーコンを入れずにベジタリアン用にご用意できますが。

W: ⑥ そうしてもらえればすばらしいわ。そのカルボナーラをいただきます。それから ⑦ 入り口近くのテーブルに変わってもいいかしら。タバコの煙が苦手なの。

M: かしこまりました。少しお待ちいただければ、テーブルを片付けて、お客さまのためにご用意いたします。

Check! ❶男性が女性に「ご注文よろしいですか」と尋ねる

Can I take your order, madam?（ご注文よろしいですか）は、レストランでウェイターが客に注文をとるときの決まり文句。このセリフで、男性がウェイター、女性がレストランの客だとわかります。

Check! ❷女性は「本日のスペシャル」について尋ねる

Can you tell me about...? は、「～について教えてください」の意。女性は、本日のスペシャルがどんな料理かを尋ねています。

Check! ❸男性が「本日のスペシャル」について説明する

男性はメニューを説明しながら、それが開店記念日の割引価格で提供されることについてふれます。

Check! ❹女性がベジタリアン用のメニューについて尋ねる

女性は肉好きではないので、ベジタリアン用のものはあるかと尋ねます。

Check! ❺男性が代案を出してくる

男性は I'm afraid not. と、ベジタリアン用の「本日のスペシャル」がないことを伝えますが、「カルボナーラでしたらベーコンを入れずにベジタリアン用にご用意できます」という提案をします。

Check! ❻女性が肉抜きのカルボナーラを注文する

女性は That would be great. I'll have the carbonara. と答え、肉を抜いた the carbonara「そのカルボナーラ」を注文します。

Check! ❼女性がテーブルの移動を求める

女性は「入り口近くのテーブルに変わってもいいかしら。タバコの煙が苦手なの」と、席の移動を求めます。

手順 ③ 会話を最後まで聞いてから、設問に解答する

重点攻略 6

●推測問題

キーワードを含む選択肢＝正解と安易に考えない

4. What is implied about the restaurant?

(A) Smoking is not allowed inside the restaurant.
(B) It is celebrating its anniversary.
(C) It is open only at lunchtime.
(D) Discount prices are offered for all menu items.

選択肢と同じ意味の語句が聞こえてきたら、要注意！

手順1でトピックと選択肢のキーワードを頭に入れることが重要だと確認しました。つまり、各選択肢のキーワード（*p*.98 の赤字部分）の意味を頭に入れて、レストランについてわかることを押さえていきます。

注文を取りに来た男性は、女性に「本日のスペシャル」について尋ねられ、説明をしています。その中で And for today's special only, we're offering a special discount price for our anniversary. とレストランがアニバーサリーを祝って割引価格で提供していると言っていますね（手順2：❸）。ここに選択肢 (B) と (D) のキーワードが出てきました。でも安易に「キーワードを含む選択肢＝正解」と考えないようにしてください。引っかけとして意図的に選択肢の語句を用いているだけの場合が多いのです。 (D) の discount prices はすべてのメニューに適用されるとありますが、会話では「本日のスペシャル」のみと限定されていますね。つまり (D) は誤りです。

同じ箇所にさらっと出てきている for our anniversary、これを聞き逃さないことが攻略のポイントになります。ここから、レストランが開店○周年記念を祝って割引価格で「本日のスペシャル」を提供すると述べていることがわかるので、正解は (B) です。

(B) をマーク！

（訳は *p*.104）

難問攻略 8

●図表問題
図から求められることを予測して待ち受ける

5. Look at the graphic. How much will the woman pay for her meal?

(A) $7.99
(B) $8.99
(C) $10.99
(D) $15.99

Menu

Vegetable Sandwich	$7.99
Meat Lasagna	$8.99
Spaghetti Carbonara	$10.99
Today's Special	$15.99

女性が最終的に何を注文するのかを聞き取る！

手順１で女性が頼む料理が何かを聞き取ることが必要だと認識しました。女性の発言に特に注意して、何を選ぶか聞き取りましょう。

女性は最初の発言で Both pasta dishes look good「パスタ料理は２つともおいしそう」と言った後で、Today's special「本日のスペシャル」について尋ねていました。（手順２：❷）
➡頼むのはどちらかのパスタ？　それとも本日のスペシャル？

ウェイター（男性）が Today's special についてローストビーフだと説明したあと、女性は２番目の発言で、I'm not a big fan of meat. Is there a vegetarian version?「肉好きということではないの。ベジタリアン用（のメニュー）はありますか」とさらに尋ねています。（手順２：❹）
➡ベジタリアン用の料理が食べたいのかな？

ウェイターがベジタリアン用の食事はないが、野菜サンドウィッチには肉は入っていないと言い、「ベーコンを入れずにカルボナーラを作ることもできる」ことを Or we can prepare a vegetarian version of the spaghetti carbonara, without bacon. と、述べています。（手順２：❺）
➡野菜サンドウィッチか、ベーコンなしのカルボナーラのどちらかを注文する？

女性は That would be great.「それはいいわね」と言って、I'll have the carbonara.「そのカルボナーラ（＝ベーコンを入れないカルボナーラ）をいただくわ」と言っています。

（手順 2：❻）
➡頼むのは「カルボナーラ」に決定！

ここで、女性は Carbonara を頼むことがわかったので、図を見ます。

Menu

Vegetable Sandwich	$7.99
Meat Lasagna	$8.99
Spaghetti Carbonara	$10.99
Today's Special	$15.99

Spaghetti Carbonara の価格が $10.99 であることを確認し、選択肢から (C) を選びます。 (C) をマーク！

会話がまだ終わっていない場合、マークシートを塗っている間に他の設問に関する重要な情報を聞きそびれてしまうこともあるので、会話が流れている間はマークシートへの記入は控えておくとよいでしょう。ただ、会話の途中でも解答がわかった時点ですぐにマークしておきたい人は、選択肢 (A) ～ (D) のだ円の枠内に軽く印を付けておき、会話が終わった後にその印を塗りつぶしてください。

訳 5. 図を見てください。女性は食事代にいくら払うことになるでしょうか。
(A) 7 ドル 99 セント
(B) 8 ドル 99 セント
(C) 10 ドル 99 セント
(D) 15 ドル 99 セント

メニュー

野菜サンドウィッチ	7 ドル 99 セント
ミートラザーニャ	8 ドル 99 セント
スパゲティ・カルボナーラ	10 ドル 99 セント
本日のスペシャル	15 ドル 99 セント

＊ *p.*102 の英文の訳

訳 4. このレストランについて何が示唆されていますか。
(A) レストラン内での喫煙は許可されていない。
(B) レストランは周年祝いの期間中である。
(C) レストランはランチタイムだけ営業している、
(D) メニューにあるすべての料理が割引価格で提供されている。

重点攻略 4

●懸念・トラブルについて問う問題
どんな問題を話し手が感じているか頭に入れて聞く

6. What is the problem with the woman's current table?

(A) It is too near the entrance.
(B) It is smaller than she expected.
(C) Someone is smoking nearby.
(D) It looks a bit dirty.

「女性の今の席」についてのネガティブ情報を聞き取る!!

手順1で確認した通り、この設問タイプの場合、どんな問題を話し手が感じているか、特に problem with...と、「...」の部分で問題の所在が特定されている場合はそれをしっかり頭に入れて聞くことがポイントです。ここでは、女性が current table に対してどんな不満を感じているのか、聞き取りましょう。

女性は最後の発言で Also, can I move to a table closer to the entrance? I don't like cigarette smoke. と男性に席の移動をしてもいいかと尋ねていますね。その理由は「タバコの煙が苦手」だからと述べています。したがって、今の席の近くで誰かがタバコを吸っていることがわかるので、正解は (C) です。

(C) をマーク!

(A) にある entrance も、女性の最後の発言に出てきますが、女性は、喫煙者から離れた入り口の近くの席に移動したいと言っているので、(A) は不正解です。このように、選択肢中の語句が聞こえてきたからといって、その選択肢が正しいと判断してはいけないことをよく覚えておきましょう。

訳 女性が今ついているテーブルの問題は何ですか。
(A) 入り口に近すぎる。
(B) 予想していたよりも小さい。
(C) 誰かが近くでタバコを吸っている。
(D) 多少汚れて見える。

Questions 7-9 の攻略

設問を先読みして「日本語で」内容を頭に入れる

7. What subject does today's seminar cover?

(A) Marketing strategies
(B) Exercise techniques
(C) Résumé writing
(D) Interview skills

8. What does the man want to improve?

(A) His technical knowledge
(B) His managerial ability
(C) His educational qualifications
(D) His interview techniques

9. What does the man mean when he says, "That sounds better for me"?

(A) He has come up with a good idea.
(B) He thinks he can get better writing skills.
(C) He would prefer the workshop on the job interviews.
(D) He really wants to go to the résumé workshop.

基本攻略

●詳細を尋ねる問題
設問の意味を正確にとる！

詳細を尋ねる問題は、まず設問の意味を正確に理解することが大事です。subject と today's seminar という設問中の 2 つのキーワードを頭に入れて、セミナーのトピックを聞き取ろうと意識してください。また、正解は会話中の語句を言い換えたものである場合が多いので、選択肢を先読みするときは、英単語そのものではなく、意味を頭に刻みつけておきましょう。

基本攻略

●詳細を尋ねる問題
主語に注意して、誰の発言に正解のヒントがあるかチェックする！

設問の先読み時は主語を意識してみましょう。この場合、「男性」がおそらく自分で want to improve...「〜を伸ばしたい」と述べるだろうと予測し、会話が流れてきたら、男性の発言に「伸ばしたいこと」を聞き取ろうと心しておきます。

難問攻略
9

●発言の意図を問う問題
発言の引用部分を日本語で理解する！

この設問タイプには、ほかに Why does the woman say, "That sounds better for me"? のように Why 疑問文の形をとる場合があります。どちらも、会話中の発言の一部が引用符（" "）で示されています。まず、引用部分が会話に実際に出てきたときにピンとくるようしっかり英語のまま頭にすり込むと同時に（といっても、テスト用紙に記されているので、覚える必要はありません)、「その方が私にはよさそうだな」といった具合にその意味を理解しておきます。

ただし、会話の中では字句通りの意を表さない場合もあります。特に this や that など前文の何かを指す代名詞が使われている場合、意味は予測していたものから大きく変わることもあり、そこが設問の観点になる場合も多いので、あまり字句通りの意味にとらわれ過ぎないようにしてください。

手順 2 会話を聞いて、設問に関する情報を拾う

40

Questions 7 through 9 refer to the following conversation.

W: Good morning, everyone, and ❶ welcome to today's résumé workshop. By the end of the day, you should all be able to craft résumés that stand out from the others and get you noticed by employers. Does anyone have any initial questions before we begin?

M: Yes, I do. ❷ Will we be covering interview skills as well today? ❸ I'd really like to improve my skills in that area.

W: ❹ That isn't actually part of today's workshop, but we do run another workshop that focuses on job interviews. ❺ There is one scheduled for tomorrow, and I think there are still some places available, so you might want to sign up for that.

M: ❻ That sounds better for me. If there's a spot available, I'll sign up.

訳 W：みなさん、おはようございます。本日の「履歴書ワークショップ」へようこそ。今日が終わるまでには、みなさん全員が、他の応募者のものよりも際立って雇用者の目に留まる履歴書を書けるようになっているはずです。始める前に、どなたか最初に聞いておきたい質問はありますか。

M：はい、あります。②今日は面接のスキルについても学ぶのでしょうか。③私はそのスキルをぜひ伸ばしたいのです。

W: ④それは本日のワークショップには含まれていませんが、私どもでは就職面接に特化した別のワークショップを行っています。⑤明日、予定されているものが１つありまして、まだ空きがいくつかあると思いますから、それに申し込んでみてはいかがでしょう。

M: ⑥その方が私にはよさそうです。空きがあったら、申し込みます。

Check! ❶女性が「～へようこそ」と挨拶する

Welcome to.... は「～へようこそ」の意で、セミナーやイベント開催の冒頭でよく聞かれるフレーズ。ここでは、résumé workshop を聞き取ることが大切。後続文でこのワークショップの到達目標を述べています。

Check! ❷男性の参加者がワークショップ開始前に質問をする

開始前に参加者に質問を募った女性に、男性が「本日のワークショップでは interview skills（面接のスキル）についても学ぶのでしょうか」と尋ねています。

Check! ❸男性の参加者が質問の意図について補足説明をする

質問をした男性はさらに、「そのスキルをぜひ伸ばしたいのです」と述べています。that area は文脈から interview skills「面接のスキル」のことですね。

Check! ❹女性が男性の質問に答える

文頭の That は男性が前文で述べた「面接のスキルについて学ぶこと」を指しています。女性は「本日のワークショプには含まれていませんが、私どもでは就職面接に特化した別のワークショップを行っています」と説明しています。

Check! ❺女性が男性に示唆する

女性は前文で伝えた「就職面接に特化したワークショップ」について、「明日予定されているものに申し込んでみてはいかがでしょう」と示唆をしています。
You might want to... はここでは「～してみてはどうですか」という提案です。

Check! ❻女性からの示唆について男性が意見を述べる

文頭の That は明日開催される、就職面接に特化したワークショップのことを指しています。代名詞の That は前文で述べられた内容を指すことを常に念頭において意味をとりましょう。男性は「その方が私にはよさそうです。空きがあったら、申し込みます」と述べています。

手順 ③ 会話を最後まで聞いてから、設問に解答する

基本攻略

●詳細を尋ねる問題

会話が始まる前からトピックに注意して聞く

7. What subject does today's seminar cover?
(A) Marketing strategies
(B) Exercise techniques
(C) Résumé writing
(D) Interview skills

選択肢の関連語・言い換え表現を聞き取る！

手順１の通り、会話が始まる前に「セミナーのトピック」を聞き取ることを心しておくと、冒頭の welcome to today's résumé workshop「履歴書ワークショップにようこそ」がすんなり頭に入ってきます。「履歴書ワークショップ」では、「履歴書の書き方を習う」と推測できるので、正解は (C) と判断できます。

またこの１文を聞き逃しても、次文で「今日が終わるまでには、みなさん全員が、他の応募者のものよりも際立って雇用者の目に留まる履歴書を書けるようになっているはずです」と言っているので、ここからも正解を確認できます。

ここで設問中の seminar が会話では workshop と類義語に置き換えられていることに注意しましょう。このように正解の選択肢は会話に出てくる語句を他の表現に言い換える場合が多いことも改めて認識しておいてください。例えば、résumé「履歴書」は curriculum vitae「職務経歴書」や、その略語の CV と言い換えられることがあります。 (C) をマーク！

●研修関連の頻出語句

- **training (session/seminar/workshop)** 研修（会 / セミナー / ワークショップ）
- **conduct/give a training seminar** 研修セミナーを行う
- **attend/participate in a training seminar** 研修セミナーに参加する
- **sign up/register a training seminar** 研修セミナーに申し込む
- **trainer/lecturer** 研修者
- **trainee/attendee/participant** 研修生 / 参加者

基本攻略

●詳細を尋ねる問題

選択肢の関連語や言い換え表現に注意して聞く

8. What does the man want to improve?

(A) His technical knowledge
(B) His managerial ability
(C) His educational qualifications
(D) His interview techniques

各選択肢の意味をしっかり区別する！

「男性は何を伸ばしたいのですか」という設問なので、おそらく男性自身の発言にそれが述べられるだろうと、手順１で推測しました。

その心構え通り、男性の発言に注意して聞いていくと、ワークショップ開始前の質疑応答の時間で男性が Will we be covering interview skills as well today? I'd really like to improve my skills in that area. と述べています。第１文の cover はこの場合「カバーする、取り扱う」の意。つまり interview skills「面接のスキル」についても今日のワークショップで取り扱うかどうか聞いているのです。ここから男性が interview skills を学びたいのだということがわかり、正解も予測できます。

そして次の文では、my skills in that area「その分野のスキル」を改善したいと正解のヒントを明確に述べています。that area はもちろん interview「面接」のことを指しています。ここで正解が (D) だと確認できます。

ただ、選択肢では skills は類義語の techniques に言い換えられていることに注意しておきましょう。先読みするときに (D) を「面接のテク」と頭に入れていれば、会話で skills と流れてきてもキャッチしやすくなります。

(D) をマーク！

＊上の英文の訳

訳 8. 男性は何をもっと伸ばしたいのですか。
(A) 技術的な知識
(B) 管理能力
(C) 学歴
(D) 面接の受け方

＊左ページの英文の訳

訳 7. 今日のセミナーではどのような課題を扱いますか。
(A) マーケティング戦略
(B) トレーニング・テクニック
(C) 履歴書の書き方
(D) 面接の受け方

難問攻略 9

●発言の意図を問う問題

引用文の前後に正解のヒントがある

9. What does the man mean when he says, "That sounds better for me"?

(A) He has come up with a good idea.
(B) He thinks he can get better writing skills.
(C) He would prefer the workshop on the job interviews.
(D) He really wants to go to the résumé workshop.

文脈の理解が最大のカギ

意図問題では多くの場合、正解のヒントは引用部分の前後にあります。でも、引用部分が会話のどこに出てくるかはわからないので、引用部分の直前の文を「これがヒントだな」と特定して聞き取ることは物理的に不可能です。そこで引用部分の直後の文と「文脈理解」がカギとなります。

会話の流れの理解は、どの問題にも共通して必要なことなので、すでに手順2で確認しました。ここでもう一度、この設問にフォーカスして、会話の流れをどう理解していくといいか、みてみましょう。

前提：引用部分の字句通りの理解
That sounds better for me.「その方が私にはよさそう」

●会話スタート！

こんな風に理解しよう

W: Welcome to today's résumé workshop.
➡履歴書の書き方を学ぶわけね。

⇩

M: Will we be covering interview skills as well today?
➡この参加者は面接スキルに興味があるんだな。

⇩

W: We do run another workshop that focuses on job interviews. There is one scheduled for tomorrow, you might want to sign up for that.
➡今日は、面接スキルは扱わないのね。
➡明日、面接スキルのワークショップがあるんだ。

M: That sounds better for me. If there's a spot available, I'll sign up.
➡引用部分、きた！
➡男性はその WS に申し込むのね。

消去法を活用する

文脈理解がおぼつかない場合でも、男性の最初の発言 Will we be covering interview skills as well today? (I'd really like to improve my skills in that area.) を頼りに消去法で選択肢を見ていくと正解の確率が高まります。

(A) He has come up with a good idea.

男性の最初の発言は、面接スキルを扱うかどうかの質問とその理由であって意見の表明ではありませんね。もちろん質問中に意見を述べることもありますが、この短い発話の中で新しい意見は表明されていないと推測できます。

(B) He thinks he can get better writing skills.

男性は自分の発言の中で writing skills にも、writing の関連語 résumé にも言及していません。おそらく誤答だと考えます。

(C) He would prefer the workshop on the job interviews.

workshop on the job interviews は「面接スキルの改善」が目的と推測できるので、男性の質問と整合しますね。

また、prefer は「〜の方がいいと思う」の意で、比較して嗜好を述べている点が、引用部分の That sounds better to me.「その方がよさそうだ」と共通しています。正解の最有力候補ですね。

(D) He really wants to go to the résumé workshop.

男性は最初の発言で interview skills に興味があると述べているので、really wants to go とは言えなさそうです。もちろんすでに résumé workshop に来ているので興味はあるのでしょうが、男性の最初の発言と、選択肢中の副詞 really に注意すると、この選択肢も正解ではなさそうだと判断します。

以上から、(C) が正解と判断できます。 (C) をマーク！

訳 男性が「その方が私にはよさそうです」と言う際、何を意図していますか。
(A) 彼はよい考えを思いついた。
(B) 彼はもっとよい作文力を身につけられると思う。
(C) 彼には就職面接についてのワークショップの方がよい。
(D) 彼はその履歴書ワークショップにぜひ行きたいと思う。

Questions 10-12 の攻略

設問を先読みして「日本語で」内容を頭に入れる

10. What kind of business does Steve most likely work for?

(A) A supermarket
(B) A restaurant
(C) A publishing company
(D) A Web design agency

11. Why does Shelley want to change the Web site?

(A) Customers have complained about it.
(B) There is a price mistake on the menu.
(C) She prefers a different main image.
(D) She doesn't like the overall design.

12. What is the one thing Eric will most likely do next?

(A) Check feedback from customers
(B) Remove Fettuccine from the menu
(C) Take a picture of customers
(D) Make a correction

基本攻略プラス

●〔3人の会話〕職業を尋ねる問題
選択肢を頭に入れて、関連語を聞き取る心構えをする！

「職業を尋ねる問題」は「場所の問題」(*p*.91) と同じストラテジーが有効です。ただ、3 人の会話の場合、「発話者の区別」という負荷がかかるので、2 人の会話の同問題と比べて少し難易度がアップします。主語の Steve をしっかり頭に入れて設問の意味をすばやく理解し、4 つの選択肢も先読みした上で、関連語を聞き取ろうと心しましょう。

この設問タイプには、Where does the man most likely work for? や、Who most likely is the woman? のように、Where/Who 疑問文により職業を尋ねるものもあります。

基本攻略プラス

●〔3人の会話〕詳細を尋ねる問題
設問の主語を認識し、選択肢も先読みする！

理由を尋ねる Why 疑問文です。固有名詞 Shelley が設問の主語になっているので、先読み時にしっかり主語を認識しましょう。また時間があればできるだけ各選択肢も先読みし、キーワードの意味を頭に入れておきます。

基本攻略プラス

●〔3人の会話〕詳細を尋ねる問題
会話の後の行動を推測する問題

まず設問の意味を主語に注意してしっかり理解し、選択肢を先読みします。設問に will do next 等の語句が含まれるこの設問タイプの正解は、ほとんどの場合、会話の最終盤にヒントが提示されています。会話が始まる前に、会話の後半に特に注意することを認識しておきます。

手順 ② 会話を聞いて、設問に関する情報を拾う

41

Questions 10 through 12 refer to the following conversation with three speakers.

W: ❶ Eric, thanks for the work you've done on the Web site. The overall design is great, and I've heard some good feedback from customers. ❷ I have one request, though.

M1: Sure, Shelley. What's the problem?

W: ❸ It's the main photo on the home page. At the moment, it's a picture of some customers enjoying a meal, but I think it would be more attractive if we showed the exterior as the main image and the photo of customers further down the page.

M1: ❹ I can change that, sure. I took some photos of the exterior and I still have them on my computer. I'll change the home page right away.

M2: Thanks. ❺ Actually, there's one more thing I'd like you to change. On the menu page of the site, the word "fettuccine" is spelled wrong. It should end with an "e" and not an " i."

M1: Oh, that's a bit embarrassing. I always thought my spelling was one of my strong points! ❻ Sorry about that, Steve.

M2: It's a common mistake, so I doubt most people would notice. It's the sort of thing that only chefs would be aware of, because we see the word so often.

M1: ❼ In any case, I'll get that fixed right now. The updates to the site will appear online this afternoon.

(英文の訳は *p.*336)

Check! ❶女性が Eric に対してお礼を述べる

女性は Eric がすでに行ったウェブサイト関連の仕事に対してお礼を述べています。手順 1 の先読み時に設問に固有名詞が含まれていることをすでに認識しているので、冒頭の Eric, との呼びかけから、この女性の発言の後に Eric が応答すると予測します。

Check! ❷女性が Eric に対して要求する

「1 つお願いがあるの」と Eric に伝えています。

Check! ❸女性（Shelley）が Eric への要求内容を述べる

Eric と思われる男性が What's the problem?「何だい？（何が問題ですか）」と尋ねたのに対し、先の one request は、トップページ（ウェブサイトの最初のページ）で一番大きく取り上げる写真についてだと話します。

Check! ❹Eric が Shelley の要求を快諾する

快諾したあと、次の 2 文で代替写真はパソコンに入っているので、すぐに対応できると伝えます。

Check! ❺もう1人の男性が、もう 1 つ変更してほしい点を Eric に伝える

それは fettuccine のスペルミスを訂正することだと話します。

Check! ❻Eric がもう1人の男性に謝まる

Eric が文末で相手の名前を呼んでいることから、もう 1 人の男性は Steve だとわかります。

Check! ❼Eric が Steve の依頼を快諾する

Eric がこのあとすぐにスペルミスを直すと伝えています。get... fixed は「～を直す」の意を表します。

手順 3 会話を最後まで聞いてから、設問に解答する

基本攻略プラス

●〔3人の会話〕職業を尋ねる問題

設問の主語が誰であるかをしっかり認識して聞く

10. What kind of business does Steve most likely work for?

(A) A supermarket
(B) A restaurant
(C) A publishing company
(D) A Web design agency

会話中の発言者を特定する！

3 人の会話で大事なのは、設問の主語をしっかり認識して会話を聞き、主語として示された人物が誰かを特定することです。

fettuccine のスペルミスを指摘した人が Steve であることは、M1（Eric）の 3 番目の発言の最後でそう呼びかけていることから明確にわかります。もちろん、設問を 3 つ先読みした段階で男性 2 人の名前が出てくることから、M1 が Eric だとわかった段階で、もう1人の男性が Steve だろうと推測することもできます。ですが、設問に出てくる人物名は、会話の中に出てくる第三者の場合もあるので、人物の特定については消去法を使わない方が無難です。

では Steve の職業は何か、彼の発言をチェックしていきましょう。

Eric の 3 番目の発言を受けて、Steve は、It's a common mistake, so I doubt most people would notice.「よくあるミスだから、たいていの人は気づかないよ」と言い、続けて It's the sort of thing that only chefs would be aware of, because we see the word so often.「これはシェフだけが気づくようなことなんだ。僕たちはこの単語をしょっちゅう目にするからね」と言っています。Steve が chefs を受けて we と言っているところから、Steve の職場はレストランだとわかりますね。 (B) をマーク！

訳 Steve はどのような業種で働いている可能性が最も高いですか。
(A) スーパーマーケット (B) レストラン (C) 出版社 (D) ウェブデザイン取扱店

基本攻略プラス

●〔3人の会話〕詳細を尋ねる問題
固有名詞に注意して設問の主語が誰か特定する

11. Why does Shelley want to change the Web site?

(A) Customers have complained about it.
(B) There is a price mistake on the menu.
(C) She prefers a different main image.
(D) She doesn't like the overall design.

問われている人物を特定し、キーワードから正解を聞き取る！

どの設問でも「3 人の会話」に共通して大事なのは、前問で述べたようにそれぞれの話者を特定することです。この設問では Shelley が誰かを特定し、ウェブサイトの変更理由を聞き取ります。

人物を特定する際、名前で注意したいのは性別です。Jack や Jill のように男女がわかりやすい名前もありますが、Robin や Chris のように男女両方に使われる名前もあり、Shelley もその 1 つです。先読み時に自分の感覚で性別を決めてかからないよう注意してください。

会話冒頭の発言は Shelley によるものですが、この段階では彼女が自分で名乗っているわけではないので、特定できません。最初の M1（Eric）の発言で初めて、この女性が Shelley だったとわかります。そして M1 の最初の発言の後、Shelley は It's the main photo on the home page.「トップページの一番大きな写真のことなの」と変更希望内容を伝えています。(C) では、photo は「画像」の意の image に言い換えられています。 (C) をマーク！

ちなみに日本語で「A 社のホームページ」というと、「A 社の運営するウェブサイト全体」を指すことが多いですが、home page は 1 つのウェブサイト中の home の部分、つまり「メインのページ」「トップページ」を指します。

訳 Shelley はなぜウェブサイト（のデザイン）を変更したいのですか。
(A) 客たちがそれについて苦情を言った。
(B) メニューに価格の間違いがある。
(C) 彼女は違うメイン画像がいいと思っている。
(D) 彼女はデザインが全体的に気に入らない。

基本攻略プラス

●〔3人の会話〕詳細を尋ねる問題

行動を予測するには、自分の意思を述べる表現を聞き取る

12. What is the one thing Eric will most likely do next?

(A) Check feedback from customers
(B) Remove fettuccine from the menu
(C) Take a picture of customers
(D) Make a correction

設問の主語の人物が「～します」と意思を表すフレーズを待つ！

設問は「Eric が次に最もしそうなことは何ですか」の意。正解のヒントを聞き取るカギは、主語の人物が「私が～します」「私に～させてください」と自分の意思を述べる表現です。具体的には I will... やその短縮形の I'll...、Let me...などの表現を待ちます。なお、このフレーズは会話の終盤に出てくるケースが多いことは手順 1 で見たとおりですが、例外もあるので注意しておきましょう。

この会話では、Eric があとですることとして 2 つ述べています。選択肢と照合すると 2 つ目に述べたことが正解となります。この点からも選択肢を先読みしておくと選びやすくなります。

1 つ目のカギ **I'll change the home page right away.**

Shelley に I have one request, though.「でも、1 つお願いがあるの」と切り出され、トップページの写真を差し替えてほしいと言われた Eric は、会話の前半で I'll change the home page right away. と言っていますね。Eric 自身が述べる I'll...「私は～しておきます」は、ズバリ待っていたキーフレーズ。正解の有力候補です。会話を聞きながら、これを心に留めておきます。

2 つ目のカギ **I'll get that fixed right now.**

Steve にスペルミスを指摘された Eric は、In any case, I'll get that fixed right now.「とにかく、それはすぐに訂正するよ」と伝えています。この I'll... のフレーズも待っていた正解のカギですね。これがもう一つの正解の有力候補です。

▼ 選択肢と照合する

さて、会話が終わったら、選択肢を見て最終判断します。

会話開始前にしっかり4つの選択肢まで先読みしておけば、会話が終わった時点で、2つ目のカギを別の言葉で表現した (D) が正解だとすぐにわかります。でも、もし選択肢まで先読みする時間がなかった場合でも、大丈夫。会話を聞きながら、上の2つのカギだけしっかり押さえておけば、会話終了後、ナレーターが3つの設問を読んでいる間に、会話で聞き取った2つのカギと選択肢を照合して正解することができます。

(A) Check feedback from customers

冒頭の女性の発言 I've heard some good feedback from customers の部分と同一の語句を用いています。典型的な引っかけの選択肢なので引っかからないようにしましょう。会話中に「顧客からの（いい）フィードバックを聞いた」とあるだけで、それを check「確認する」という発言はどこにもありません。誤答です。

(B) Remove fettuccine from the menu

「フェットチーネをメニューから削除する」の意で、削除については言及されていないので誤答です。

(C) Take a picture of customers

「お客さんが食事を楽しんでいる写真」については、会話中で a picture of some customers enjoying a meal と言及されていますが、新たに写真を撮影する（take a picture）ことは述べられていません。

(D) Make a correction

「訂正する」の意で、2つ目のカギとして会話からピックアップした I'll get that fixed の言い換えになっています。

(D) をマーク！

訳 Eric が次に最もしそうなことは何ですか。
(A) 客からの反応を調べる
(B) メニューからフェットチーネを外す
(C) 客たちの写真を撮影する
(D) 訂正を行う

Part 3

No.42 の音声を聞いてください。2 人または 3 人の人物による会話を聞いて、それぞれの設問について 4 つの答えの中から最も ふさわしいものを選び、下記の解答欄の (A) ～ (D) のいずれかにマークしてください。

42

1. What is the man's concern?

(A) The availability of funds
(B) The size of the dining space
(C) The friendliness of the staff
(D) The cost of publicity

2. What does the man mean when he says, "Oh, then that's a different story"?

(A) He can consider the suggestion.
(B) He wants to hear the album.
(C) He can try to get money for entertainment.
(D) He thinks another kind of music would be better

3. What will the man probably do later?

(A) Approve a budget extension
(B) Discuss an idea with a group
(C) Change the location of the event
(D) Offer his services for free

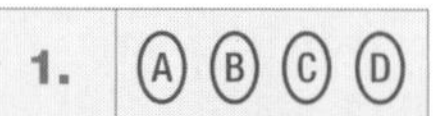

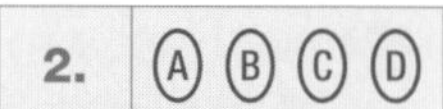

3.	Ⓐ Ⓑ Ⓒ Ⓓ

4. Where most likely is the conversation taking place?

(A) At a bank
(B) At a clothing shop
(C) At a hotel
(D) At a restaurant

5. What does the man offer?

(A) To invite her an event
(B) To repair her item
(C) To provide a replacement
(D) To give her a coupon

6. Look at the graphic. Which refund requirement does the woman fail to meet?

(A) #1
(B) #2
(C) #3
(D) #4

Refund Policy
#1 Present the original receipt
#2 The tags must still be attached
#3 Return within 30 days from the date of purchase
#4 Return only at the store location the product were purchased

4.	Ⓐ Ⓑ Ⓒ Ⓓ
5.	Ⓐ Ⓑ Ⓒ Ⓓ
6.	Ⓐ Ⓑ Ⓒ Ⓓ

7. What are the speakers talking about?

(A) New premises
(B) An equipment purchase
(C) A training program
(D) A business relocation

8. What does the man ask the woman about?

(A) The number of large appliances
(B) The estimated cost of delivery
(C) The quality of some frozen meat
(D) The use of color in artwork

9. Why does the speaker say, "Would tomorrow morning work for you?"

(A) He wants to send her a list tomorrow.
(B) He wants to visit her store tomorrow.
(C) He wants to buy some equipment tomorrow.
(D) He wants to check her work tomorrow.

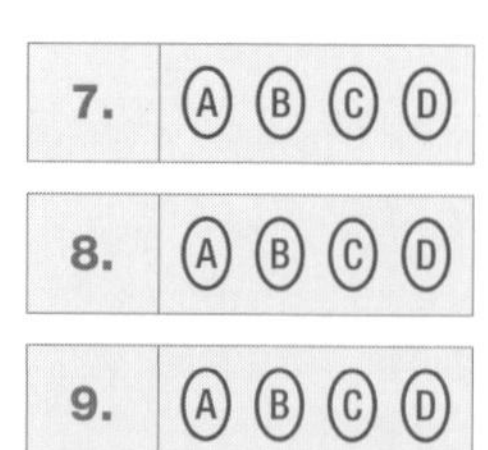

10. Where most likely are the speakers?

(A) At a meeting
(B) At a bank
(C) At a real estate agency
(D) At a registration desk

11. What does the woman ask for?

(A) A refund
(B) A handout
(C) A credit card
(D) A confirmation e-mail

12. Why does Mr. Clark cancel his reservation for the next day?

(A) He wants to attend another seminar.
(B) He needs to be at a meeting.
(C) He did not pay the fee in advance.
(D) He is planning to go on vacation.

10.	Ⓐ Ⓑ Ⓒ Ⓓ
11.	Ⓐ Ⓑ Ⓒ Ⓓ
12.	Ⓐ Ⓑ Ⓒ Ⓓ

問題 1-3 の会話の流れ

43

Questions 1 through 3 refer to the following conversation.

W: Hi, Douglas. Since you're the chair of the organizing committee for this year's charity event at the museum, I wanted to let you know about a friend of mine. He plays the cello professionally, and I think he'd be the ideal person to provide the entertainment at the event.

M: It would be fantastic to have a cellist there, but if your friend is a professional, we may not be able to afford to pay him. We've exhausted the budget, unfortunately, so we're already looking at areas where we can try to save money.

W: I know, but I was thinking my friend would probably be willing to appear for free. The publicity would be good for him, since he's just released a new album.

M: Oh, then that's a different story. I'll talk about it with the others at tomorrow's committee meeting and get back to you.

訳 問題 1-3 は次の会話に関するものです。

女性：こんにちは、Douglas。あなたは美術館の今年のチャリティ・イベントの組織委員長だから、私の友達のことを知っておいてほしいと思って。彼はプロのチェロ奏者で、今度のイベントで余興をしてくれるにはぴったりの人だと思うわ。

男性：チェロ奏者が来てくれたらすばらしいだろうよ。だけど君の友達がプロだったら、彼に支払うだけの余裕はないかもしれない。残念ながら、もう予算を使い果たしていて、なんとか節約できる所をすでに探しているぐらいなんだ。

女性：ええ、でも、私の友達はたぶん無報酬でもかまわないだろうと思って。彼は新しいアルバムを出したばかりだから、そうやって宣伝できればいいでしょうから。

男性：おや、だったら話は違ってくるな。明日の委員会でほかの人たちに話して、君に連絡するよ。

▼ 赤字の部分を中心に会話の流れを把握する

Since you're the chair of the organizing committee for this year's charity event at the museum, I wanted to let you know about a friend of mine.

女性 チャリティイベント関係で、友達を紹介したいと提案

He plays the cello professionally, and I think he'd be the ideal person to provide the entertainment at the event.

女性 友達のプロフィールを提示

It would be fantastic to have a cellist there, but if your friend is a professional, we may not be able to afford to pay him.

男性 プロは雇えないと返答

▲「だけど君の友達がプロだったら、彼に支払うだけの余裕はないかもしれない」と女性の提案を断っています。afford to do は「～する経済的余裕がある」の意。ここではプロの奏者に支払う予算はないことを伝えています。

I know, but I was thinking my friend would probably be willing to appear for free. The publicity would be good for him, since he's just released a new album.

女性 その友達が無報酬でイベントに出てくれるだろうと意見を述べる

▲さらに、その理由として「ニューアルバム」の宣伝になるから友達にとってもイベント出演はメリットになることを伝えています。

Oh, then that's a different story. I'll talk about it with the others at tomorrow's committee meeting and get back to you.

男性 女性の提案を受け入れる発言

▲無報酬でイベント出演が可能なら、その友達に依頼することについて委員会で検討してみると話しています。

語句

□ chair 議長	□ afford to... ～する経済的余裕がある
□ organizing committee 組織委員会	□ publicity 広報、宣伝

重点攻略 4 話し手の懸念・トラブルについて問う問題

難易度 ★★

1. What is the man's concern?

(A) The availability of funds
(B) The size of the dining space
(C) The friendliness of the staff
(D) The cost of publicity

解説

男性が何かを懸念していることが設問の先読みからわかるので、ネガティブな語句を待ち受けながら聞きます。最初の発言中、but if your friend is a professional, we may not be able to afford to pay him「彼に支払うだけの余裕はないかも」と述べています。つまり予算の問題ですね。よって、これを fund「資金」という単語を用いて言い換えている (A) が正解です。

訳 男性は何を心配しているのですか。
(A) 資金が使えるかどうか
(B) 食事をする会場の広さ
(C) 職員が親切かどうか
(D) 宣伝費

語句
- □ **concern** 懸念
- □ **availability** 入手の可能性
- □ **fund** 資金

難問攻略 9 発言の意図を問う問題

難易度 ★★★

2. What does the man mean when he says, "Oh, then that's a different story"?

(A) He can consider the suggestion.
(B) He wants to hear the album.
(C) He can try to get money for entertainment.
(D) He thinks another kind of music would be better.

解説

引用部分の主語 that が指す直前の内容と、補足的な内容が述べられる直後の文が正解のカギになります。

that は「無報酬で OK」という直前の女性の発言を指していますね。よって引用部分は「(無報酬でいいなら依頼を) 考えてみようかな」の意だと推測でき、(A) が正解です。直後に「委員会で話してみる」と言っていることも正解のヒントになります。

訳 男性が「おや、だったら話は違ってくる」と言う際、何を意図していますか。
(A) 彼はその提案を検討することができる。
(B) 彼はそのアルバムを聞いてみたい。
(C) 彼は余興のための予算を手に入れられそうだ。
(D) 彼は別の種類の音楽の方がよいと思っている。

語句
- □ **consider** ～を熟慮する
- □ **album** 音楽アルバム
- □ **entertainment** 余興、ショー

基本攻略 会話の後の行動を推測する問題

難易度 ★

3. What will the man probably do later?

(A) Approve a budget extension
(B) Discuss an idea with a group
(C) Change the location of the event
(D) Offer his services for free

解説

このタイプの問題は、ほとんどの場合、会話の最終盤に正解のヒントが語られます。この場合も I'll talk about it から始まる文がカギ。また、会話中のキーワードは、選択肢で他の表現に言い換えられることが多くあります。ここでも男性の最後の発言中の with the others at tomorrow's committee meeting が、with a group とパラフレーズされている (B) が正解です。

訳 男性はこのあと何をしますか。
(A) 予算の拡大を承認する
(B) みんなである考えについて話し合う
(C) イベント会場を変更する
(D) 彼のサービスを無料で提供する

語句

□ budget 予算
□ extension 拡張、延長
□ for free 無料で

問題 4-6 の会話の流れ　44

Questions 4 through 6 refer to the following conversation and information.

M: Hi, how may I help you?

W: I bought this shirt here, but the button came off. May I have a refund?

M: I'm sorry to hear that. Do you have the receipt?

W: Yes. Here you go.

M: Well... I'm terribly sorry, but more than 30 days have passed since purchase, so we can't offer a refund. However, as an apology, we can give you a coupon for 10% off your next purchase.

訳　問題 4-6 は次の会話と情報に関するものです。

男性：いらっしゃいませ。

女性：このシャツはここで買ったのですが、ボタンが取れたのです。返金をお願いできますか。

男性：それは申し訳ありませんでした。領収書をお持ちですか。

女性：はい、これです。

男性：ええと……たいへん申し訳ありませんが、お買い求めから 31 日以上たっていますので、返金はできかねます。しかしながら、お詫びとして、次回のお買い物で 10 パーセント引きさせていただくクーポンを差し上げましょう。

▼赤字の部分を中心に会話の流れを把握する

Hi, how may I help you?

男性 店側の挨拶

▲ホテルのフロントや店などが客に言うフレーズ。会話場面を類推できます。

I bought this shirt here, but the button came off. May I have a refund?

女性 返金を要求

シャツのボタンが取れたので返金を求めています。衣料品店での会話ですね。

Do you have the receipt?

男性 領収書の提示を求める

I'm terribly sorry, but more than 30 days have passed since purchase, so we can't offer a refund.

男性 返金に応じられないことを伝える

▲その理由として「購入から31日以上たっていますので」と述べています。

However, as an apology, we can give you a coupon for 10% off your next purchase.

男性 割引クーポンをオファー

▲ここでwe canは提案をするときの表現で、「～いたしましょう」の意。女性の希望通り、返金はできないが、「次回のお買い物で10パーセント引きさせていただくクーポンを差し上げましょう」と提案しています。

語句

- □ come off 外れる
- □ May I...? ～してもいいですか。
- □ refund 返金
- □ Here you go. はい、どうぞ。
- □ more than A Aよりも多く
- □ offer ～を提供する
- □ apology お詫び
- □ purchase 購入

基本攻略 場所を問う問題

難易度 ★

4. Where most likely is the conversation taking place?

(A) At a bank
(B) At a clothing shop
(C) At a hotel
(D) At a restaurant

解説

場所の問題で、はっきりわからない場合は、会話中の複数のカギとなる語句から類推して解答します。

この場合、bought this shirt「シャツを買った」、have a refund「返金してもらう」から、シャツを売っている店だとわかりますね。キーワードを1つに絞ると、引っかけの選択肢を選んでしまう危険性もあるので、注意しましょう。

訳 この会話はどこで行われていると考えられますか。
(A) 銀行
(B) 衣料品店
(C) ホテル
(D) レストラン

語句

□ **take place** 行われる
□ **clothing shop** 衣料品店

基本攻略 詳細を尋ねる問題

難易度 ★

5. What does the man offer?

(A) To invite her an event
(B) To repair her item
(C) To provide a replacement
(D) To give her a coupon

解説

詳細を尋ねる問題では、選択肢も先読みしてキーフレーズが聞こえてくるのを待ち受ければ、必ず正解できます。ただし、正解の選択肢は会話中のフレーズから言い換えられていることが多いので注意しましょう。男性は we can give you a coupon for 10% off your next purchase. とクーポン券を提供すると言っているので、正解は (D) です。

訳 男性は何を申し出ていますか。
(A) あるイベントに彼女を招待すること
(B) 彼女の物を修理すること
(C) 代わりの品を渡すこと
(D) 彼女にクーポンをあげること

語句

□ **repair** ～を修理する
□ **item** 商品、物
□ **replacement** 代わりの品、交換品

難問攻略 8 図表問題

難易度 ★★★

6. Look at the graphic. Which refund requirement does the woman fail to meet?

(A) #1
(B) #2
(C) #3
(D) #4

解説

図表問題では、先読み時に選択肢も図表と合わせて見ておきます。各選択肢や図表は、名詞・動詞を中心にキーワードをおさえて意味をとっておきましょう。

男性は more than 30 days have passed since purchase, so we can't offer a refund「お買い求めから31日以上たっていますので、返金はできかねます」と返品期間が過ぎたと述べているので正解は (C) です。

訳 図を見てください。女性はどの返金条件を満たしていませんか。
(A) #1
(B) #2
(C) #3
(D) #4

語句

□ **requirement** 必要条件
□ **fail to...** ～できない、～し損なう
□ **meet** 満たす

Refund Policy
#1 Present the original receipt
#2 The tags must still be attached
#3 Return within 30 days from the date of purchase
#4 Return only at the store location the product were purchased

訳 代金返却方針
#1 領収書の現物を提示すること
#2 値札等がまだ付いていること
#3 購入日から 30 日以内に返品のこと
#4 その商品を購入した店舗に限り返品のこと

問題 7-9 の会話の流れ

45

Questions 7 through 9 refer to the following conversation.

W: Good afternoon, is this Timely Moving Company? I'm in the process of relocating my butcher store to new premises across town, and I was wondering if you could give me a quote for the cost of moving my equipment and supplies.

M: We'd certainly be more than happy to give you an estimate. What we'll need first is a list of all the heavy equipment you'd need us to move. How many large appliances do you have?

W: Well, we have all the things you'd usually find in a butcher store, including two very large and heavy refrigerators. I can send you a full list, if that would help.

M: It may be better if I come out to your store myself and have a look at your equipment. That way I can provide you with an accurate quote. Would tomorrow morning work for you?

訳 問題 7-9 は次の会話に関するものです。

女性：もしもし、Timely 引っ越しセンターですか。今、うちの精肉店を町の反対側の新しい店に移転中なんですが、店の設備機器を運んでいただくのにどれくらいかかるか見積もってもらえないだろうかと思いまして。

男性：もちろん喜んで見積もりいたしますよ。まず必要なのは、私たちが運搬する必要のある重い機器のすべてのリストです。大型の電化製品はいくつありますか。

女性：そうねえ、普通の肉屋にあるものはすべてありますよ。とても大きくて重い冷蔵庫が 2 つとか。すべてのリストを送りますけど──もし、その方がよろしければ。

男性：それよりも私があなたの店に伺って、お持ちの設備機器を見た方がよいでしょう。そうすれば正確な見積もりを差し上げられます。明日の午前中は、ご都合いかがですか。

▼ 赤字の部分を中心に会話の流れを把握する

Good afternoon, is this Timely Moving Company?

女性 引っ越し業者に電話をかけている

▲ Is this...? は電話で相手の名前を確認するときのフレーズです。

I was wondering if you could give me a quote for the cost of moving my equipment and supplies.

女性 引っ越しの見積もりがほしいと依頼

▲ I was wondering if you could... は「～していただけますか」の意。

What we'll need first is a list of all the heavy equipment you'd need us to move. How many large appliances do you have?

男性 見積もりを出すために設備機器のリストが必要と伝える

I can send you a full list, if that would help.

女性 設備機器の全リストを出しましょうと応答

▲大型で重い冷蔵庫 2 つを例示しながら「普通の精肉店にあるものはすべてある」と答えたあと、必要なら全リストを出せると伝えています。

It may be better if I come out to your store myself and have a look at your equipment. ...Would tomorrow morning work for you?

男性 見積もりを出すために自ら出向くことを提案

▲ It may be better if...は「～した方がいいかもしれませんね」の意。女性の精肉店に男性が行って見積もりをすることを提案し、具体的に明日の都合を女性に尋ねています。work は「機能する」の意。

語句

- □ relocate　～を移転する
- □ butcher store　肉屋
- □ premises　《複数形で》店舗、施設
- □ quote　見積もり
- □ equipment　設備機器
- □ supplies　必需品
- □ give an estimate　見積もりを出す
- □ appliance　電化製品

基本攻略 詳細を尋ねる問題

難易度 ★

7. What are the speakers talking about?

(A) New premises
(B) An equipment purchase
(C) A training program
(D) A business relocation

解説

冒頭で女性が引っ越し会社に電話をして移転の相談をしていることから正解は (D) です。ただ、よく聞き取れない場合でも、会話中の複数のキーワードから類推して解答しましょう。場所や職業を尋ねる問題と同じ解法です。

Moving Company、relocating、my butcher store などから、自分の店の移転の見積もりについて引っ越し会社と話していることが推測できますね。

訳 2人は何について話をしていますか。
(A) 新しい店舗
(B) 機器の購入
(C) 研修プログラム
(D) 店の移転

語句

□ **premises** 敷地、施設、店舗
単数形では「根拠、前提」の意も表す

□ **purchase** 購入

基本攻略 詳細を尋ねる問題

難易度 ★

8. What does the man ask the woman about?

(A) The number of large appliances
(B) The estimated cost of delivery
(C) The quality of some frozen meat
(D) The use of color in artwork

解説

男性は最初の発言の最終文で How many large appliances do you have?「大型の電化製品はいくつありますか」と数を尋ねているので、正解は (A) です。

先読み時に「男性の発言に注意して、女性に尋ねる内容をチェックしよう」と意識して、選択肢にざっと目を通してから会話を聞けるようタイムマネジメントすることが大切です。

訳 男性は女性に何を尋ねていますか。
(A) 大型電化製品の数
(B) 運送の見積もり価格
(C) 冷凍肉の品質
(D) アートワークに色を使うこと

語句

□ **appliance** 電化製品、機器

□ **estimated cost** 見積もり価格

□ **delivery** 配達

難問攻略 9 発言の意図を問う問題

難易度 ★★★

9. Why does the speaker say, "Would tomorrow morning work for you?"

(A) He wants to send her a list tomorrow.
(B) He wants to visit her store tomorrow.
(C) He wants to buy some equipment tomorrow.
(D) He wants to check her work tomorrow.

解説

意図問題では、まず引用部分の意味を理解しておくことが大切です。この場合、「明日の午前中は、ご都合いかがですか」の意ですね。

男性は2番目の発言で、It may be better if I come out to your store myself and have a look at your equipment.「それよりも私があなたの店に伺ってお持ちの設備機器を見た方がよいでしょう。そうすれば正確な見積もりを差し上げられます」と述べ、明日の午前中に行ってもいいか尋ねています。よって正解は (B) です。

訳 なぜ話し手は「明日の午前中は、ご都合いかがですか」と言っていますか。
(A) 彼は明日、彼女にリストを送りたい。
(B) 彼は明日、彼女の店を訪れたい。
(C) 彼は明日、何か機器を買いたい。
(D) 彼は明日、彼女の仕事をチェックしたい。

語句

- □ work 機能する、うまくいく
- □ list リスト、一覧表
- □ equipment 機器

問題 10-12 の会話の流れ

46

Questions 10 through 12 refer to the following conversation with three speakers.

W: Welcome to our seminar on real estate investment. You can register here.

M1: I'm Matthew Smith, and this is Brian Clark. We both registered in advance.

W: Could I see your advance registration confirmation e-mails?

M: Of course. Here.

W: Thank you, Mr. Smith. Please take this handout.

M2: Here's my confirmation e-mail. I was planning to attend both days of the seminar, but I'm not able to attend tomorrow, because an important meeting suddenly came up. Is it possible to receive a refund for one day?

W: No problem, Mr. Clark. At the end of next month the fee will be refunded to the credit card you used when registering.

M2: Thank you.

訳 問題 10-12 は 3 人の話し手による次の会話に関するものです。

女性：私どもの不動産投資セミナーにようこそ。こちらでご登録いただけます。

男性1：私が Matthew Smith で、こちらが Brian Clark です。2 人とも事前登録しました。

女性：あなた方の事前登録確認メールを拝見してよろしいですか。

男性1：もちろんです。はいどうぞ。

女性：ありがとうございます、Smith 様。こちらの配付資料をお受け取りください。

男性2：これが私の確認メールです。セミナーには両日参加しようと計画していたのですが、重要な会議が急に行われることになって、明日は参加できないのです。一日分の返金をしていただくことは可能ですか。

女性：もちろんです、Clark 様。翌月末に、お客様が登録時にお使いになったクレジットカードに料金をお戻しいたします。

男性2：ありがとうございます。

▼ 赤字の部分を中心に会話の流れを把握する

Questions 10 through 12 refer to the following conversation with three speakers.

▲ 3 人の会話であることが述べられます。

Welcome to our seminar on real estate investment.

女性 不動産投資セミナー主催者による参加者への挨拶

▲会話の冒頭の1文は聞き逃さないようにしましょう。

I'm Matthew Smith, and this is Brian Clark. Both of us registered in advance.

男性 1 自分と同伴者の名前を紹介し、事前申し込みをしていると告げる

▲ in advance は「前もって、事前に」の意。

Could I see your advance registration confirmation e-mails?

女性 事前登録確認メールの提示を求める

▲ Could I...? は「～してもよろしいですか」の意。

I was planning to attend both days of the seminar, but I'm not able to attend tomorrow, because... Is it possible to receive a refund for one day?

男性 2 事前登録時の予定に変更が生じたことを伝え、返金が可能か尋ねる

▲ because の後で、予定変更の理由も述べています。理由を問う設問があればしっかり聞く必要があります。

No problem, Mr. Clark.

女性 男性の要望を快諾する

基本攻略プラス 〔3人の会話〕場所を問う問題

難易度 ★★

10. Where most likely are the speakers?

(A) At a meeting
(B) At a bank
(C) At a real estate agency
(D) At a registration desk

解説

会話の冒頭で女性がWelcome to our seminar on real estate investment.「私どもの不動産投資セミナーにようこそ」と述べているので、セミナー会場だと考えられます。

さらに、女性はYou can register here.「こちらでご登録いただけます」と続けているので、話し手たちは登録受付所にいるとわかります。正解は(D)です。

訳 話し手たちはどこにいると考えられますか。
(A) 会議場
(B) 銀行
(C) 不動産会社
(D) 登録受付所

語句

□ **most likely** おそらく、十中八九
□ **real estate** 不動産
□ **registration** 登録

基本攻略プラス 〔3人の会話〕詳細を尋ねる問題

難易度 ★

11. What does the woman ask for?

(A) A refund
(B) A handout
(C) A credit card
(D) A confirmation e-mail

解説

the womanが主語の設問です。女性の発言から正解をキャッチしようと意識して会話の開始を待てるようタイムマネジメントをしておきます。

女性は2番目の発言で、Could I see your advance registration confirmation e-mails?「あなた方の事前登録確認メールを拝見してよろしいですか」と述べているので、正解は(D)です。

訳 女性は何を求めていますか。
(A) 払い戻し金
(B) ハンドアウト
(C) クレジットカード
(D) 確認メール

語句

□ **ask for...** ～を求める
□ **refund** 返金
□ **handout** ハンドアウト、配付資料

基本攻略プラス 〔3人の会話〕詳細を尋ねる問題

難易度 ★★

12. Why does Mr. Clark cancel his reservation for the next day?

(A) He wants to attend another seminar.
(B) He needs to be at a meeting.
(C) He did not pay the fee in advance.
(D) He is planning to go on vacation.

解説

設問に人名があれば、それが誰を指すのか意識して聞きましょう。男性1が最初に自己紹介をしたあと、もう1人を指して this is Brian Clark と言っているので、男性2が Mr. Clark だとわかります。

男性2は、I'm not able to attend tomorrow, because an important meeting suddenly came up「重要な会議が急に行われることになって、明日は参加できないのです」と伝えています。したがって正解は (B) です。

訳 Mr. Clark は、なぜ翌日の予約をキャンセルするのですか。
(A) 彼は別のセミナーに出席したいと思っている。
(B) 彼はある会議に出る必要がある。
(C) 彼は料金を前払いしていなかった。
(D) 彼は休暇をとる予定である。

語句

□ **fee** 料金
□ **in advance** 前もって
□ **go on vacation** 休暇をとる

Check! Essential Words & Phrases ▶ No. 3

47

頻出の重要表現

- □ put up / post a sign
  掲示を出す
- □ delay a presentation
  プレゼンテーションを遅らせる
- □ accommodate a party
  団体を収容する
- □ target younger consumers
  若い消費者を対象にする
- □ double-check the calendar
  日程表を再確認する
- □ revise the schedule
  スケジュールを見直す
- □ review the details
  詳細点を見直す
- □ go over the details
  詳細点を検討する
- □ lead the workshop
  研修会を主導する
- □ organize the conference
  会議を準備する
- □ swipe the security badge
  セキュリティカードを読み取り機に通す
- □ deactivate the credit card
  クレジットカードを停止する
- □ assemble the parts
  部品を組み立てる
- □ write up the request
  申請書をまとめる
- □ locate a product
  商品を見つけ出す
- □ recommend a candidate
  候補者を推薦する
- □ submit the application
  応募書類を提出する
- □ validate the ticket
  チケットを認証する
- □ set aside an hour
  1時間を取っておく（別の目的のために確保する）
- □ expedite an order
  注文を迅速に処理する
- □ rush the service
  作業を急ぐ
- □ ask for a recommendation
  推薦状を求める
- □ report a problem
  問題を報告する
- □ retrieve a password
  パスワードを取り出す
- □ waive the charge
  請求を差し控える

人を表す名詞

- □ financial advisor　財務顧問
- □ curator　学芸員
- □ construction worker　建設作業員
- □ contractor　契約者、建設業者
- □ attorney　弁護士
- □ city official　市職員
- □ receptionist　受付係
- □ safety inspector　安全検査官
- □ electrician　電気技師
- □ food critic　料理評論家
- □ architect　設計者、建築家
- □ pharmacist　薬剤師
- □ cashier　レジ係
- □ landscaper　造園家
- □ maintenance worker　保守作業員
- □ real estate agent　不動産代理店の店員
- □ customer service representative
  顧客サービス係
- □ ticket agent　切符の販売員
- □ customs official　税関職員
- □ new hire　新入社員
- □ trainee　研修生（研修を受ける人）
- □ trainer　研修者（研修を行う人）
- □ loyal customer　得意客
- □ management team　経営陣
- □ entrepreneur　起業家

Part 4
説明文問題の攻略

750点を達成するための Part 4 対策

問題数 30 問

目標正解数 21 問

どういう問題？

1人によるトークを聞いて、設問に答える問題です。1つのトークにつき3つの設問が用意され、全部で10のトークがあります。設問の中には、トークと関連する図を見て答えを選ぶタイプの問題もあります。トークはテストブックに印刷されておらず、音声は1度しか流れません。

どういう流れ？

1 Directions（指示文）の音声が流れる

最初にテストブックに印刷されている下記のDirections（指示文）の音声が流れます。

48

PART 4

Directions: You will hear some talks given by a single speaker. You will be asked to answer three questions about what the speaker says in each talk. Select the best response to each question and mark the letter (A), (B), (C), or (D) on your answer sheet. The talks will not be printed in your test book and will be spoken only one time.

訳 PART 4

指示：1人の話し手によるトークを聞きます。それぞれのトークで話し手が話していることに関する3つの設問に答えます。各設問について最も適切な返答を選び、解答用紙の(A)、(B)、(C)、(D)の記号にマークしてください。トークはテストブックに印刷されておらず、1度しか流れません。

2 トークの音声が流れる

テストブックには、次のような設問が1つのトークに3つずつ印刷されています。

【例】

71. What does the speaker ask the listeners to do?
(A) Provide additional funding
(B) Fulfill monthly targets
(C) Help recruit new staff
(D) Accept a pay cut

訳 話し手は聞き手に何をするように頼んでいますか。
(A) 追加資金を提供する
(B) 月々の目標を達成する
(C) 新しい人材採用に協力する
(D) 賃金カットを承諾する

Directionsに続いて、トークの音声が流れます。トークが終わってから2秒後に、設問文の音声が読まれます。

No. 71 What does the speaker ask the listeners to do?

3 解答時間は、8秒間または12秒間

会話が終わったら、3つの設問に解答することになります。通常の設問は8秒、図を見て答える問題は12秒の解答時間があります。すばやく設問に解答して、次の会話に備えましょう。

21 問以上の正解を目指すために

Part 4 は 30 問出題されます。

750 点を取るためには、21 問以上を正解できるようにしましょう。

Part 4 は、Part 3 に続く設問数の多い重要なパートで、攻略のカギは Part 3 と同様に、まずタイムマネジメントです。

もう一度、テストの進行に合わせて何をすればよいか、しっかり理解しておきましょう。

Part 4 の構成

Part 3 での 2 人か 3 人による「会話」が、Part 4 では 1 人の人物が話す「トーク」になるだけで、あとは Part 3 の構成とほぼ同じです。1 つのトークに 3 つの設問がつき、これが 10 セットあります。

最初の 1 セット 3 問の先読みは Part 4 の Directions の間に行い、2 セット目以降は、ナレーターが 2 問目を読み終わる頃には遅くとも次の 3 問を先読みできるようなタイムマネジメントが理想です。

● 1 セットの構成

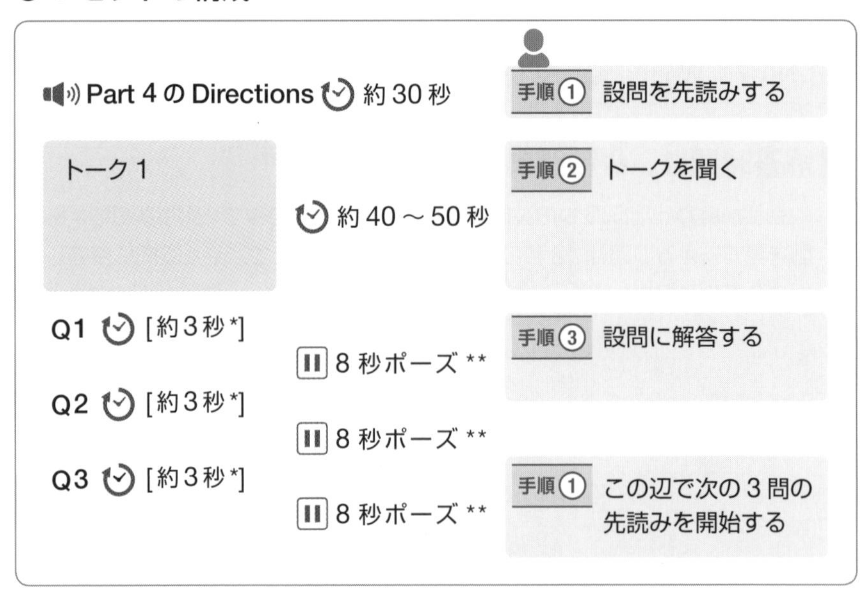

*1 つの設問が読まれる平均的時間です。実際は 1 問 2 ～ 4 秒位でばらつきがあります。

** 図表問題の場合は、次の設問までの（または 3 問目の場合は、次のトークまでの）ポーズが 12 秒になります。他は一律 8 秒です。

手順① 設問を先読みして「日本語で」内容を頭に入れる

Part 3 と同様にトークが始まる前にテストブックに印刷された 3 つの設問を 1 つずつ読んでいきます。意味を理解し、設問のキーワードや関連語を頭に入れておきましょう。こうすることで、トークから拾うべき情報を予測しやすくなります。

先読み時間に余裕があれば、選択肢もざっと見ておきましょう。特に Who most likely is the speaker? や Where does the speaker work? のような職業や職場を尋ねるもの、Who most likely are the listeners? など、トークの聞き手は誰かを問うものなど、設問自体にキーワードが含まれないような場合は、選択肢を予め見ておくと、正解が得やすくなります。

手順② トークを聞いて、設問に関する情報を拾う

例えば What is the purpose of the talk? のようにトークの目的を尋ねる問題では、トークの目的は冒頭部から前半で話されることを意識しておくと情報を聞き逃しにくくなります。

また、What will the man do next? のように話者がトークを終えたあとに取るだろう行動内容を問う場合、正解のヒントは、トークの最終盤で示されることがほとんどです。

すでに設問を先読みしていれば、解答のヒントをもれなく聞き取ることができます。

手順③ トークを最後まで聞いてから、設問に解答する

1 つの設問の解答がわかっても、トークの最中に解答用紙にマークしないようにしましょう。トークの重要な部分を聞き逃してしまわないようにするためです。

トークが終わったら、すばやく設問と選択肢にもう一度目を通して、解答を選びます。

難問攻略のカギ

Part 4では3問程度出題される、「発言の意図を問う問題」が少し難しめです。ここでは例題を用いて意図問題の対策を行います。

> **1.** Why does the speaker say, “Could you please give me a call back”?
>
> (A) He’d like the listener to make an appointment.
> (B) He’d like to provide further details.
> (C) He’d like to speak with a manager.
> (D) He’d like the listener to approve a service.

引用部分の意味をとり、選択肢中のキーワードを頭に入れる

解答のヒントはターゲットとなる引用部分の直前にも含まれていることが多いのですが、ターゲットがいつ聞こえてくるかはわからないので、直後の文だけでもしっかりと聞き取りたいものです。

まず、設問の意味を引用部分も含めて頭に日本語で入れておきましょう。なぜ話し手は「後で私に電話をかけていただけますか」と言うのですか、という意味ですね。この設問からおそらくトークのタイプは留守番電話のメッセージで、「電話をかけてほしい」と伝言を残しているのだろうとわかります。設問から確定できる情報はできるだけトークを聞く前に収集しておきましょう。

では手順1の「先読み」の一部として、選択肢もさっと見ておきましょう。以下のように4つの選択肢には、He’d like the listener to do「聞き手に～してほしい」とHe’d like to do「自分が～したい」の2つの表現が使われています。各選択肢のキーワードを頭に入れておき、簡単に意味をとっておきます。

(A) He’d like the listener to make an appointment.
➡聞き手にアポをとらせたい

(B) He’d like to provide further details.
➡自分がもっと詳しく説明したい

(C) He’d like to speak with a manager.
➡自分が部長と話をしたい

(D) He’d like the listener to approve a service.
➡聞き手にサービスの承認をしてほしい

手順② トークを聞いて、設問に関する情報を拾う 引用部分を聞き逃さないように注意する

では次のトークを目で追いながら、設問に関する情報を探してみましょう。

Good morning. This is Paul calling from Carnaby Cars. We've taken a look at your vehicle and found that the reason for the problem with your seatbelt is that a small part of the retraction mechanism is missing. Either it must have somehow fallen off and got lost, or it wasn't assembled correctly in the first place. As your car is over three years old and out of warranty, we will need to charge you for fixing this. The cost to you will be 50 dollars for the part and 100 dollars for labor. Could you please give me a call back to authorize this? We will need your authorization before we proceed with the work. Many thanks.

（英文の訳は *p.*336）

トークの冒頭	最初の 2 文から、Carnaby Cars の社員である Paul が留守番電話にメッセージを残していることがわかります。
トークの前半	預かった車（シートベルト）の故障の原因について述べています。
トークの後半	修理代について述べ、この修理を進めていいか尋ねています。

手順③ トークを最後まで聞いてから、設問に解答する 引用部分の直後をしっかり聞き取る

ターゲットの発言Could you please give me a call backが聞こえてきたら、すぐにその直後に細心の注意を払うようにしましょう。直後の文の多くは前文の補足説明として機能しているので、そこから類推することができます。

> Could you please give me a call back to authorize this? We will need your authorization before we proceed with the work.

ここでは、「これを承認するために私に電話をかけていただけますか。私共は修理を進める前にお客様の承認が必要なのです」とその理由を述べているので、正解は (D) です。直後の authorize this はもちろん、次文中の need your authorization を聞き取れれば、選択肢ではそれが approve a service に言い換えられていると自信をもって答えられますね。

サンプル問題

Part 4

No.49 の音声を聞いてください。トークを聞いて、それぞれの設問について4つの答えの中から最もふさわしいものを選び、下記の解答欄の (A) ～ (D) のいずれかにマークしてください。

49

1. What does the speaker ask the listeners to do?

(A) Provide additional funding
(B) Fulfill monthly targets
(C) Help recruit new staff
(D) Accept a pay cut

2. What does the speaker imply when she says, “And this is the thing”?

(A) She will inform the audience that the meeting will end.
(B) She will explain a new piece of equipment.
(C) She will announce the CEO’s resignation.
(D) She will talk about the main purpose of the meeting.

3. What is mentioned about the R&D department?

(A) It is the newest department.
(B) It has been relocated recently.
(C) It is scheduled to be enlarged.
(D) It has hired new staff members.

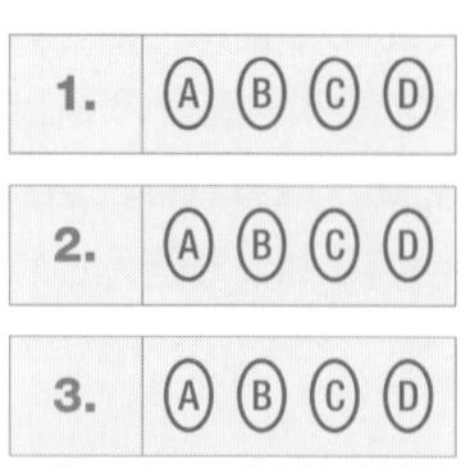

4. What is the main purpose of the message?

(A) To recruit new fitness club members
(B) To announce a new class time
(C) To notify instructors about the schedule
(D) To inform a member about a change

5. Why was the yoga class canceled?

(A) The club will be closed that day.
(B) The instructor is sick.
(C) Some members have not paid the fee.
(D) There were not enough participants.

6. Look at the graphic. Which instructor's class does the speaker suggest as an alternative?

(A) Maria
(B) Marco
(C) Natasha
(D) Carina

FITNESS CLASS SCHEDULE

TIME	CLASS	INSTRUCTOR
10:00	Pilates	Maria Sanchez
11:00	Rowing machine workout	Marco Allende
13:00	Yoga	Natasha Petrova
14:00	Zumba dance workout	Carina Wong
15:00	Exercise bike workout	Marco Allende

4. (A) (B) (C) (D)

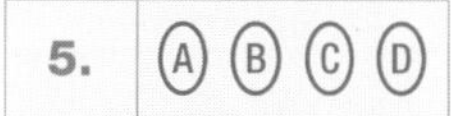

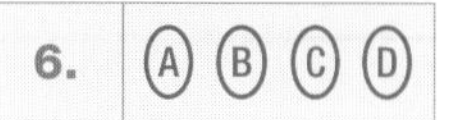

Questions 1-3 の攻略

手順1 設問を先読みして「日本語で」内容を頭に入れる

1. What does the speaker ask the listeners to do?

(A) Provide additional funding
(B) Fulfill monthly targets
(C) Help recruit new staff
(D) Accept a pay cut

2. What does the speaker imply when she says, "And this is the thing"?

(A) She will inform the audience that the meeting will end.
(B) She will explain a new piece of equipment.
(C) She will announce the CEO's resignation.
(D) She will talk about the main purpose of the meeting.

3. What is mentioned about the R&D department?

(A) It is the newest department.
(B) It has been relocated recently.
(C) It is scheduled to be enlarged.
(D) It has hired new staff members.

基本攻略

●聞き手への依頼内容を問う問題
選択肢を先読みして、4つの行動を具体的にイメージする

話し手が聞き手にしてほしいと依頼していることは何かを尋ねています。このような特別なキーワードを含まない定型的な設問では、必ず選択肢も先読みしましょう。選択肢はすべて動詞で始まっています。先読み時には、動詞と直後の目的語の結びつきをしっかり捉え、意味を頭に入れましょう。

難問攻略 10

●発言の意図を問う問題
引用部分の意味をとり、選択肢中のキーワードを頭に入れる

まず引用符（“ ”）で囲まれた引用部分を英語のまま頭にインプットし、その意味をとります。といっても引用部分は、慣用表現や文脈によって複数の意味を表しうるので、正解は必ずしも引用部分の字句から判断できるわけではありません。そのことに留意した上で、選択肢をチェックします。この場合、すべて He will で始まるので、引用部分は、話し手がこれからすることを意味しているのだと見当をつけることができます。

重点攻略 7

●ある事物についての正しい記述を選ぶ問題
時制に注意して、選択肢の意味をチェックする

まず､設問中のキーワード（この場合 R&D department）を頭に入れましょう。そして選択肢をざっと見て時制が異なる記述があることに気づいたら、時制も含めて各選択肢の意味を頭にざっと入れます。例えば、(A) 新部署だ、(B) 最近移転した、(C) 拡大予定、(D) スタッフを雇用した、といった感じで、すでに行われたことか、これからすることか、しっかり区別しながら意味を理解しておきます。

手順② トークを聞いて、設問に関する情報を拾う

50

Questions 1 through 3 refer to the following talk.

❶ Thank you, everyone, for taking time to come to this R&D department meeting. I realize that you were given very short notice, but I'm sure you will appreciate that this is quite an urgent matter. ❷ As you all know, our company has recently obtained significant new investment, which means we are now able to fund a great deal more product development.
❸ The CEO has therefore decided to expand our department by a third as quickly as possible. ❹ And this is the thing.
❺ Since we want to ensure that we hire the right people, we'd like to ask you to recommend contacts of yours to the Human Resources department. Each of you will receive 200 dollars for every person we hire based on your recommendation.

訳 問題 1-3 は次のトークに関するものです。

①みなさん、研究開発部のこの会議に出席するために時間を割いていただき、ありがとうございます。突然お呼び立てしたことはわかっていますが、これはかなり急を要する案件だと理解していただけると思います。②ご存じのように、我が社は最近、新しく相当額の投資を受けており、ということは、今私たちは商品開発にこれまでよりもかなり多額の資金が使えるのです。③したがって、CEO は当部署を早急に 3 分の 1 程度拡大すると決定しました。④そして、こういうことなのです。⑤私たちは確実に適任者を雇いたいと思っていますので、みなさんの関係者を人事部に推薦してください。みなさんの推薦に基づいて採用した場合、採用者 1 人当たり 200 ドルをお受け取りいただきます。

Check! ❶トークの目的（状況）を述べる
➡「R&D 部署の会議」

このセンテンスから、話し手は R&D（研究開発）部署のおそらく部長で、聞き手は部員であることがわかります。会議開催の目的までは述べていませんが、研究開発部内の会議であることをつかみましょう。

Check! ❷状況の共有
➡「新しい投資を得たので、商品開発部の拡充が可能」

As you all know「みなさんがご存じのように」から、この直後に述べることは聞き手が承知していることだとわかります。話し手があえて述べるのはそれがこの会議のトピックの前提になるためだと推測します。

Check! ❸会議のトピックの提示
➡「CEO が当部署の拡大を決定」

この情報は、おそらく会議で初めて聞き手に知らされるものです。by a third は「1/3 の分」の意で、部署の規模を約 1.3 倍に拡大することを社長が決定したと伝えています。by は数を伴って度合や程度を表します。

Check! ❹重要事項を切り出すマーカー表現

This is the thing. や Here's the thing. は「これから重要なことを話します」の意。このフレーズが聞こえたら、その直後にメインメッセージが話されるはずと考えてください。

Check! ❺重要事項の提示
➡「よい人材確保のために協力を要請」

we'd like to ask you to...は「あなた（がたに）～をしていただきたいです」の意の依頼表現です。ここではよい人材を採用するために部員から人材リストを募ろうとしています。

手順③ トークを最後まで聞いてから、設問に解答する

基本攻略

●聞き手への依頼内容を問う問題
設問から待つべきキーフレーズを見抜き、ひたすら待つ！

1. What does the speaker ask the listeners to do?

(A) Provide additional funding
(B) Fulfill monthly targets
(C) Help recruit new staff
(D) Accept a pay cut

依頼表現を思い浮かべて、待ち受ける！

話し手が聞き手に依頼するときのフレーズをしっかり頭にリストアップして、これを待ちましょう。

話し手が会社や店などの企業の一員であると自覚している場合は、主語が I でなく we になります。このトークでも話し手は we を用いていますね。

● 聞き手に依頼するフレーズ
「～してください」「～していただけますか」
I'd (We'd) like to ask you to... / I'd (We'd) appreciate it if you'd...
Could you...? / Would you...? / Would you mind + 動詞の ing 形？

会話の後半で、話し手は Since we want to ensure that we hire the right people, we'd like to ask you to recommend contacts of yours to the Human Resources department.「確実に適任者を雇いたいと思っていますので、みなさんの関係者を人事部に推薦してください」と述べています。

したがって、これを「新しい人材採用に協力する」と言い換えている (C) が正解です。

(C) をマーク！

（英文の訳は *p.*159）

難問攻略
10

●発話の意図を問う問題
引用部分の直後をしっかり聞き取る！

2. What does the speaker imply when she says, “And this is the thing.”?
(A) She will inform the audience that the meeting will end.
(B) She will explain a new piece of equipment.
(C) She will announce the CEO’s resignation.
(D) She will talk about the main purpose of the meeting.

引用部分の直前直後で話されるヒントをキャッチする！

引用部分 And this is the thing. は「これから重要なことを話しますよ」と聞き手に伝え、聞き手の注意を喚起するときに使います。Here’s the thing. とも言います。まずこのフレーズの意味をしっかり頭に入れておきましょう。

トークの中でこの引用部分が聞こえてきたらピンと反応できるよう、設問の先読み時に引用部分を英語のまま頭にインプットしておくことが大事です。そして、引用部分の直後に話し手が何と言っているか聞き取り、選択肢を吟味します。

この問題の場合、トークの場面が会議中だという状況さえつかめれば、“And this is the thing.”「いいですか、聞いてください、重要なことをこれから話しますよ」というこの引用部分だけで、正解を (D) だと判断できるかもしれません。ただ、「発言の意図を問う問題」の多くは、発言の前後に正解のヒントがあることを基本ルールとしておさえておきましょう。

ここでは、引用部分の直後で、話し手は Since we want to ensure that we hire the right people, we’d like to ask you to recommend contacts of yours to the Human Resources department.「確実に適任者を雇いたいと思っていますので、みなさんの関係者を人事部に推薦してください」と述べていますね。そしてこれが、(D) にある the main purpose of the meeting「会議の主目的」である重要事項であることをつかみましょう。

(D) をマーク！

（英文の訳は *p*.159）

重点攻略 7

●ある事物についての正しい記述を選ぶ問題

トークと選択肢ではキーワードが類義語と置き換えられる

3. What is mentioned about the R&D department?

(A) It is the newest department.
(B) It has been relocated recently.
(C) It is scheduled to be enlarged.
(D) It has hired new staff members.

トーク中の情報を、インプットしておいた各選択肢の意味と照合する

まず手順 1 の設問と選択肢の先読み時に、設問中のキーワード（ここでは R&D department）と各選択肢の意味を関連させながら頭に入れておくことが大事だと確認しました。各選択肢のキーワードそのものでなく、「意味」をインプットしておくことが大事なのは、トークと選択肢ではキーワードが類義語に言い換えられることが多いためです。

実際にトークが始まったら、あとは、R&D department に関する情報を各選択肢の内容に沿って収集するつもりで聞いていきましょう。ピンポイントで詳細情報を尋ねる設問と異なり、トーク全般にわたって各選択肢の記述に似た内容が話されるので、トークが終わるまで気を抜かないでください。

設問中のキーワード R&D department は第 1 文 Thank you, everyone, for taking time to come to this R&D department meeting. に出てきました。ここから話し手も聞き手も R&D department に所属していることをまずつかみましょう。トーク冒頭の文は、トークの目的やトークの状況、話し手や聞き手についての情報が入手できる最重要センテンスです。いつもしっかり聞き取るようにしましょう。

第 3 文で話し手は「商品開発にかなり多額の資金が使える」ようになったと述べ、第 4 文では、The CEO has therefore decided to expand our department by a third as quickly as possible.「したがって、CEO は当部署を早急に 3 分の 1 程度拡大すると決定しました」と伝えています。

ここで our department=R&D department であること、それから expand が選択肢 (C) の enlarge とほぼ同じ意を表すことを聞きながら理解することが大事です。be scheduled to...は「～する予定だ」の意で、これから部署を拡大しようとする CEO の意図に合っていますね。

(C) をマーク！

*p.*156 の英文の訳

訳 1. 話し手は聞き手に何をするよう頼んでいますか。
(A) 追加資金を提供する
(B) 月々の目標を達成する
(C) 新しい人材採用に協力する
(D) 賃金カットを承諾する

*p.*157 の英文の訳

訳 2. 話し手は "And this is the thing." と言う際、何を示唆していますか。
(A) 彼女は、聞いている人に会議はもうすぐ終わると告げるつもりである。
(B) 彼女は、新しい設備機器について説明するつもりである。
(C) 彼女は、CEO の辞任を発表するつもりである。
(D) 彼女は、この会議の一番の目的について話すつもりである。

*p.*158 の英文の訳

訳 3. 研究開発部について何が述べられていますか。
(A) それは一番新しくできた部署である。
(B) それは最近場所を移転した。
(C) それは拡大される予定である。
(D) そこは新しい人材を雇ったばかりだ。

の攻略

手順 1 設問を先読みして「日本語で」内容を頭に入れる

4. What is the main purpose of the message?

(A) To recruit new fitness club members
(B) To announce a new class time
(C) To notify instructors about the schedule
(D) To inform a member about a change

5. Why was the yoga class canceled?

(A) The club will be closed that day.
(B) The instructor is sick.
(C) Some members have not paid the fee.
(D) There were not enough participants.

6. Look at the graphic. Which instructor's class does the speaker suggest as an alternative?

(A) Maria
(B) Marco
(C) Natasha
(D) Carina

FITNESS CLASS SCHEDULE

TIME	CLASS	INSTRUCTOR
10:00	Pilates	Maria Sanchez
11:00	Rowing machine workout	Marco Allende
13:00	Yoga	Natasha Petrova
14:00	Zumba dance workout	Carina Wong
15:00	Exercise bike workout	Marco Allende

基本攻略

●トークの目的を尋ねる問題
選択肢のキーフレーズを頭にしっかりたたき込む

トークの目的は、たいていの場合、トークの冒頭で述べられます。選択肢を先読みし、動詞と直後の目的語の結びつきをしっかりカタマリとして捉え、意味を頭に入れておきます。

基本攻略

●理由を尋ねる問題
選択肢を設問と結びつけて「理由」として理解する

ある事柄や行動・発言の理由を尋ねる設問では、まず、「何の理由」を聞き取ればいいのか頭に入れます。そして選択肢の先読み時に［主語 + 動詞］を軸に 4 つの理由を頭にインプットします。例えば、(A) クラブが休館、(B) インストラクターが病気、といった具合です。

難問攻略 11

●図表問題
設問と選択肢を関連づけながら「図表」をプレビューする

設問を読み、「話し手が出す代替案は何か」をつかむことをまず頭に入れ、その上で表をプレビューします。an alternative「代替案」は「振り替え先のクラス」のことだろうと推測できます。設問と選択肢との関連で、的を絞って表を見ます。

この場合、表の項目は①時刻、②クラス名、③インストラクター名の 3 つですね。次に選択肢を見ると、③のインストラクター名が並んでいます。したがって、トークでは、①の時刻か②のクラス名が言及されて、そこから振り替え先として提案している正しいインストラクター名を答える設問になっているのだろうと見抜きます。

手順 ② 会話を聞いて、設問に関する情報を拾う

51

Questions 4 through 6 refer to the following recorded message and schedule.

This is Gary from South Central Fitness. ❶ I'm calling to let you know that there has been a change to the class schedule for this Saturday. ❷ Unfortunately, the yoga class has been canceled because the instructor, Natasha Petrova is ill. We apologize for the inconvenience and assure you that such cancellations are very rare. ❸ Since some members have already paid for the full ten-week course, we will try to reschedule the class for another date. ❹ Alternatively, if you would like to join one of our other classes just for this Saturday, the instructors will be happy to accommodate you. On that day we have workout classes like Pilates, rowing machine, Zumba dance, and exercise bike. ❺ I recommend Pilates since it appeals to many yoga students and may be an acceptable alternative.

訳 問題 4-6 は次の録音メッセージとスケジュールに関するものです。

South Central Fitness の Gary です。①今度の土曜日のクラススケジュールに変更があったことをお知らせするためにお電話を差し上げています。②申し訳ありませんが、ヨガのクラスはインストラクターの Natasha Petrova が病気のため中止となりました。ご迷惑をおかけすることをお詫びし、このようなキャンセルはめったに起きないことを保証いたします。③10 週間コースの料金の全額をお支払い済みの会員もいらっしゃるので、このクラスは別の日に振り替えるよう手配するつもりです。④あるいは、今週の土曜日だけは別のクラスに出たいということであれば、担当インストラクターは喜んで対応いたします。その日であれば、ピラティス、ローイングマシンやズンバダンス、エクササイズバイクなどのワークアウトのクラスがございます。⑤私はピラティスをおすすめします。これはヨガクラスの多くの方に人気があり、ご満足いただける振替クラスとなるでしょう。

Check! **❶トークの目的を述べる**
➡「土曜日のヨガクラスの変更」

I'm calling to let you know that... は、「(that 以下について) あなたにお知らせするためにこの電話をしています」の意。トークの目的はトークの冒頭（1文～3文）で述べられることがほとんどです。このキーセンテンスをおさえれば、トーク全体の趣旨を知る手がかりになるので、必ず聞き取りましょう。トークの目的を表すフレーズにはほかに、I'd like to talk about... や I'm pleased to let you know... などがあります。

Check! **❷変更の内容を述べる**
➡「インストラクターが病気のため、クラスは中止」

トークは常に前文と関連づけながら聞くようにします。ここでは、前文の「土曜日のクラス変更」の内容を詳しく伝えているとわかりますね。Unfortunately, は「申し訳ありませんが、残念ながら」の意。次に残念な情報が示されるマーカー表現です。

Check! **❸クラス中止に対しての対応**
➡「支払い済みの会員には振替クラスを」

中止されるクラスにすでに申し込んで入金も済ませていた人に向けての対応を述べています。reschedule A for B は「A について B に予定変更をする」の意。

Check! **❹別の対応方法の提示 ➡「今度の土曜日だけ別クラスに出たければ、受け入れ可能」**

Alternatively, は「もう 1 つの方法は」の意。前に述べたこととこれから述べることを並べて提示します。この語がキャッチできたら、これから 2 番目のオプションが示されると思って聞いてください。

Check! **❺別の対応方法についての補足**
➡「ピラティスのクラスはおすすめです」

文頭の I recommend から、話者がおすすめのクラスについて述べることがわかります。文末の an acceptable alternative「受け入れ可能な代替案（振り替えクラス）」も文意を把握するためのキーワードです。

手順③ トークを最後まで聞いてから、設問に解答する

基本攻略

●トークの目的を尋ねる問題

トークの冒頭に注意する

4. What is the main purpose of the message?

(A) To recruit new fitness club members
(B) To announce a new class time
(C) To notify instructors about the schedule
(D) To inform a member about a change

選択肢のパラフレーズをトークの冒頭でキャッチする

ビジネストークの目的は冒頭部で述べるのが定番です。手順1で選択肢の意味をしっかり理解し、トークが始まってからは最初の1～3文に細心の注意を払って正解のキーセンテンスをつかまえましょう。正解のキーセンテンスの多くは正解の選択肢とは異なる語句や表現で作られています。

ここでは第2文がそのキーセンテンス。I'm calling to let you know that there has been a change to the class schedule for this Saturday.「今度の土曜日のクラススケジュールに変更があったことをお知らせするためにお電話を差し上げています」をしっかり聞き取ります。

このキーセンテンスを別の語句を用いて言い換えている選択肢は (D) ですね。inform A about B は「AにBについて知らせる」の意。ここでは「会員に変更について知らせる」ということです。

(D) をマーク！

(A) は To recruit「～を募集するために」とあるので、明らかに間違いだとわかります。でも、(B) と (C) は、class、instructor、schedule などトークに出てくる語を用いているので、聞こえてきた語につられて選んでしまいがちです。「トークと同じ語句を用いている選択肢は誤答の場合が多い」という傾向を知っておき、聞こえてきた語が含まれている選択肢を安易に選ばないようにしましょう。

（英文の訳は p.336）

基本攻略

●理由を尋ねる問題

設問内容を頭に入れて理由を表すフレーズを聞き取る

5. Why was the yoga class canceled?
(A) The club will be closed that day.
(B) The instructor is sick.
(C) Some members have not paid the fee.
(D) There were not enough participants.

yoga/cancel が聞こえてきたら要注意！

理由を尋ねる問題では、まずしっかりと「何の理由」を聞き取ればいいのか、手順1で確認しておくことが必要です。ここでは「ヨガクラスが中止になったこと」の理由を聞き取ります。その上で、because や since など、理由を述べるときに用いられる、節を導く接続詞や、because of、owing to、due to、thanks to など直後に名詞句が続く語句に注意してください。

ここでは、Unfortunately, the yoga class has been canceled because the instructor, Natasha Petrova is ill.「申し訳ありませんが、ヨガのクラスは、インストラクターの Natasha Petrova が病気のため中止となりました」が正解のために聞き取らねばならないキーセンテンスです。because は語頭の be と語末が弱く発音され、「ビコーズ」または「コー（ズ）」のように聞こえることが多いので注意しましょう。
トーク中の ill の同義語 sick を用いた (B) が正解です。 (B) をマーク！

(C) は「料金を支払っていない会員がいる」の意です。Since some members have already paid for the full ten-week course,「10週間コースの料金を全額お支払い済みの会員もいらっしゃるので」とあるので、支払っていない会員もいるという (C) の内容自体は正しいといえますが、ヨガクラスが中止になった理由としては不適切ですね。

訳 なぜヨガのクラスはキャンセルになったのですか。
(A) その日はクラブが閉館になるだろう。
(B) インストラクターが病気である。
(C) 料金を払っていない会員がいる。
(D) 十分な数の参加者がいない。

難問攻略 11

●図表問題
インストラクター名そのものではなく、表中の他の要素を聞き取る

6. Look at the graphic. Which instructor's class does the speaker suggest as an alternative?

(A) Maria
(B) Marco
(C) Natasha
(D) Carina

FITNESS CLASS SCHEDULE

TIME	CLASS	INSTRUCTOR
10:00	Pilates	Maria Sanchez
11:00	Rowing machine workout	Marco Allende
13:00	Yoga	Natasha Petrova
14:00	Zumba dance workout	Carina Wong
15:00	Exercise bike workout	Marco Allende

設問と選択肢から、時刻またはクラス名への言及を待つ

「話し手は代わりにどのインストラクターのクラスをすすめていますか」という設問から、トークの中でI suggest やI recommend のような示唆・推薦の表現を話し手が用いるだろうと推測しましょう。

もちろん、「このクラスが振り替えとしてはベストです」の意で、(クラス名) would be the second best. と言ったり、The ten o'clock class would be a good option.「10 時のクラスがいいですね」のように時刻を主語に述べるかもしれません。いずれにしても、選択肢にある名前ではなく、表中の TIME (時刻) または CLASS (クラス名) に注意して、これを待ちながら聞くことが大事です。

図表問題で「待つ」のは、選択肢の語ではない!

最初の見出しと同じことを述べているわけですが、とても大事なことなので、肝に銘じておきましょう。

図表問題で選択肢の語を聞き取ろうと注意していても、ほとんど言及されないままトークが終わってしまうからです。この設問の場合、「待ち」をするのは、時刻かクラス名ですね。

FITNESS CLASS SCHEDULE

TIME	CLASS	INSTRUCTOR
10:00	Pilates	Maria Sanchez
11:00	Rowing machine workout	Marco Allende
13:00	Yoga	Natasha Petrova
14:00	Zumba dance workout	Carina Wong
15:00	Exercise bike workout	Marco Allende

選択肢にはこの「インストラクター名」が並んでいる！

だから↓

トークではこの「レッスン時刻」か「クラス名」が言われるはず！

これを待つ！

会話の後半で、話し手は次のように述べています。

Alternatively, if you would like to join one of our other classes just for this Saturday, the instructors will be happy to accommodate you.

「あるいは、今週の土曜日だけは別のクラスに出たいということであれば、担当インストラクターは喜んで対応いたします」

文頭の Alternatively, はすでに何か述べたあと、その内容を受けて、「あるいは、もう 1 つの方法として、その代わりに」と新たなオプションを提示するときのマーカー表現です。この語が聞こえてきたら、正解のヒントがこれから述べられると心して、さらに次を聞きます。

On that day we have workout classes like Pilates, rowing machine, Zumba dance, and exercise bike. I recommend Pilates since it appeals to many yoga students and may be an acceptable alternative.

「その日であれば、ピラティス、ローイングマシンやズンバダンス、エクササイズバイクなどのワークアウトのクラスがございます。私はピラティスをおすすめします。これはヨガクラスの多くの方に人気があり、ご満足いただける振替クラスとなるでしょう」

ここで表にあるすべてのクラス名が言われますが、I recommend「私はおすすめします」の流れで言及されているのは Pilates ですね。そこで表中の Pilates の欄のインストラクター名をチェックします。これで正解がわかります。

(A) をマーク！

訳 表を見てください。話し手は代わりにどのインストラクターのクラスをすすめていますか。
(A) Maria (B) Marco (C) Natasha (D) Carina

練習問題

Part 4

No.52 の音声を聞いてください。トークを聞いて、それぞれの設問について 4 つの答えの中から最もふさわしいものを選び、下記の解答欄の (A) ~ (D) のいずれかにマークしてください。

🔊 52

1. What is the firm currently doing?

(A) Choosing new board members
(B) Increasing pharmaceutical production
(C) Designing new processes
(D) Selling some businesses

2. What problem does the speaker mention?

(A) Not enough people are available.
(B) A bid was not high enough.
(C) A medical procedure was banned.
(D) Profits were lower than expected.

3. What does the speaker expect to occur?

(A) Some votes will be cast.
(B) Some interviews will take place.
(C) A company will be sold.
(D) A process will be patented.

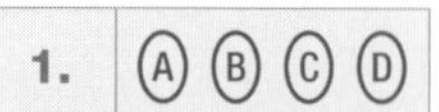

1.	Ⓐ Ⓑ Ⓒ Ⓓ
2.	Ⓐ Ⓑ Ⓒ Ⓓ
3.	Ⓐ Ⓑ Ⓒ Ⓓ

4. Where is the announcement taking place?

(A) At a plumbing firm
(B) At a sporting goods manufacturer
(C) At a fitness center
(D) At a medical center

5. What problem does the speaker mention?

(A) A pipe is damaged.
(B) A shipment has been delayed.
(C) A facility is understaffed.
(D) A schedule is incorrect.

6. Why does the speaker say, "it would be a good idea to check our Web site to be sure"?

(A) They should apply for compensation for inconvenience.
(B) They should find out if a facility has reopened.
(C) They should make an appointment with a plumber.
(D) They should give feedback on a product.

4.	Ⓐ Ⓑ Ⓒ Ⓓ
5.	Ⓐ Ⓑ Ⓒ Ⓓ
6.	Ⓐ Ⓑ Ⓒ Ⓓ

7. What was the purpose of the speaker's visit to the hotel?

(A) To attend a conference
(B) To pick up some guests
(C) To prepare for a vacation
(D) To provide a quote

8. What does the speaker mean when she says, "The cost of a repair would be around the same as a new filter"?

(A) She recommends replacing a part.
(B) She'll estimate the cost of a project.
(C) She'll filter some coffee.
(D) She recommends repairing a vehicle.

9. What does the speaker say about the week after next?

(A) The hotel will be closed.
(B) New parts will be in stock.
(C) All engineers will be fully booked.
(D) Many more tourists will arrive.

10. Where does the listener most likely work?

(A) At a supermarket
(B) At a newspaper
(C) At a printing company
(D) At a courier service

11. What does the speaker ask for?

(A) An e-mail address
(B) A list
(C) Product samples
(D) A schedule

12. Look at the graphic. What does the speaker ask to be revised?

(A) Information about fish
(B) Information about meat
(C) Information about bread
(D) Information about dairy products

Violetta Supermarkets

Weekend Sale

Nov 29 - Dec 1

Fish	*10% off*
Meat	*15% off*
Bread	*20% off*
Dairy Products	*15% off*

10.	Ⓐ Ⓑ Ⓒ Ⓓ
11.	Ⓐ Ⓑ Ⓒ Ⓓ
12.	Ⓐ Ⓑ Ⓒ Ⓓ

問題 1-3 のトークの流れ

53

Questions 1 through 3 refer to the following talk.

Many thanks for attending our board of directors meeting today. **As we discussed in our last meeting,** the process of selling off some of our subsidiary companies is underway, with a focus on withdrawing our interests from the medical sector. **The reason for doing this is so that** we can focus our business efforts on our most profitable areas: agriculture and sports nutrition. Last month, we received a bid from a prospective buyer for our pharmaceuticals manufacturing arm. **The bid was well below our expectations, however, and we are currently waiting for a second bid. There is some reason to believe that the second bid will meet our expectations, so** I'm optimistic that we can soon sell off this company and move forward with our new strategy.

訳　問題 1-3 は次のトークに関するものです。

本日は当社の取締役会に出席いただき、どうもありがとうございます。前回の会議でお話ししたように、我が社の子会社をいくつか売却する話が進んでおり、医療分野からの撤退に専念しております。これは、我が社のビジネス努力を最も収益性の高い分野、すなわち農業とスポーツ栄養に集中できるようにするためです。先月、我が社の製薬部門の買収を予定している企業から入札がありました。しかし、その入札価格は我々の期待よりはるかに低く、現在、次の入札を待っているところです。次の入札は期待通りだろうと信じる理由がありますので、我々はこの会社を間もなく売却して、新しい経営戦略で前進していけるだろうと、私は楽観視しています。

▼ 赤字の部分を中心にトークの流れを把握する

Many thanks for attending our board of directors meeting today.

聞き手は取締役会の出席者（取締役）

▲話し手は取締役会の議長であると推測できます。

the process of selling off some of our subsidiary companies is underway, with a focus on withdrawing our interests from the medical sector.

子会社の売却が進行中で、医療分野から撤退する方針を伝える

The reason for doing this is so that we can focus our business efforts on our most profitable areas: agriculture and sports nutrition.

医療分野からの撤退理由は高収益分野に専心すること

▲その高収益分野は農業とスポーツ栄養だと述べています。

Last month, we received a bid from a prospective buyer for our pharmaceuticals manufacturing arm.

製薬部門の買収に関してすでに入札があったと売却の状況を伝える

so I'm optimistic that we can soon sell off this company and move forward with our new strategy.

売却を順調に進め、新しい経営戦略を推進していけるだろうとの見方を提示

▲ I'm optimistic (that) は「(that 以外を) 楽観視している」の意。

語句

- □ sell off... ～を売却する
- □ medical sector 医療分野
- □ prospective 見込みのある、予想される
- □ buyer 買い手、買収元
- □ pharmaceuticals manufacturing 製薬業
- □ arm 部門
- □ bid 入札

基本攻略 詳細を尋ねる問題

1. What is the firm currently doing?

(A) Choosing new board members
(B) Increasing pharmaceutical production
(C) Designing new processes
(D) Selling some businesses

解説

話し手は、取締役会で挨拶したあと、the process of selling off some of our subsidiary companies is underway「我が社の子会社をいくつか売却する話が進んでおり」と述べています。したがって、正解は (D) です。business は「業界、ビジネス」の意では不可算名詞ですが、ここでは複数形になっている通り可算名詞で、「会社、企業」の意を表します。

訳 この会社は現在何をしていますか。
(A) 新しい取締役を選んでいる
(B) 医薬品の製造を強化している
(C) 新しい工程を考案中である
(D) 会社をいくつか売却しようとしている

語句

- □ **board member** 取締役
- □ **pharmaceutical production** 薬剤生産
- □ **design** ～を設計する、～を考案する

重点攻略 4 懸念・トラブルについて問う問題

2. What problem does the speaker mention?

(A) Not enough people are available.
(B) A bid was not high enough.
(C) A medical procedure was banned.
(D) Profits were lower than expected.

解説

「先月入札があった」という肯定的な情報に続いて、The bid was well below our expectations, however,「しかし、その入札価格は我々の期待よりはるかに低かった」と述べているので正解は (B)。however は「入札があった」という前文と対比して用いられています。ここから however を含む文中に、否定的な情報、つまり正解のヒントがあると予測できますね。

訳 話し手はどんな問題を述べていますか。
(A) 十分な人数が集まらない。
(B) 入札価格がそれほど高くなかった。
(C) ある医療処置が禁止された。
(D) 利益が予想を下回った。

語句

- □ **medical procedure** 医療処置
- □ **ban** ～を禁止する
- □ **profit** 利益

基本攻略 話し手の考えを問う問題

難易度 ★★

3. What does the speaker expect to occur?

(A) Some votes will be cast.
(B) Some interviews will take place.
(C) A company will be sold.
(D) A process will be patented.

解説

話し手は、トークの最終文で、I'm optimistic that we can soon sell off this company「我々はこの会社を間もなく売却できるだろうと、私は楽観視しています」と自分の考えを述べています。I'm optimistic (that) は「(that 以下を) 楽観している」、つまり「おそらく~となるだろうと考えている」の意。ここから正解は (C) だとわかります。

訳 話し手は何が起きると期待していますか。
(A) 何票かが投じられるだろう。
(B) 面接が何件か行われるだろう。
(C) 会社が売却されるだろう。
(D) ある工程の特許が取得できるだろう。

語句

□ vote 票
□ cast 投じる
□ patent ~の特許を取る

問題 4-6 のトークの流れ

54

Questions 4 through 6 refer to the following announcement.

Good afternoon to all Everyday Workout gym members. We regret to inform you that the health club will be closing for the rest of the day due to a leaking water pipe in the men's locker room. Please pick up all your belongings and make your way out of the building as quickly as possible. The plumbers are currently here fixing the problem, and we are fairly confident that we will be able to reopen at the regular time tomorrow morning. However, if you are planning to visit us tomorrow, it would be a good idea to check our Web site to be sure. On our site we will post the latest information on the status of the repairs. We apologize for any inconvenience that our early closure today may cause.

訳 問題 4-6 は次のアナウンスに関するものです。

Everyday Workout ジムをご利用の会員のみなさん、こんにちは。大変申し訳ありませんが、当館は、男性用ロッカールームの水道管の水漏れのため、本日この後閉館とさせていただきます。所持品をすべてお持ちの上、できるだけ早く建物から退出してください。現在、水道工事業者が修理していますので、明朝には平常通りに再開できる見込みです。しかしながら、明日、ご来館予定の方は、念のため、当クラブのウェブページで確認なさってください。当クラブのサイトに、今回の修理状態についての最新情報を掲載する予定です。本日早めに閉館することでご迷惑をおかけすることをお詫びいたします。

▼ 赤字の部分を中心にトークの流れを把握する

Questions 4 through 6 refer to the following announcement.

トークのタイプはアナウンスメント(告知)

▲ Part 4 では following の後をよく聞いて、まずトークのタイプを確認します。

Good afternoon to all Everyday Workout gym members.

アナウンスの聞き手を明示

▲トーク冒頭の挨拶で聞き手を特定しています。ジムの会員に向けてのものなのでジム内でのアナウンスだと推測できます。

We regret to inform you that the health club will be closing for the rest of the day due to a leaking water pipe in the men's locker room.

本日これからの休館を通知

▲ We regret to inform you that は残念なお知らせをするときの表現です。休館の理由は due to 以下に述べられていますね。Everyday Workout というジムが the health club と言い換えられていることにも注意しましょう。

Please pick up all your belongings and make your way out of the building as quickly as possible.

できるだけ早く退出するよう要請

▲ make one's way は「前に進む」、ここでは出口に向かうよう述べています。

However, if you are planning to visit us tomorrow, it would be a good idea to check our Web site to be sure.

明日は来館前にウェブで確認をするよう依頼

▲この文の直前では「明朝には平常通りに再開」と伝えていますが、ここで念のため事前にウェブでチェックを、と呼びかけています。However, の後にはその前よりも重要なことが述べられる場合が多いので注意しましょう。

語句

- □ regret to... 残念ながら～する
- □ for the rest of the day 今日これからずっと
- □ leaking 漏れている
- □ water pipe 水道管
- □ belongings 持ち物
- □ fix the problem その問題を解決する
- □ fairly かなり
- □ post ～を掲載する、～を投稿する

基本攻略 場所を問う問題

難易度 ★

4. Where is the announcement taking place?

(A) At a plumbing firm
(B) At a sporting goods manufacturer
(C) At a fitness center
(D) At a medical center

解説

トークの冒頭で Good afternoon to all Everyday Workout gym members. とジムの会員に向けて挨拶をしているので、正解は (C) です。トーク中の gym と health club は fitness center と言い換えられています。

場所の問題は、トークで述べられたキーワードから類推して解答します。選択肢を先読みしておくと、トークが聞きやすくなります。

訳 このアナウンスはどこでなされていますか。
(A) 水道工事会社で
(B) スポーツ用品メーカーで
(C) フィットネスセンターで
(D) 医療センターで

語句

□ **plumbing** 水道工事
□ **firm** 会社、事務所
□ **manufacturer** 製造業者、メーカー

重点攻略 4 懸念・トラブルについて問う問題

難易度 ★★

5. What problem does the speaker mention?

(A) A pipe is damaged.
(B) A shipment has been delayed.
(C) A facility is understaffed.
(D) A schedule is incorrect.

解説

We regret to inform you that...「大変申し訳ありませんが〜です」を聞き取り、that の後に問題が話されるはずだと注意します。予測通り、the health club will be closing for the rest of the day due to a leaking water pipe「当館は男性用ロッカールームの水道管の水漏れのため、本日はこの後閉館させていただきます」と述べていますね。正解は (A) です。

訳 話し手が述べている問題は何ですか。
(A) 水道管が壊れている。
(B) 積み荷が遅れている。
(C) 施設の従業員が足りない。
(D) 予定表に間違いがある。

語句

□ **damaged** 傷んだ、損傷した
□ **shipment** 積み荷《可算名詞》
出荷、発送《不可算名詞》

難問攻略 10 発言の意図を問う問題

難易度 ★★★

6. Why does the speaker say, "it would be a good idea to check our Web site to be sure"?

(A) They should apply for compensation for inconvenience.
(B) They should find out if a facility has reopened.
(C) They should make an appointment with a plumber.
(D) They should give feedback on a product.

解説

話し手は、現在水道管を修理中と述べた後、明朝は平常通りに再開できる見込みと伝えています。そしてその後、引用文の直前にHowever, if you are planning to visit us tomorrow,「明日、ご来館予定の方は」と述べています。つまり「もし工事が本日終了せず明日も休館となるとまずいので（念のためウエブで確認してください）」という意図だと読み取れます。したがって、正解は(B)です。

訳 話し手はなぜ "it would be a good idea to check our Web site to be sure" と言っていますか。

(A) 不便をかけたことに対する補償を申請した方がよい。
(B) 施設が再開したかどうか調べた方がよい。
(C) 水道工事業者に来てもらうよう予約した方がよい。
(D) 商品についての感想を寄せた方がよい。

語句

□ compensation 補償
□ inconvenience 不便
□ facility 施設

問題 7-9 のトークの流れ

55

Questions 7 through 9 refer to the following telephone message.

Good afternoon. This is Angela calling from Marina Bay Pool Services. I visited your hotel yesterday to prepare a cost estimate for repairing your swimming pool's water filter. Actually, your filter is in such bad shape that we recommend that you purchase a new one rather than have the current one repaired. The cost of a repair would be around the same as a new filter, and you would likely experience further problems with the old filter in the future. If you could call me back to confirm that you'd like to proceed with this, I can get a new filter ordered for you right away and we can schedule a time to install it for you next week. All our engineers are busy the week after that, so if we can't book this soon, you may need to wait until next month.

訳 問題 7-9 は次の電話のメッセージについてのものです。

もしもし、私は Marina Bay Pool Services 社の Angela です。昨日、プールのろ過装置の修理代金見積もりのために、ホテルに伺わせていただきました。残念ながら、ろ過装置はひどい状態であり、現在のものを修理するよりも新品を購入することをおすすめします。修理代金の額は新しいろ過装置代とほとんど同じでしょうし、古いろ過装置のままだと将来的にさらなる問題が発生することになりかねません。この方法で進めたい旨、確認のお電話を折り返しいただければ、すぐに新しいろ過装置を注文して、来週、設置するようスケジュールを組みます。その翌週は、弊社の作業員は全員仕事が入っていますので、すぐにスケジュールを組めない場合は、来月までお待ちいただくことになるかもしれません。

▼ 赤字の部分を中心に会話の流れを把握する

Questions 7 through 9 refer to the following telephone message.

▲トークのタイプは「電話のメッセージ」、つまり留守電に残された伝言のことです。

This is Angela calling from Marina Bay Pool Services.

話し手はプール会社の Angela

▲電話では This is の後に名前、calling from に続いて所属を話します。

I visited your hotel yesterday to prepare a cost estimate for repairing your swimming pool's water filter.

メッセージの聞き手はプールのろ過装置の修理を依頼したホテル

▲ Angela が昨日工事費用見積もりにホテルに行ったことがわかります。

Actually, **your filter is in such bad shape that** we recommend that you purchase a new one rather than have the current one repaired.

修理でなく新品の購入をすすめる

▲古いろ過装置がひどい状態であると話し、新品の購入をすすめています。この直後の文でその理由を補足しています。

If you could call me back to confirm that you'd like to proceed with this, I can get a new filter ordered for you right away and we can schedule a time to install it for you next week.

話し手の提案に同意するのであれば、来週工事を行うと予定を伝える

▲ proceed with this は「これで進める」。this はその前で述べた「修理でなく新品の購入」を指しています。

語句

- □ water filter　水のろ過装置
- □ in bad shape　悪い状態で
- □ purchase　～を購入する
- □ further problems　さらなる問題
- □ confirm　確認する
- □ proceed with...　～で進行する

PART 1 PART 2 PART 3 PART 4 PART 5 PART 6 PART 7

基本攻略 詳細を尋ねる問題

難易度 

7. What was the purpose of the speaker's visit to the hotel?

(A) To attend a conference
(B) To pick up some guests
(C) To prepare for a vacation
(D) To provide a quote

解説

話し手は名乗った後、I visited your hotel yesterday「昨日ホテルに伺わせていただきました」に続いて、その目的をto prepare a cost estimate for repairing your swimming pool's water filter「プールのろ過装置の修理代金見積もりのために」と述べています。したがって正解は(D)です。prepare a cost estimateがprovide a quoteに言い換えられています。

訳 話し手がホテルを訪問した目的は何でしたか。
(A) 会議に出席するため
(B) 宿泊客を迎えにいくため
(C) 休暇に備えるため
(D) 見積もりを出すため

語句

□ **purpose** 目的
□ **pick up...** ～を迎えに行く
□ **quote** 見積もり

難問攻略10 発言の意図を問う問題

難易度 ★★★

8. What does the speaker mean when she says, "The cost of a repair would be around the same as a new filter"?

(A) She recommends replacing a part.
(B) She'll estimate the cost of a project.
(C) She'll filter some coffee.
(D) She recommends repairing a vehicle.

解説

話し手はwe recommend that you purchase a new one rather than have the current one repaired「現在のものを修理するよりも新品を購入することをおすすめします」と述べています。その次に修理費用が新品購入費用と同等だとする引用部分が続くことから、これが新品購入をすすめる理由として述べられているとわかります。正解は(A)です。

訳 話し手が"The cost of a repair would be around the same as a new filter"と言う際、何を意図していますか。
(A) 彼女は部品を取り替えることをすすめている。
(B) 彼女は工事費を見積もるつもりである。
(C) 彼女はコーヒーをろ過するつもりである。
(D) 彼女は車を修理することをすすめている。

語句

□ **replace** ～を取り替える
□ **part** 部品
□ **vehicle** 車、車両

基本攻略 詳細を尋ねる問題

難易度 ★★

9. What does the speaker say about the week after next?

(A) The hotel will be closed.
(B) New parts will be in stock.
(C) All engineers will be fully booked.
(D) Many more tourists will arrive.

解説

設問中の week after next に注意して聞くと、「来週、設置するようスケジュールを組みます」の中に next week が出てきますね。さらに All our engineers are busy the week after that「その翌週、弊社の作業員は全員仕事が入っています」と続きます。この that は前文の next week を指していて week after next と同義なので、busy を booked と言い換えた (C) が正解です。

訳 話し手は翌々週について何と言っていますか。
(A) ホテルは閉館となるだろう。
(B) 新しい部品が入荷するだろう。
(C) 作業員は全員仕事が入っているだろう。
(D) さらに多くの旅行者が到着するだろう。

語句

□ **week after next** 翌々週
□ **in stock** 在庫がある
□ **booked** 予約されている

問題 10-12 のトークの流れ

56

Questions 10 through 12 refer to the following telephone message and advertisement.

Hello. I'm David Lee, from Violetta Supermarkets. Thank you for sending the advertisement before printing. **We are really satisfied with how it turned out. It's a good thing we chose your company for designing and printing.** There's just one part I would like you to change. **We have a lot of cheese and milk in stock, so we'd like to discount them even more.** Could you make it 20% instead of 15%? **Also, we'd like to ask you to make next month's advertisement as well, but this time we would like it to be printed in color.** I was wondering if you could e-mail me the price list for color printing. **Thank you.**

訳　問題 10-12 は次の留守電メッセージと広告に関するものです。

もしもし、Violetta Supermarkets の David Lee です。広告を印刷する前にお送りいただき、ありがとうございました。私どもは出来栄えにとても満足しています。御社にデザインと印刷をお願いしてよかったです。1箇所だけ変更していただきたいところがあります。当店には今、チーズと牛乳の在庫がたくさんありますので、それをもっと割り引きして売りたいのです。15%を 20%に変更していただけますか。それから、私どもでは来月の広告も御社にお願いしたいと思っていますが、次回はカラーで印刷したいと思っています。カラー印刷の価格表を私宛にメールで送っていただけませんか。よろしくお願いします。

▼ 赤字の部分を中心にトークの流れを把握する

Questions 10 through 12 refer to the following telephone message and advertisement.

トークは留守番電話のメッセージで、図表は広告

▲図表は一目瞭然のものもありますが、following の後をチェックしてどんな種類の図表なのかを確認しましょう。

I'm David Lee, from Violetta Supermarkets.

留守電にメッセージを入れている話し手はスーパーの David

Thank you for sending the advertisement before printing.

印刷前の広告を送付してくれたことにお礼を述べる

▲聞き手は広告制作会社だろうと推測できます。

There's just one part I would like you to change.

1 箇所だけ変更したいことがあると伝える

Could you make it 20% instead of 15%?

15% から 20%への変更を依頼

▲ it は前文のチーズと牛乳の割引率を指していることもおさえましょう。

I was wondering if you could e-mail me the price list for color printing.

カラー印刷の場合の価格リストを要求

▲ I was wondering if you could...は「～していただけるでしょうか」と丁寧に依頼する表現です。

基本攻略 職業 / 業種を尋ねる問題

難易度 ★

10. Where does the listener most likely work?

(A) At a supermarket
(B) At a newspaper
(C) At a printing company
(D) At a courier service

解説

聞き手の職業を問う問題で、選択肢には職場を表す語句が並んでいます。話し手の職業と間違えないようにしましょう。話し手はThank you for sending the advertisement before printing.「広告を印刷する前にお送りいただき、ありがとうございました」と述べています。ここから、話し手が聞き手に広告制作を依頼したことがわかります。正解は (C) です。

訳 聞き手はどこで働いていると考えられますか。
(A) スーパーマーケット
(B) 新聞社
(C) 印刷会社
(D) 宅配便会社

語句

- □ **newspaper** 新聞社、新聞
- □ **courier** 宅配便業者

重点攻略 4 懸念・トラブルについて問う問題

難易度 ★★

11. What does the speaker ask for?

(A) An e-mail address
(B) A list
(C) Product samples
(D) A schedule

解説

話し手は最後にI was wondering if you could e-mail me the price list for color printing.「カラー印刷の価格表を私宛にメールで送っていただけませんか」と述べていますね。したがって正解は (B) です。

I was wondering if you could...は丁寧に「～していただけませんか」と依頼する表現。Would (Could) you...? と共に覚えておきましょう。

訳 話し手は何を求めていますか。
(A) メールアドレス
(B) 一覧表
(C) 製品見本
(D) 予定表

語句

- □ **ask for...** ～を求める
- □ **product** 商品、製品
- □ **sample** サンプル

難問攻略 11 図表問題

難易度 ★★★

12. Look at the graphic. What does the speaker ask to be revised?
(A) Information about fish
(B) Information about meat
(C) Information about bread
(D) Information about dairy products

解説

図表問題では、設問の先読み時に図もよく見て、選択肢から何を聞き取ればよいか予測しておきます。ここでは商品名が選択肢に並ぶので、それと対応した図中の数字が正解のカギになります。

話し手は Could you make it 20% instead of 15%?「15%を 20%に変更していただけますか」と尋ねています。it はチーズと牛乳の割引率を指しているので、(D) が正解です。

訳 図を見てください。話し手はどの情報を変えてくれるように頼んでいるのですか。
(A) 魚介類についての情報
(B) 肉類についての情報
(C) パン類についての情報
(D) 乳製品についての情報

語句

□ **revise** ～を修正する、～を見直す
□ **dairy product** 乳製品

Violetta Supermarkets
Weekend Sale
Nov 29 - Dec 1

Fish	10% off
Meat	15% off
Bread	20% off
Dairy Products	15% off

訳 バイオレッタ・スーパーマーケット
週末セール
11月29日～12月1日

魚介類	10% 引き
肉類	15% 引き
パン類	20% 引き
乳製品	15% 引き

Check! Essential Words & Phrases ▸ No. 4

おさえておきたい名詞

- □ money-back guarantee　返金保証
- □ appliance　家庭用電化製品、電気機器
- □ tech support　技術サポート（部）
- □ sales report　営業報告書
- □ concent form　同意書
- □ instructions　説明書、指示
- □ staffing　人員配置
- □ update　最新情報
- □ foot traffic　人の行き来、客の出足
- □ turnout　来場者（数）
- □ assigned seat　指定席
- □ attendee　参加者
- □ founder　創設者
- □ delivery charge　配達料
- □ tenant　賃借人
- □ complex　集合住宅
- □ resident　住人
- □ refund　返金
- □ research study　調査研究
- □ tutorial　個別指導
- □ conference call　電話会議
- □ extended warranty　延長保証
- □ warranty terms　保証条件
- □ time reporting system　勤務時間報告システム
- □ information packet　資料一式
- □ merchandising　販売方法、販売計画
- □ relocation　移転
- □ allergy　アレルギー
- □ remedy　自然療法
- □ prescription　処方箋
- □ caution　危険への用心
- □ warning　警告

おさえておきたい形容詞

- □ energy-efficient　エネルギー効率のいい
- □ upcoming　次の、これから来る
- □ last-minute　直前の
- □ company-wide　全社的な
- □ complimentary　無料の
- □ up-and-coming　有望な
- □ hands-on　実務経験のある
- □ promising　有望な
- □ user-friendly　使いやすい
- □ environmentally friendly　環境にやさしい
- □ rewarding　価値がある、やりがいがある
- □ eligible for...　～の資格がある
- □ certified　公認の、有資格の
- □ understandable　もっともな
- □ single-use　使い捨ての
- □ specific　明確な、特定の
- □ notable　注目に値する
- □ renowned　有名な
- □ detailed　詳細な
- □ advanced　上級の
- □ tremendous　（程度などが）とても大きい
- □ obsolete　古い、すたれた
- □ instrumental　役立つ、有益な
- □ strategic　戦略的な

Part 5
短文穴埋め問題の攻略

750点を達成するための Part 5 対策

問題数 30 問

目標解答時間 10 分　目標正解数 24 問

どういう問題？

1 つの文にある空所を埋めるのに、最も適切な語句を 4 つの選択肢から選ぶ問題です。全部で 30 問が用意されています。

どういう流れ？

1 Directions（指示文）は読み飛ばす

リーディングセクションの最初にある Part 5 には、リーディングセクションと Part 5 の Directions（指示文）が印刷されています。この指示文は一度理解すれば、テスト時に改めて読む必要はありません。

READING TEST

In the Reading test, you will read a variety of texts and answer several different types of reading comprehension questions. The entire Reading test will last 75 minutes. There are three parts, and directions are given for each part. You are encouraged to answer as many questions as possible within the time allowed.

You must mark your answers on the separate answer sheet. Do not write your answers in your test book.

Directions: A word or phrase is missing in each of the sentences below. Four answer choices are given below each sentence. Select the best answer to complete the sentence. Then mark the letter (A), (B), (C), or (D) on your answer sheet.

訳 リーディングテスト

リーディングテストでは、さまざまな文書を読み、いくつかの種類の読解問題に答えます。リーディングテスト全体で 75 分間あります。3 つのパートがあって、指示文が各パートに掲載されています。時間内にできる限り多くの問題に解答してください。

別紙の解答用紙に答えをマークしてください。テストブックに解答を書き込んではいけません。

指示：下記の文には、単語またはフレーズが空所になっています。各文の下には、答えが 4 つの選択肢で用意されています。文を完成させるために、最も適切な答えを選んでください。そして、解答用紙にある (A)、(B)、(C)、(D) の記号にマークしてください。

2 文を読み、設問を解く

テストブックには、問題が例えば次のように印刷されています。1 問あたり約 20 秒を目安に、問題を解いていきます。

【例】

1. In case of changes in our policy, we will make an official ------ on our Web site.

(A) news
(B) information
(C) organization
(D) announcement

24問以上の正解を目指すために

Part 5は以下のような短文の空所補充問題で、全30問出題されます。

750点を取るためには、80%に相当する24問以上の正解を得ることが必要です。すでに600点前後を取っている方はPart 5で60%相当の18問を正解しているはずですから、750点の目標到達まであと6問ですね。

24問以上の正解を目指して、本章で重点攻略と難問攻略をしっかり行いましょう。

【問題例】

All the materials needed for ------- the Trec Civic Center will be provided by Grena Construction Company.

(A) beginning
(B) storing speculating
(C) expanding
(D) presenting complaining

訳 Trec市民会館の拡張に必要なすべての材料はGrena建設会社から供給される。正解（C）

Part 5の構成

Part 5の設問タイプは、選択肢に同じ品詞の違う語が並ぶ〈語彙問題〉と文法知識を用いて解く〈文法問題〉に分けることもできます。が、語彙問題でも文法知識を活用しながら解く場合が多いので、本書では出題頻度が高い難問について、以下のように分類しています。

問題タイプ	選択肢の例
1. 適切な名詞を選ぶ	reduction, recession, admission, election
2. 適切な動詞を選ぶ	consider, regard, manage, treat
3. 適切な語（句）を選ぶ	other, another, none, others
4. 適切な接続表現を選ぶ	in case, only if, because, unless

このほかに、難度はやや下がりますが適切な品詞を選ぶもの、適切な動詞の形を時制・態・人称に注意して選ぶものも多く出題されます。

難問攻略のカギ

難問を攻略するには、自分の語彙を増やすことと、文法知識の活用術を身につけることが大事です。

テスト頻出語（句）を確実に身につける

本章では、左ページの〈3. 適切な語（句）を選ぶ問題〉として、間違えやすい限定詞や代名詞、前置詞を中心に扱っています。が、テストでは副詞や形容詞が選択肢に並ぶ問題も出されます。語彙の知識を豊富にもっていることは、Part 5 はもちろん、リスニングも含めた全パート攻略の武器になります。

750 点を目指す方は、各パート最終ページの語彙リストを参照して、各語句につき少なくとも 3 つの例文を自分で作って、すべて覚えるようにしてください。

100% 理解しておきたい文法ポイント

1 選択肢に並ぶ単数形の名詞は、可算名詞か不可算名詞かチェックする

名詞には 1 つ、2 つと数えられる可算名詞と数えられない不可算名詞があります。

可算名詞は単数形の場合、必ず冠詞（a や an）が前につきます。超基本的なことですが、この点を意識していると難問も解きやすくなります。

名詞の問題で、選択肢に複数形ではない名詞が並ぶ場合は、空所直前に冠詞の有無をチェックして、正解は可算名詞か不可算名詞かの観点で選択肢を絞りましょう。

また、共に使われる語句をおさえておけばさらに選択肢を絞り込めます。

可算名詞 数
・1 つ、2 つと数えられる
・単数形は必ず冠詞 a か an が前につく
・2 つ以上のときは複数形になる
●共起する語句 …… a few few many number
●可算名詞の例 …… dollar bag hour job

不可算名詞 量
・1 つ、2 つと数えられない
・数えるときは a piece of などの名詞ごとに異なる表現を伴う
・見かけは単数形（news などの例外あり）
●共起する語句 ……… a little little much amount volume
●不可算名詞の例 …… money baggage time work

2 選択肢に並ぶ動詞は自動詞か他動詞かチェックする

自動詞は目的語を直後に従えず、他動詞は目的語を直後に従えます。

選択肢に動詞が並ぶ問題では、空所直後に目的語が直接続くかどうか確認し、正解が自動詞か他動詞か見極めて、選択肢を絞りましょう。「直接続く」というのは、前置詞などを伴わない、[動詞＋目的語] の形を指します。

例えば、190ページの例題では空所直後に the Trec Civic Center という目的語があるので、空所には他動詞が入ります。選択肢の中で目的語を直後にとる他動詞は begin「～を始める」と expand「～を拡張する」の2つです。後は意味を考えて解答します。speculate「よく考える」、complain「不満を言う」は that 節を従えることはできますが、目的語を直接取ることはできません。

3 テスト頻出の代名詞・限定詞を単複の観点からチェックする

すでに600点を取っている人でも比較的間違えやすいのが、代名詞と限定詞、そして形容詞が選択肢に並ぶ問題です。

ここでまとめて整理して覚えておきましょう。

●名詞の前に付く間違えやすい限定詞・形容詞

限定詞・形容詞	次に続く名詞	意味	例
every	単数名詞	すべての	every Saturday 毎週土曜日
each*1	単数名詞	それぞれの	each side 両側、それぞれのサイド
all	複数名詞 不可算名詞	すべての	all students すべての学生 all information すべての情報
some	複数名詞 不可算名詞	いくつかの いくらかの	some books いくつかの本 some knowledge 多少の知識
any (疑問文・否定文で)	複数名詞 不可算名詞	いくつかの いくらかの	any questions いくつかの質問 any bread いくらかのパン
any (肯定文)	単数名詞 複数名詞 不可算名詞	どんな～でも	any destination どんな行き先でも any colors どんな色でも any information どんな情報でも
other*2	複数名詞 不可算名詞	ほかの	other banks 他行 other information ほかの情報
the other	単数名詞 複数名詞	そのほかの 残りの、それ以外の	the other side もう片方、反対側 the other members ほかのメンバーたち
代名詞所有格 (his､her 等) + other	単数名詞	～のもう一方の	our other son 私たちのもう1人の息子
every other	単数名詞	1つおきの	every other day 1日おきに
another*3	単数名詞	もう1つの、もう1人の、余分の、異なる	another drink もう1杯

several	複数名詞	いくつかの、数個の、数人の	several books 数冊の本
no*4	複数名詞 不可算名詞	1つ（1人）の～もない	no kids no money
none of	複数名詞 不可算名詞	～の1つ（1人）もない	none of my friends 私の友達の1人も～ない
a few	複数名詞	少しの	a few dollars 数ドル
few	複数名詞	ほとんどない	few dollars ドルがほとんどない
a little	不可算名詞	少しの	a little money 少しのお金
little	不可算名詞	ほとんどない	little money お金がほとんどない
many	複数名詞	たくさんの	many hours たくさんの時間
much	不可算名詞	たくさんの	much money たくさんのお金

*1 each は1つのグループ内の個々の物や人を指します。また、代名詞は3人称複数の they で受けることが多くあります。*eg.* Each person has to bring their own lunch.

*2 other は the other や that other、one other のように、前に限定する語がつくときのみ、後ろに単数名詞を続けることができます。

*3 another は an + other の意で単数名詞を伴います。ただ、another two weeks「もう2週間」、another €30「もう30ユーロ」のように［数＋単位（を表す語の複数形）］を続けることもできます。two weeks、€30のような［数＋単位］を1セットつまり単数とみなしているわけですね。

*4 no は単数で表す方が自然な一般的な可算名詞については、単数形と結びつきます。*eg.* Mr.Taylor has no wife.

●代名詞　以下の代名詞は、主語や目的語として機能します。

代名詞	単数か複数か	意味	注意点
one	単数	1つのもの、ひとりの人、ある人	複数形は ones。
the other*	単数	もう1つのもの、もうひとりの人	2つのうちの残りの1つを指す。
(the) others	複数	ほかのもの	the others はあるグループについて、すでに言及されたもの（人）以外の残りのすべてを指す。
another	単数	もう1つのもの、もうひとりの人	選択肢に代名詞として another や several が並ぶときは、対応する動詞の単複が決め手になる。
several	複数	いくつかのもの、数人	
none	単数・複数	誰も（～ない）	not one/not any の意。可算名詞・不可算名詞の両方を受けることができる。口語では複数扱いされることが多い。

サンプル問題

Part 5

文中の空所に当てはまる語句を 4 つの答えの中から選び、下記の解答欄の (A) ～ (D) のいずれかにマークしてください。

1. In case of changes in our policy, we will make an official ------- on our Web site.

(A) news
(B) information
(C) organization
(D) announcement

2. The deal gives Shooting Star the right to sell its beverages in the U.S., and will ------- the concerns about Blackstone gaining further market share in the U.S.

(A) alleviate
(B) coincide
(C) confiscate
(D) hesitate

3. You can contact a reference librarian ------- weekend through Lafayette Public Library's Online Chat Service.

(A) other
(B) every other
(C) each other
(D) several

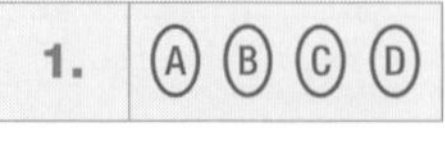

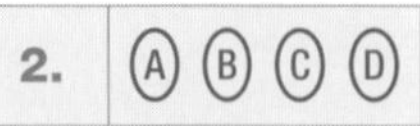

3. Ⓐ Ⓑ Ⓒ Ⓓ

58 ワークシート

4. ------- the rise in fuel prices that has caused inflation, we have provided the following link for information on gasoline prices across the country.

(A) While

(B) Because

(C) Due to

(D) Despite

5. Please compare the progress you defined in the plan ------- the actual progress that your team has made so far.

(A) at

(B) with

(C) about

(D) for

PART 1 PART 2 PART 3 PART 4 PART 5 PART 6 PART 7

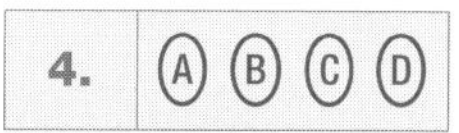

4.	Ⓐ Ⓑ Ⓒ Ⓓ

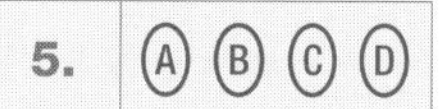

5.	Ⓐ Ⓑ Ⓒ Ⓓ

難問攻略 12

●適切な名詞を選ぶ問題

名詞の可算（単複）・不可算、動詞とのコロケーションに注意する！

1. In case of changes in our policy, we will make an official ------- on our Web site.

(A) news
(B) information
(C) organization
(D) announcement

手順① 選択肢から問題タイプを判断する

選択肢に 4 つの異なる名詞が並ぶ問題です。

このような名詞問題では、単に意味が通じるかどうかだけでなく、以下のポイントをチェックして解答を選択しましょう。

ポイント❶ 空所に入る名詞は可算名詞の単数形？　複数形？　それとも不可算名詞？

ポイント❷ 空所に入る名詞は、文中の動詞とちゃんと結びつく？

手順② 問題タイプ別チェックポイントを確認して解答を選ぶ

ポイント❶ 空所に入る名詞は可算名詞の単数形？　複数形？ それとも不可算名詞？

空所前に an official（冠詞＋形容詞）とあるので、空所には可算名詞の単数形が入ると判断します。

選択肢の中で可算名詞の単数形は (C) organization と (D) announcement です。

☞ (A) と (B) は不可算名詞だから NG

(A) の news は語尾の -s から複数形にも見えますが、news は information と同様に不可算名詞です。

ポイント② 空所に入る名詞は、文中の動詞とちゃんと結びつく？

名詞問題では、空所の名詞は文中で主語として働くか、動詞の目的語になっていることがほとんどです。空所と動詞がしっかり結びつくかをチェックしましょう。

すでに選択肢は (C) organization と (D) announcement の 2 つに絞り込んでいるので、動詞の make と結びつく名詞はどちらかすばやく見抜きます。make an announcement は「発表する、アナウンスする」の意で、これが正解です。

(D) をマーク！

もし make an announcement という表現を知らない場合は、文全体の意味を考えて選びましょう。空所に organization「組織」を入れれば、「弊社の方針に変更がある場合は、弊社ウエブサイトにて公式な組織を作ります」となり、文意が通りませんね。

英語にはこのように［名詞と動詞］［形容詞と名詞］などの相性のいい組み合わせ（コロケーションといいます）が多数あります。参考書などでコロケーションを集中的に学ぶのもよいですが、日頃から練習問題を解いたあとにコロケーションを意識して英文を音読することで知識を積み上げていくのもよい方法です。

coffee break

いかがでしたか。「ウェブサイトでお知らせします」という文意だとわかっているのに、正解の announcement と似た意味の news や information を選んでしまいましたか。だとしたら、今回の誤りからたくさんのことが学べたはずです。

あるいは、上のように可算名詞や不可算名詞の別を考えずに、文中の make を見てさっと正解の announcement を選びましたか。それとも make the news「ニュースになる」というコロケーションをなんとなく知っていたために、パッと見で news を選んでしまいましたか。

いずれにしても早合点は禁物です。もちろんこれまでの英語学習経験に基づく直感はとても大切ですが、解答する際は、上記のポイントをすばやくしっかり点検して、確実に正解しましょう。

語句

- □ **in case of...** ～の場合は
- □ **policy** 方針、施策
- □ **official** 公式の
- □ **make an announcement** 発表する

訳 弊社の方針に変更がある場合は、弊社ウェブサイトにて公式発表を行います。
(A) ニュース　(B) 情報　(C) 組織　(D) 発表

難問攻略 13

●適切な動詞を選ぶ問題

空所直後に何があるかチェックする！

2. The deal gives Shooting Star the right to sell its beverages in the U.S., and will ------- the concerns about Blackstone gaining further market share in the U.S.

(A) alleviate
(B) coincide
(C) confiscate
(D) hesitate

手順① 選択肢から問題タイプを判断する

選択肢に 4 つの異なる動詞が並ぶ問題です。

このような適切な動詞を選ぶ問題では、以下のポイントに注意して正解を導きましょう。

ポイント① 空所の直後に目的語や that 節がある？　それとも前置詞がある？

ポイント② 意味を類推しよう！

手順② 問題タイプ別チェックポイントを確認して解答を選ぶ

ポイント① 空所の直後に目的語や that 節がある？
それとも前置詞がある？

空所直後に「その懸念」の意の the concerns（定冠詞 + 名詞）という目的語があるので、空所には他動詞が入ると判断します。詳しく見れば the concerns about Blackstone gaining further market share in the U.S.「アメリカで Blackstone 社がよりマーケットシェアを拡大するかもしれないという懸念」と文末までが長い名詞句（名詞のかたまり）となっていて、全体で空所の目的語になっています。

選択肢の中で自動詞は (B) coincide「同時に起こる」と (D) hesitate「躊躇する」の2つ。これをまず消去します。

さて、この文とは異なり、空所の直後に目的語ではなく前置詞が続くことがよくあります。その場合は、空所直後の前置詞と選択肢中の正解の動詞が結びつくかどうかにより正誤を判断します。

❶ Mr. Thomas has been ------- as expert of AI technology.
◎ regarded　× considered　☞ consider を使うなら、as は不要。
トーマスさんは AI 技術の専門家だと見なされている。

❷ We need to use tactics for ------- with common managerial problems.
◎ coping　× handling　☞ handle を使うなら with は不要。
弊社は一般的な経営上の問題に対処する方略を用いる必要がある。

ポイント❷ 意味を類推しよう

今残っている選択肢は (A) alleviate「〜を和らげる」か (C) confiscate「〜を押収する」の2つだけです。ここで空所以外の意味をとって、文意に合う方を選びます。全文を訳すと「その契約はShooting Star社にアメリカでの飲料販売の権利を与え、アメリカで Blackstone 社がよりマーケットシェアを拡大するかもしれないという懸念を〜するだろう」となり、(A) alleviate「〜を和らげる」が正解だとわかります。

(A) をマーク！

両方とも難度の高い単語ですが、知らない単語でももっている知識を総動員して類推し、少しでも可能性の高い方をマークしましょう。alleviate は lighten「軽くする」の意のラテン語 alleviare から来ています。もっとも、いちいち語源まで覚えるのは大変ですが、何度見ても覚えられない単語は英英辞典で語源を調べてみると記憶に残りやすくなります。テスト勉強中は、誤答選択肢の語句であれ、未知のものに出会ったことはラッキーと思って、自分で例文を作り徹底的に覚えましょう。このとき、同じ語幹の派生語も一緒にまとめておくと効率的です。

訳 その契約は Shooting Star 社にアメリカでの飲料販売の権利を与え、アメリカで Balckstone 社がよりマーケットシェアを拡大するかもしれないという懸念を和らげるだろう。
(A) 〜を和らげる　(B) 同時に起こる　(C) 〜を押収する　(D) 躊躇する

難問攻略 14

●適切な限定詞を選ぶ問題

空所が直後の名詞を修飾しているかどうかまず確認！

3. You can contact a reference librarian ------- weekend through Lafayette Public Library's Online Chat Service.

(A) other
(B) every other
(C) each other
(D) several

手順① 選択肢から問題タイプを判断する

選択肢には限定詞・形容詞が並んでいます。all や several や another など、限定詞としてだけでなく代名詞としても機能する語が選択肢に交ざっている場合もあります。まず以下のポイントをチェックしましょう。

ポイント① 空所直後の語（句）から空所の品詞を見極める

ポイント② 空所直後の語（句）が単複どちらかチェックする

手順② 問題タイプ別チェックポイントを確認して解答を選ぶ

ポイント① 空所直後の語（句）から空所の品詞を見極める

限定詞・形容詞・代名詞が並ぶ選択肢の問題で、気をつけたいのは、代名詞が正解になる場合です。several や another などは、代名詞として主語・目的語・補語として機能することもしっかり覚えておきましょう。特に空所直後に動詞がくる場合、この選択肢の中で正解になるのは主語になれる代名詞です。選択肢の中から代名詞の機能をもたない語をすぐに消去できれば効率的です。（☞ *p*.194-195 限定詞・形容詞 / 代名詞のリスト参照）

この問題では、空所直後は weekend through Lafayette Public Library's Online Chat Service （以下 LPLOCS と略）となっています。through は「～

を通じて」の意の前置詞で、through 以下文末まで［前置詞 + 名詞（句）］とひとかたまりになっていることが見て取れますね。つまり、空所とともにかたまりを成すのは直後の weekend までです。文の構造から空所に入るべき品詞を見極めましょう。

You can contact a reference librarian / ------- weekend / through LPLOCS.

S V O

あなたは 連絡がとれます 閲覧専門の図書館員に 〜の週末に LPLOCS を通じて

ここから［空所 + weekend］は「〜の週末に」と、時を表す副詞句なのだろうと推測できますね。(C) each other は「お互いに」の意で、名詞を修飾することはできないので、これをまず消去します。

ポイント❷ 空所直後の語（句）が単複どちらかチェックする

次に空所直後の weekend が単数形となっていることに注意しましょう。(A) other は the other book とか、his other son の the や his のように、限定を表す定冠詞や代名詞の所有格が前につかない場合、単数名詞を従えることはできません。ここでは、空所前は contact の目的語 a reference librarian「閲覧専門の図書館員」があるだけで、空所を限定する the や所有格の代名詞はないので、(A) other は NG です。

また (D) several は、代名詞としても機能しますが、名詞の前に付く限定詞として「いくつかの」の意を表す場合、直後には複数名詞を従えます。よって (D) も NG です。したがって消去法で (B) every other が正解だとわかります。

(B) をマーク！

every other... は単数名詞を従えて、「1 つおきの〜」の意を表します。every other Saturday は「隔週土曜日に」、every other day は「1 日おきに」、every other line は「1 行おきに」の意です。

訳 Lafayette 公立図書館のオンラインチャットサービスを通じて、隔週の週末、閲覧専門の図書館員と話をすることができます。
(A) ほかの (B)1 つおきの (C) お互いに (D) いくつかの

重点攻略 8

●適切な接続表現を選ぶ問題

空所後のかたまりが名詞句か節かしっかり見極める！

4. ------- the rise in fuel prices that has caused inflation, we have provided the following link for information on gasoline prices across the country.

(A) While
(B) Because
(C) Due to
(D) Despite

手順 ① 選択肢から問題タイプを判断する

選択肢には接続詞や前置詞（句）などの接続語句が並んでいます。文がカンマで区切られていて、選択肢にこれらの語句が並ぶ場合は、以下のチェックポイントをまず確認しましょう。

ポイント① 空所直後からカンマまでのかたまりが、節か句かどちらか見極める
節の場合→空所には接続詞　　句の場合→空所には前置詞(句)

ポイント② カンマ前後のかたまりの意味を比較する

手順 ② 問題タイプ別チェックポイントを確認して解答を選ぶ

ポイント① 空所直後からカンマまでのかたまりが、節か句かどちらか見極める

空所直後からカンマまでをさっと見ると、that has caused といった［主語 + 動詞］の存在に気づきますね。ここから「空所の後には節が続いている」と判断するのは早計です。よく見ると、that has caused 以降はその前の the rise in fuel prices「石油価格の値上がり」という名詞のかたまり(名詞句)に、関係代名詞 that 以下で説明を付け加えていることがわかります。つまり、空所の後は句が続いているので、空所には前置詞(句)が入ります。

選択肢 (A) While と (B) Because は接続詞で、次に節［主語 + 動詞］を従えま

すから、この空所には入りません。

ポイント② カンマ前後のかたまりの意味を比較する

すでにポイント①で選択肢を (C) Due to「のために」と (D) Despite「にもかかわらず」の 2 つに絞っています。

ここで空所からカンマまで(X)と、カンマ以降(Y)の意味を比較します。もし空所が文中にある場合は、空所前後の意味を比べてください。うまくつながる空所が正解です。

X: the rise in fuel prices that has caused inflation,
インフレを引き起こしている石油価格の高騰

Y: we have provided the following link for information on gasoline prices across the country.
全国のガソリン価格に関する情報を得られる次のリンクを提供している。

2 つのかたまりの意味を比べると、X が Y の理由になっていることがわかりますね。したがって正解は (C) です。 (C) をマーク！

PART 1 PART 2 PART 3 PART 4 PART 5 PART 6 PART 7

coffee break

いかがでしたか。

ポイント①の手順を省き、文の構造への意識が薄いまま、いきなり 2 つの意味を比べて「X が Y の理由になっている」ことから選択肢の吟味をすると、正解と同じく理由を表す (B) Because をうっかり選んでしまいかねません。まず空所が接続詞か前置詞かを見極めた方がケアレスミスを防げます。

訳 インフレを引き起こしている石油価格の高騰のために、全国のガソリン価格に関する情報を得られる次のリンクを私どもは提供しております。
(A) ～の間に　(B) ～なので　(C) ～のために　(D) ～にもかかわらず

重点攻略 9

●適切な前置詞を選ぶ問題

空所に入る前置詞が何と結びついているかチェックする！

5. Please compare the progress you defined in the plan ------- the actual progress that your team has made so far.

(A) at
(B) with
(C) about
(D) for

手順① 選択肢から問題タイプを判断する

選択肢に前置詞が並ぶ問題では、以下の2つのポイントをチェックしましょう。

ポイント① 空所に入る前置詞は、直後の名詞と結びついている？

ポイント② 空所に入る前置詞は、文中の動詞と結びついている？

手順② 問題タイプ別チェックポイントを確認して解答を選ぶ

ポイント① 空所に入る前置詞は、直後の名詞と結びついている？

前置詞は in the stadium、stop by my office のように、必ず名詞(句)の前に置かれます。

でも、この in と by はちょっと働きが違いますね。

in the stadium では、前置詞 in は直後の名詞句（この場合は冠詞＋名詞）の the stadium と結びついて「スタジアムで」というひとかたまりの意味を成していますが、by は前の stop と結びついて「〜に立ち寄る」の意の句動詞 stop by を成立させています。

そこで前置詞問題では、まず直後の名詞を見て、in the stadium のように空所がその名詞とひとかたまりになっているのか、チェックしてください。

この場合、空所直後の名詞句は the actual progress「実際の進捗」です。選択肢の前置詞のいずれも progress とセットで必ず使用されるものはありません。

ポイント② 空所に入る前置詞は、文中の動詞と結びついている？

そこで今度は前置詞が文中の動詞と結びついていないか見てみます。空所よりかなり前に動詞が位置する場合も多々あるので、空所の前後だけに気を取られないように文をよく見てください。

ここでは、文の述語動詞である compare に注目します。すると compare の後ろに 2 つの名詞のかたまり X と Y が見えてきますね。

X: the progress (you defined in the plan)

Y: the actual progress (that your team has made so far)

つまり、Please compare X with Y.「X を Y と比べてください」という文ですね。正解は (B) with です。 (B) をマーク！

テストでは be dependent on...「～に依存している」、be native to...「～産だ」、be eligible for...「～にふさわしい」など前置詞が形容詞と結びつく場合や、exception to...「～の例外」、impact on...「～へのインパクト」、native of...「～出身者」など直前の名詞と結びつく前置詞も出題されます。この場合、空所の直前にある名詞・形容詞で正解を判断します。日頃から意識して頻出表現をかたまりで覚えておくようにしましょう。

訳 その計画で定めた進捗状況とあなたのチームのこれまでの実際の進捗とを比べてください。
(A) ～に (B) ～と (C) ～について (D) ～に対して

練習問題

Part 5

文中の空所に当てはまる語句を 4 つの答えの中から選び、下記の解答欄の (A) ～ (D) のいずれかにマークしてください。

1. Mr. Kang was asked to hand in a ------- of last Monday's meeting with Derek Carter as soon as he could.

(A) plan
(B) truth
(C) summary
(D) scenery

2. Please keep using the old reporting method to submit your work hours until the new payroll system is fully -------.

(A) retrieved
(B) implemented
(C) referred
(D) speculated

3. You must provide your e-mail address and ------- contact information in order to register for the class.

(A) another
(B) the other
(C) other
(D) several

4. ------- international students are invited to a welcome party in the auditorium this Saturday.

(A) Every
(B) All
(C) Whoever
(D) Anyone

1.	Ⓐ Ⓑ Ⓒ Ⓓ
2.	Ⓐ Ⓑ Ⓒ Ⓓ
3.	Ⓐ Ⓑ Ⓒ Ⓓ
4.	Ⓐ Ⓑ Ⓒ Ⓓ

59 ワークシート

5. When a company uses marketing strategies ------- appeal to eco-conscious consumers, they are likely to spend more money.

(A) in compliance with
(B) in order to
(C) in accordance with
(D) in addition to

6. All workers in the factory must wear a safety helmet and a hearing protection device ------- ear plugs.

(A) although
(B) as if
(C) in spite of
(D) such as

7. We will not disclose your medical information to another physician or health care provider ------- your prior approval.

(A) except
(B) toward
(C) without
(D) for

8. Please compare the actual progress that your team has made so far ------- the expected progress that you outlined in your plan.

(A) in
(B) with
(C) of
(D) for

5.	Ⓐ Ⓑ Ⓒ Ⓓ
6.	Ⓐ Ⓑ Ⓒ Ⓓ
7.	Ⓐ Ⓑ Ⓒ Ⓓ
8.	Ⓐ Ⓑ Ⓒ Ⓓ

Part 5 練習問題の解答と解説

難問攻略 12 適切な名詞を選ぶ問題

難易度 ★★★

1. Mr. Kang was asked to hand in a ------- of last Monday's meeting with Derek Carter as soon as he could.

(A) plan
(B) truth
(C) summary
(D) scenery

解説

空所直前に a があるので空所は可算名詞で、hand in「手渡す」の目的語になっています。ここから、集合名詞の scenery と「真実」の意の truth が NG だと判断できます。次に of 以下の名詞句 last Monday's meeting と空所が結びつくかどうかを検討します。last から会議はすでに終了しているので、plan「予定」ではなく、「会議の要約」の意の summary が正解です。

訳 Kang さんは先週の月曜日の Derek Carter 氏との会議の要約をできるだけ早く手渡すよう頼まれた。

(A) 予定
(B) 真実
(C) 要約
(D) 景色

語句

□ **hand in...** ～を手渡す
□ **as soon as** できるだけ早く

難問攻略 13 適切な動詞を選ぶ問題

難易度 ★★★

2. Please keep using the old reporting method to submit your work hours until the new payroll system is fully -------.

(A) retrieved
(B) implemented
(C) referred
(D) speculated

解説

接続詞 until を含む文です。文頭から until の前までと、until から文末までの意味をとり、結びつきを考えます。前者は「労働時間の申告は以前の報告方法を利用し続けてください」。後者は空所以外では「新しい給与システムが完全に～されるまでは」の意。したがって the new payroll system「新しい給与支払いシステム」に対応する動詞は implement「施行する、実施する」だと判断できます。

訳 新しい給与システムが完全に施行されるまでは労働時間の申告は以前の報告方法を利用し続けてください。

(A) 取り出されて
(B) 施行されて
(C) 参照されて
(D) 予測されて

語句

□ **submit** ～を提出する
□ **payroll** 給与支払い、給与

難問攻略 14 適切な限定詞を選ぶ問題

難易度 ★★★

3. You must provide your e-mail address and ------- contact information in order to register for the class.

(A) another
(B) the other
(C) other
(D) several

解説

空所が修飾する information が不可算名詞であることをおさえ、消去法で絞り込みます。another は「(不特定の) もう1つの」の意で、可算名詞の単数形を修飾します。the other「(特定の) ほかの」は、不可算名詞を修飾しません。several は、可算名詞の複数形のみを修飾します。正解は不可算名詞と複数名詞を修飾する無冠詞の other「(不特定の) ほかの」です。

訳 このクラスに登録するためには、自分のメールアドレスと、ほかの連絡先を提供する必要があります。
(A) もう1つの(不特定)
(B) ほかの(特定)
(C) ほかの(不特定)
(D) いくつかの

語句

- □ **provide** ～を提供する
- □ **contact information** 連絡先
- □ **register for...** ～に登録する、～に申し込む

難問攻略 14 適切な限定詞を選ぶ問題

難易度 ★★★

4. ------- international students are invited to a welcome party in the auditorium this Saturday.

(A) Every
(B) All
(C) Whoever
(D) Anyone

解説

空所直後の international students と結びつく語を選ぶ問題です。名詞と結びつくことができるのは Every と All ですが、students が複数形になっていることに気づけば All が正解だとわかります。Whoever は「～する人は誰でも」の意で直後に動詞が続きます。また Anyone は代名詞でこれ自体主語になることはできますが、直後に名詞を続けることはできません。

訳 すべての留学生は今週土曜日に講堂で行われる歓迎会に招待されています。
(A) すべての(単数名詞を修飾)
(B) すべての(複数名詞を修飾)
(C) ～する人は誰でも
(D) 誰でも

語句

- □ **international students** 留学生
- □ **auditorium** 講堂、公会堂、ホール

重点攻略 8 適切な接続表現を選ぶ問題

難易度 ★★

5. When a company uses marketing strategies ------- appeal to eco-conscious consumers, they are likely to spend more money.

(A) in compliance with
(B) in order to
(C) in accordance with
(D) in addition to

解説

appeal が名詞だとすると空所後からカンマまでは「環境保護の意識の高い消費者へのアピール」を意味し、文法的には可能な前置詞句の (A)(C)(D) はどれも空所前の「会社がマーケティング戦略を用いるとき」とうまく結びつけられません。したがって appeal は動詞で、「～するために」の意の (B) が正解です。in order to の to は、to 不定詞の to と同じで、前置詞として機能していないことに注意しましょう。

訳 企業は環境保護の意識の高い消費者にアピールするためにマーケティング戦略を用いるとき、より多くの資金を投入しがちです。

(A) ～に従って
(B) ～するために
(C) ～に従って
(D) ～に加えて

語句

- □ **eco-conscious** 環境保護政策に熱心な
- □ **consumer** 消費者

重点攻略 8 適切な接続表現を選ぶ問題

難易度 ★★

6. All workers in the factory must wear a safety helmet and a hearing protection device ------- ear plugs.

(A) although
(B) as if
(C) in spite of
(D) such as

解説

空所直後には ear plugs「耳栓」という複合名詞が続いています。選択肢の中で、名詞を直続させることができるのは (C) と (D)。although は「～だけれども」、as if は「まるで～のように」の意で、どちらも節を伴うので、ここでは不適切。空所直後の ear plugs は、空所前の a hearing protection device「聴力保護具」の例示だとわかるので、「～のような」と例を示す such as が正解です。

訳 その工場の全従業員は安全帽や耳栓などの聴力保護具を身につけなければならない。

(A) ～だけれども（接続詞）
(B) ～かのように（if: 接続詞）
(C) ～にもかかわらず（前置詞句）
(D) ～などの（as: 前置詞）

語句

- □ **safety helmet** 安全帽
- □ **device** 機器、装置、道具

重点攻略 9 適切な前置詞を選ぶ問題

難易度 ★★

7. We will not disclose your medical information to another physician or health care provider ------- your prior approval.

(A) except (C) without
(B) toward (D) for

解説

選択肢の語はすべて前置詞なので、空所前後で意味をとって、文意が成立する語を選びます。この場合は空所前は「私どもはあなたの診療情報を他に提供しません」の意。空所後には your approval「あなたの承認」が続くので、without「〜なしで」が適切ですね。接続詞が選択肢に交じっている場合は、空所後が名詞句か節かを見極めてまず選択肢を絞り込みましょう。

訳 私どもはあなたの事前承認なしに、あなたの診療情報を他の医師や医療提供者に開示することはありません。

(A) 〜を除いて (C) 〜なしで
(B) 〜に向かって (D) 〜のために

語句

□ **disclose** 〜を開示する
□ **prior** 事前の

重点攻略 9 適切な前置詞を選ぶ問題

難易度 ★★

8. Please compare the actual progress that your team has made so far ------- the expected progress that you outlined in your plan.

(A) in (C) of
(B) with (D) for

解説

前置詞の問題は空所直後の名詞との結びつきだけでなく、空所より前の動詞との結びつきがポイントになっている場合もあります。この場合も後者で、compare A with B「AをBと比べる」の用法に気づくことが正解のカギとなります。A は the actual progress (that your team has made so far)、B は the expected progress (that you outlined in your plan) ですね。

訳 あなたのチームのこれまでの実際の進み具合と、あなたが計画書で述べた進捗予測とを比べてください。

(A) 〜の中に (C) 〜の
(B) 〜と (D) 〜のために

語句

□ **progress** 進捗、進歩
□ **so far** 今までのところ
□ **outline** 〜の要点を示す

Check! Essential Words & Phrases ▸ No. 5

🔊 60

リーディングパート攻略のための、やや難度の高い重要動詞100 (1)

A

- □ abide by... ～を順守する
- □ accommodate (～を)収容できる、適応する
- □ accumulate (～を)蓄積する
- □ adhere to... ～を実行する、～に忠実である
- □ administer ～を運営する、～を管理する
- □ alleviate ～を和らげる、～を軽減する
- □ allocate ～を割り当てる、～を分配する
- □ alternate (～を)交互に行う、交代する
- □ anticipate ～を予想する、～を予期する
- □ assert ～を断言する、～を主張する
- □ attain (～を)達成する、(～を)獲得する
- □ attest to... ～を保証する、～を裏付ける
- □ attribute A to B AをBの結果であると考える
- □ audit ～を検査する、～を監査する

B

- □ boast (～を)自慢する
- □ boost ～を押し上げる、～を増加させる

C

- □ circulate ～を循環させる、循環する
- □ cite ～を引用する、～を引き合いに出す
- □ clarify ～を明らかにする
- □ commend ～をほめる、～を称賛する
- □ commission ～を委任する
- □ compensate (～を)補償する
- □ compile ～を編集する、～を集める
- □ complement ～を補完する、～をぴったり合わせる
- □ concede (～を)譲歩する
- □ condense (～を)濃縮する、(～を)要約する
- □ conform (～に)合う、(～に)順応する
- □ consolidate (～を)統合する、(～を)強化する
- □ consult (～を)調べる、(～を)見る
- □ convene (～を)召集される
- □ convert (～を)変える、(～を)転用する

D

- □ delegate (人に権限などを)委任する
- □ demolish ～を解体する、～を廃止する
- □ deplete (～を)使い果たす
- □ deprive A of B AからBを奪う
- □ derive (～を)得る
- □ detect 見つける、感知する
- □ deteriorate ～を悪化させる、悪化する
- □ dismiss ～を解雇する、解散する
- □ dispatch ～を派遣する
- □ disregard ～を無視する
- □ disrupt ～を混乱させる、～を妨害する
- □ dissolve ～を解除する、溶ける
- □ diversify (～を)多様化する

E

- □ elicit ～を引き起こす
- □ embrace ～を活用する、(～を)抱擁する
- □ emit (音や光)を発する、(信号)を送る
- □ enact ～を制定する
- □ endorse ～を支持する
- □ enforce ～を強化する、～を強要する

Part 6
長文穴埋め問題の攻略

750点を達成するためのPart 6対策

問題数 16 問

目標解答時間 10 分　目標正解数 12 問

どういう問題？

文書の一部に設けられている空所に入る最も適切な語句、または文を4つの選択肢から選ぶ問題です。1つの文書につき設問は4つ用意され、そのうちの1つが文を挿入する問題になります。文書は全部で4つ、合計で16問です。

どういう流れ？

1 Directions（指示文）は読み飛ばす

テストブックには、下記のDirections（指示文）が印刷されていますが、すでに理解していればテスト時に改めて読む必要はありません。

Directions: Read the texts that follow. A word, phrase, or sentence is missing in parts of each text. Four answer choices for each question are given below the text. Select the best answer to complete the text. Then mark the letter (A), (B), (C), or (D) on your answer sheet.

訳 指示：次の文書を読んでください。文書には、単語、フレーズ、文が空所になっている部分があります。文書の下には、各設問に対して答えが4つの選択肢で用意されています。文書を完成させるために、最も適切な答えを選んでください。そして、解答用紙にある(A)、(B)、(C)、(D)の記号にマークしてください。

2 文書を読み、設問に答える

続いて、テストブックには、例えば次のような文書と設問が印刷されています。1つの文書を読み、4つの選択肢に解答する時間の目安としては、2分30秒程度になります。

【例】

Questions 1-4 refer to the following e-mail.

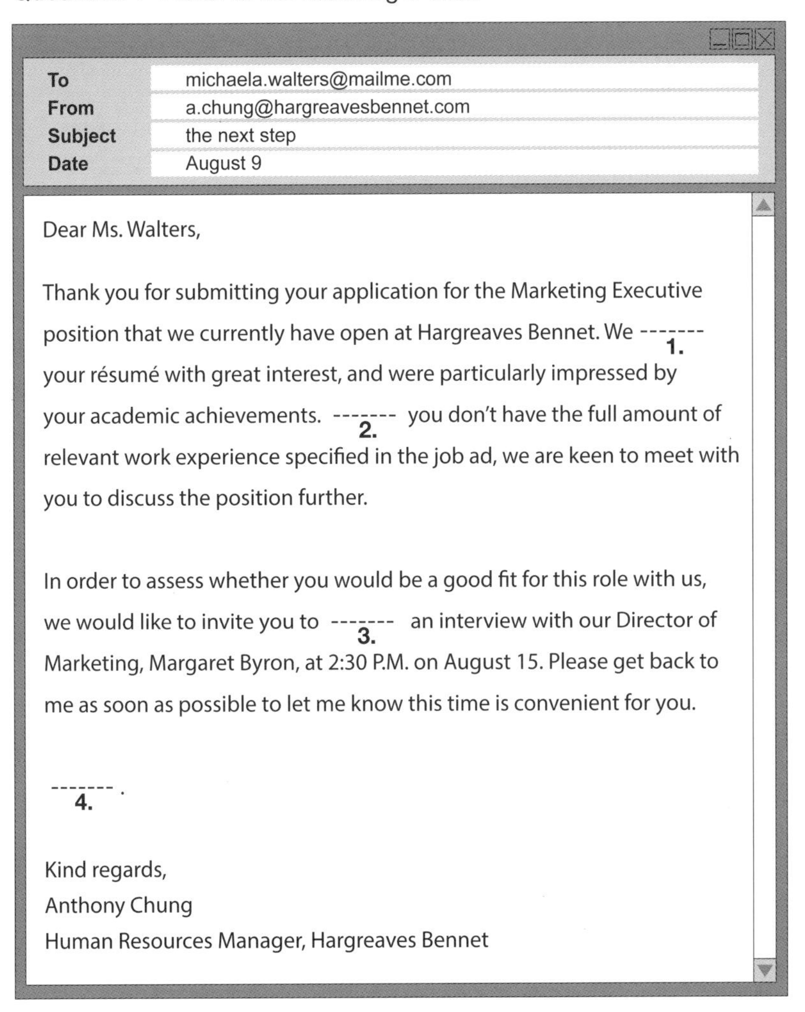

To	michaela.walters@mailme.com
From	a.chung@hargreavesbennet.com
Subject	the next step
Date	August 9

Dear Ms. Walters,

Thank you for submitting your application for the Marketing Executive position that we currently have open at Hargreaves Bennet. We ------- **1.** your résumé with great interest, and were particularly impressed by your academic achievements. ------- **2.** you don't have the full amount of relevant work experience specified in the job ad, we are keen to meet with you to discuss the position further.

In order to assess whether you would be a good fit for this role with us, we would like to invite you to ------- **3.** an interview with our Director of Marketing, Margaret Byron, at 2:30 P.M. on August 15. Please get back to me as soon as possible to let me know this time is convenient for you.

------- **4.** .

Kind regards,
Anthony Chung
Human Resources Manager, Hargreaves Bennet

12問以上の正解を目指すために

Part 6は4つの空所がある文書が全4つ、つまり全16問出題されます。

750点を取るためには、80%に相当する12問以上の正解を得ることが必要です。すでに600点前後を取っている方はPart 6で約60%、9問程度正解しているはずですから、750点の目標到達まであと3問ですね。12問以上の正解を目指して、本章でしっかり対策を行いましょう。

Part 6の問題構成

Part 6の問題タイプは以下の通りです。7の挿入文問題以外は、Part 5に共通の問題タイプですが、1～5は同じ問題タイプでも、Part 5と異なり、空所を含む文だけでなく、その前後の文まで見て解答する必要が出てくるものもあり、その場合、Part 5と比べてやや難しくなります。

● Part 5に共通の問題タイプ	難易度	頻度
1. 適切な名詞を選ぶ	★～★★★	◎
2. 適切な動詞を選ぶ	★～★★★	◎
3. 適切な語（句）を選ぶ	★～★★★	◎
4. 適切な接続表現を選ぶ	★★	◎
5. 適切な動詞の形を選ぶ	★～★★	○
6. 適切な品詞を選ぶ	★	○
● Part 6独自の問題タイプ		
7. 適切な挿入文を選ぶ	★★★	◎

Part 6でより高頻出な問題タイプは、上の表の◎が付いたものです。3は、Part 5と同様に、形容詞・副詞・代名詞・前置詞など1、2、4以外の品詞が選択肢に並ぶ問題です。本章では、1～3を「適切な語を選ぶ問題」として扱っていますが、ターゲットとなる品詞が何であれ、1～3は高い語彙力・文法知識を必要とします。章末の語彙リストは少なくとも完全に習得しておきましょう。

4の「適切な接続表現を選ぶ問題」は、Part 5では1文内で解決できますが、Part 6では空所の前後の文をよく読み文脈をとらえて解答するという違いがあります。

解くのに時間がかかり、難度も高いのが7の適切な挿入文を選ぶ問題です。1文書に必ず1問、合計4問出題されます。しっかりと対策をしましょう。

難問攻略のカギ

では、2つの問題タイプで攻略のポイントを見ていきましょう。

適切な接続表現を選ぶ問題

基本的な解法は、次の2ステップです。

1. 空所の品詞を見極める　2. 空所前後の意味を比較して適切な語句を選ぶ

【例題】

I would like to replace our order for the grilled lobster with an order for your chicken cacciatore, which is the same price. Is this possible? -------, please send me an updated invoice so I can update my records.
1.

(A) Although　(B) In addition　(C) Despite　(D) Therefore

訳 ロブスターのグリルを注文しましたが、それを鶏肉のカッチャトーレに、同じ値段ですので、変更したいと思っています。可能でしょうか。それから、私どもの記録も更新できるよう、最新の請求書もお送りください。　(A) ～だけれども　(B) それから　(C) ～にもかかわらず　(D) だから

1 空所の品詞を見極める

空所直後に注目して判断します。空所の後にカンマがあるので、節を直接導く接続詞 Although と名詞(句)の前に置かれる前置詞 Despite は NG です。

2 空所前後の文意を比較する

空所前では I would like to... Is this possible? と「依頼」しています。空所後でも please... と「依頼」しています。したがって In addition「それから」が正解です。

●接続表現　見極めポイント

接続表現	直続するもの	意味	用法
because/since	[S+V]	～なので	導く節が理由・原因、主節が結果
although/though	[S+V]	～だが	導く節と主節を対比［逆接］
therefore	カンマ＋[S+V]	だから	直前に理由・原因、直後に結果
however	カンマ＋[S+V]	しかし	直前直後の内容を対比［逆接］
moreover furthermore in addition	カンマ＋[S+V]	さらに	直前の内容に直後で付加
instead	カンマ＋[S+V]	そうでなく	直前の内容を否定、直後で提案
because of/owing to/thanks to/due to	名詞(句)	～のために	直後に理由・原因、節で結果
despite	名詞(句)	～にもかかわらず	直後に逆接的な理由、節で結果

適切な挿入文を選ぶ問題

この問題を制限時間内に解き正解するには、選択肢も含めすばやく英文を読み、文脈を理解することが必要です。そのためには、解法のコツをつかみ、正解の可能性の高い選択肢から要領よく検討する、自信がもてないときは消去法を活用する、など、適切な判断が必要です。まず次の3点に注意しましょう。

1. 空所前後の文の副詞・接続表現に注意して選択肢を見る
2. 空所直後の文中の代名詞に注意して選択肢を見る
3. 空所前後の文と選択肢に共通している語句を探す

【例題】

Thank you for applying to the North Sydney Young Artists Workshop. I'm very sorry to inform you that you have not been chosen to take part in the workshop on this occasion. --------. I also hope that you will continue your artistic endeavors.
2.

(A) The deadline for applications is coming soon.
(B) Congratulations on being accepted into the workshop.
(C) Regrettably, we will not be accepting any future applications.
(D) I hope this does not come as too much of a disappointment to you.

訳 North Sydney Young Artists Workshop にお申し込みくださりありがとうございます。残念ながら貴殿には今回のワークショップに参加していただけないこととなりました。[2.] また、今後も芸術活動を続けていただけるよう願っております。

(A) 応募書類の締切はもうすぐです。
(B) ワークショップに参加できることになり、おめでとうございます。
(C) 残念なことに、今後は応募種類を受け付けいたしません。
(D) このことで貴殿が気を落とされませんよう祈っております。

1 空所前後の文の副詞・接続表現に注意して選択肢を見る

選択肢をなんとなくチェックしていても、時間が過ぎていくだけです。まず副詞や接続表現に意識して前後の文をチェックし、選択肢と照合します。

◎**見極めポイント**☞空所後の I also hope that から、空所に I hope を連想する

空所直後の文に I also hope that「私はまた〜も望みます」とありますね。ここから、この文の前でも I hope など「私は〜を願っています」と述べられていることが推測できます。その観点から選択肢を見て I hope を含む (D) をしっかり読み、意味が通るので正解は (D) だと判断します。

【例題】

-------. They will be happy to reserve a parking space for you during the
3.
time of your appointment. Additionally, should you need to cancel the appointment, please do so at least 24 hours prior to your appointment time.

(A) If you fail to call to cancel your appointment, your charge will be $50.

(B) If you need to reserve parking at our facilities, please contact one of our office representatives.

(C) Please note that you will be charged a $30 fee for an appointment cancellation that is made within 24 hours of your appointment time.

(D) This will allow us to make the appointment time available to others.

訳 [3.] 弊社にお越しの時間帯での駐車場の確保を喜んでいたします。さらに、もしそのご予約をキャンセルされる場合は、遅くともご予約時刻の24時間前までにお願いします。

(A) もしご予約のキャンセルのお電話を頂戴しない場合は、50ドルご請求申し上げます。

(B) もし私どもにお越しの際に駐車場を確保なさりたければ、私どもの担当者にご連絡ください。

(C) ご予約の24時間以内にキャンセルをされた場合は30ドルご請求申し上げます。

(D) このことにより、ほかのお客様に駐車場をお使いいただけます。

2 空所後の文中の代名詞に注意する

空所直後の文中に代名詞があれば、それが指すものを選択肢と照合します。

◎**見極めポイント**☞空所後のTheyは人を指すので、人を含む選択肢を探す

空所直後の文のTheyは「駐車場を確保する人」ですね。人を含む選択肢を探し、(B)のour office representatives「弊社の担当者」がこのTheyであると推測できます。選択肢全体で意味が通るので正解は(B)と判断します。

3 空所前後の文と選択肢に共通している語句を探す

正解の選択肢は、前後の文と共通のキーワードを含む場合が多いので、まず空所前後の文を見て、その文内のキーワードを頭に入れて選択肢をスキャンしましょう。選択肢にキーワードとその関連語が見つかれば、その選択肢は正解の可能性が高いと判断できます。

例えば、同じ問題をこのアプローチで解いてみると、空所直後の文からhappy、reserve a parking space、appointmentというキーワードが抽出できます。これらのキーワードと関連語を含む選択肢は(B)と(D)なので、この2つから検討すれば、(A)と(C)を検討する時間を省略できます。

サンプル問題

Part 6

文書内の空所に当てはまる語句や文を 4 つの答えの中から選び、下記の解答欄の (A) ~ (D) のいずれかにマークしてください。

Questions 1-4 refer to the following e-mail.

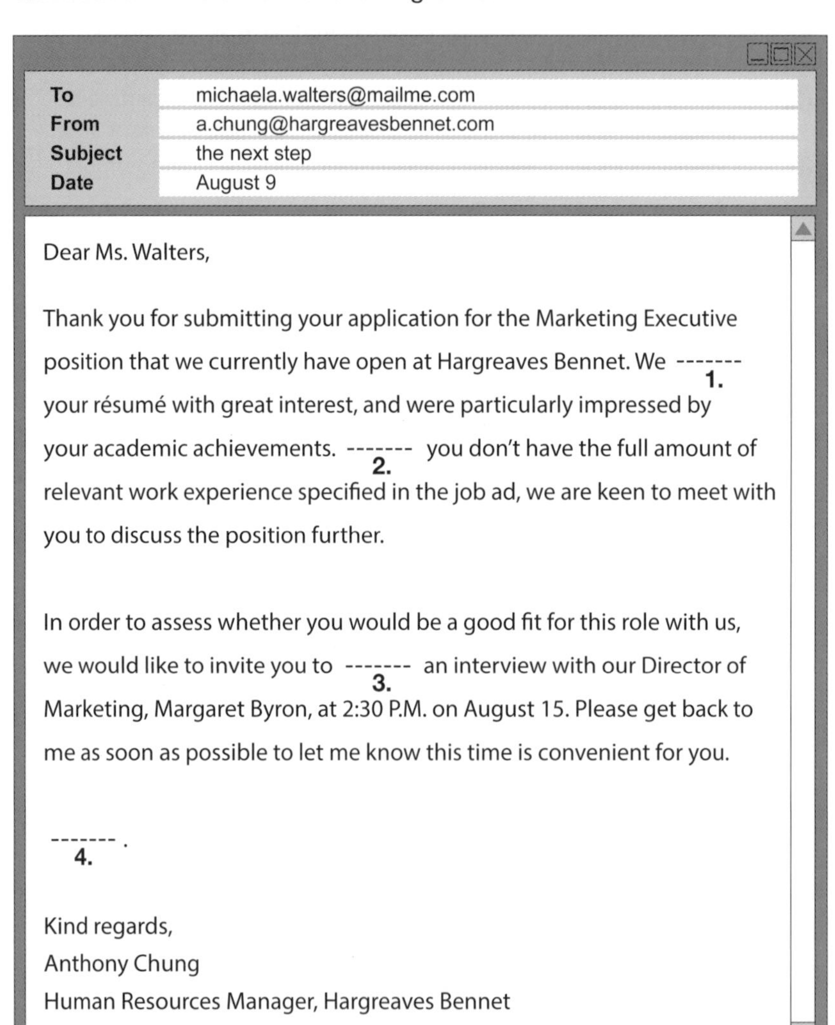

To	michaela.walters@mailme.com
From	a.chung@hargreavesbennet.com
Subject	the next step
Date	August 9

Dear Ms. Walters,

Thank you for submitting your application for the Marketing Executive position that we currently have open at Hargreaves Bennet. We -------(1.) your résumé with great interest, and were particularly impressed by your academic achievements. -------(2.) you don't have the full amount of relevant work experience specified in the job ad, we are keen to meet with you to discuss the position further.

In order to assess whether you would be a good fit for this role with us, we would like to invite you to -------(3.) an interview with our Director of Marketing, Margaret Byron, at 2:30 P.M. on August 15. Please get back to me as soon as possible to let me know this time is convenient for you.

-------(4.) .

Kind regards,
Anthony Chung
Human Resources Manager, Hargreaves Bennet

61 ワークシート

1. (A) are reading
(B) will read
(C) will be read
(D) read

2. (A) However
(B) Although
(C) Therefore
(D) Since

3. (A) access
(B) place
(C) attend
(D) participate

4. (A) We will contact you with the interview's time and date.
(B) I look forward to hearing from you.
(C) Thank you for agreeing to join our company.
(D) I wish you best of luck in your new job.

1.	Ⓐ Ⓑ Ⓒ Ⓓ
2.	Ⓐ Ⓑ Ⓒ Ⓓ
3.	Ⓐ Ⓑ Ⓒ Ⓓ
4.	Ⓐ Ⓑ Ⓒ Ⓓ

Questions 1-4 の攻略

文書タイプを確認し、パラグラフごとに文書の流れを把握する

1. (A) are reading
(B) will read
(C) will be read
(D) read

2. (A) However
(B) Although
(C) Therefore
(D) Since

3. (A) access
(B) place
(C) attend
(D) participate

4. (A) We will contact you with the interview's time and date.
(B) I look forward to hearing from you.
(C) Thank you for agreeing to join our company.
(D) I wish you best of luck in your new job.

重点攻略 10

●適切な動詞の形を選ぶ問題
①時制、②態、③人称の 3 点に注意

動詞問題では、この 3 点を確認します。時制についてみると、(A) は現在進行形、(B) と (C) は未来、(D) は現在または過去ですね。時制の特定には、空所を含む文だけでなく、前後の文脈が手がかりになる場合もあります。

重点攻略 11

●適切な接続表現を選ぶ問題
カンマの有無にも注意する

このタイプの問題では、選択肢に接続詞（although、since 等）や接続副詞（however、therefore 等）だけでなく、前置詞句（because of、in spite of 等）が並ぶ場合もあります。接続副詞は文全体を修飾し、文頭では直後にカンマをつけて用いられることも解答のヒントになります。

重点攻略 12

●適切な語を選ぶ問題（動詞）
名詞との結びつきをチェックする

選択肢に異なる動詞が並ぶ問題では、名詞ときちんと結びつくかを確認します。ここでは空所後の an interview を目的語としてとれる動詞を選びます。

難問攻略 15

●文挿入問題（適切な挿入文を選ぶ）
空所の直前の文を吟味する

文挿入問題は難問ですが、空所までの文書の流れをきちんと把握していれば解けます。特に空所の直前の文はしっかりと確認しましょう。この場合は、第 2 パラグラフが完結した後に空所があるので、空所はメール全体を締めくくる内容だろうと推測しましょう。

パラグラフごとに文書の流れを把握する

Questions 1-4 refer to the following e-mail.

To: michaela.walters@mailme.com
From: a.chung@hargreavesbennet.com
Subject: the next step
Date: August 9

Dear Ms. Walters,

Thank you for submitting your application for the Marketing Executive position that we currently have open at Hargreaves Bennet. We -------(1.) your résumé with great interest, and were particularly impressed by your academic achievements. -------(2.) you don't have the full amount of relevant work experience specified in the job ad, we are keen to meet with you to discuss the position further.

In order to assess whether you would be a good fit for this role with us, we would like to invite you to -------(3.) an interview with our Director of Marketing, Margaret Byron, at 2:30 P.M. on August 15. Please get back to me as soon as possible to let me know this time is convenient for you.

-------(4.) .

Kind regards,
Anthony Chung
Human Resources Manager, Hargreaves Bennet

問題 1-4 は次のメールに関するものです。

宛先：michaela.walters@mailme.com
差出人：a.chung@hargreavesbennet.com
件名：次のステップ
日付：8月9日

Walters 様

弊社 Hargreaves Bennet にて現在募集中のマーケティング部長職にご応募くださりありがとうございます。私どもでは貴女の履歴書を大変興味深く拝見し、とりわけその学績に感銘を受けました。求人広告にて明示しておりました職務経験は十分にはおもちでないものの、貴女にお目にかかり本職についてさらにお話をしたいと熱望しております。

貴女がこの職務に適任かどうかを見極めるため、8月15日午後2時30分に弊社マーケティング局長 Margaret Byron との面接をご案内いたします。この日時で問題ないかできるだけ早くご返事ください。

ご連絡をお待ちしています。
よろしくお願いいたします。

Anthony Chung
Hargreaves Bennet　人事部長

Check! 文書タイプ

following の後の文書タイプをまずチェックしましょう。Part 6 に頻出するのは e-mail や article で、そのほか letter、notice、web page、advertisement、information なども出題されています。

Check! ヘッダー

文書が e-mail、letter、fax、memo（=memorandum）などの通信文の場合、「宛先・差出人・件名・日付」をさっと確認しましょう。特にメールの件名は全体の趣旨を表しているので必ずチェックします。

ここでは、件名は Subject: the next step となっていて、進行上の次の手続きについてのメールだと推測できます。

Check! 第 1 パラグラフ第 1 文

宛先の Ms. Walters が求人に応募したことがわかります。差出人が採用側ですね。ビジネス通信文では通常、第 1 パラグラフの冒頭から用件を述べるので、第 1 パラグラフは第 1 文から丁寧に読むことが大事です。

Check! 第 1 パラグラフ最終文

be keen to do は「ぜひ〜したい」の意。Ms. Walters と会いたいという採用側の意思が伝えられていますね。

第 1 パラグラフは、空所があっても主語と動詞を中心にすべての文の意味を捉えながら読みましょう。特に第 1 文と最終文は大切です。

Check! 第 2 パラグラフ第 1 文

空所がありますが、invite you と an interview から「面接したい」と、面接時刻とともに伝えていることがわかります。

Check! 第 2 パラグラフ最終文

面接日時が問題ないか返信を求めています。

語句

- □ submit an application　応募書類を提出する
- □ currently　現在
- □ résumé　履歴書
  類義語に CV「職務経歴書」がある
- □ academic achievement　学業成績
- □ relevant　適切な、関連のある
- □ job ad　求人広告
- □ specified　明示された
- □ assess　〜を評価する
- □ get back to...　〜にあとで連絡する

PART 1 PART 2 PART 3 PART 4 PART 5 PART 6 PART 7

手順 ② 選択肢から問題タイプを見極めて、タイプ別チェックポイントを検討する

重点攻略 10 ●適切な動詞の形を選ぶ問題 文脈から適切な時制を選ぶ

1. (A) are reading
   (B) will read
   (C) will be read
   (D) read

設問タイプ別チェックポイント

手順 1 でみた通り、選択肢には異なる時制が並ぶので、3 つのチェックポイント（時制・態・人称）の中でまず最初に時制の確定を行うのが効率的です。

空所の属性を整理する

空所は主語の We を受ける動詞で、直後の your résumé を目的語として取っています。résumé は「履歴書」の意で、application「応募書類」（の 1 つ）だと考えられます。

時制を判断して正解を導く

第 1 文で Thank you for submitting your application と述べているので、メールの送信元は applications をすでに受け取ったことがわかります。ここから過去時制が適切だと判断できます。選択肢の中で過去時制を表せるのは (D) のみです。

念のため裏どり

念のため、空所を含む文の後半を見てみましょう。... and were particularly impressed by your academic achievements と過去形が使われています。「履歴書を読んだ / そして感銘を受けた」という意味で文意が通ります。選択肢の中で、過去形でありうるのは (D) read で、これが正解です。

(D) をマーク！

訳 (A) 読んでいる (B) 読むつもりだ (C) 読まれるだろう (D) 読んだ

重点攻略 11

●適切な接続表現を選ぶ問題

空所直後にカンマがないから接続詞

2. (A) However
(B) Although
(C) Therefore
(D) Since

接続語問題のチェックポイント

空所後を注意深く見て、空所の品詞を特定しましょう。

① 空所後に節が続く☞空所は接続詞 *e.g.* when/while など
② 空所後に名詞句が続く☞空所は前置詞(句) *e.g.* despite/owing to など
③ 空所直後にカンマ☞空所は接続副詞 *e.g.* moreover/altogether など

空所の属性を整理する

空所は文頭にあり、空所の直後に節［主語 + 動詞］you don't have... in the job ad, が続き、この節の後にもう 1 つ節が続いています。文頭の空所は 2 つの節をつなげる接続詞だと判断します。選択肢の中で接続詞として働くことができるのは (B) と (D) です。

☞ (A) However と (C) Therefore は接続副詞なので NG

空所前後の意味をとって正解を導く

接続詞が空所に入る場合は、接続詞が導く節と主節の意味を比べて判断します。この 2 つの節の意は「職務経験が十分ではない」と「面接したい」ですから、文意が成立するのは「経験が不十分でも、面接したい」だと考えられます。逆接の接続詞 (B) Although「～だけれども」が正解です。

(B) をマーク!

訳 (A) しかしながら (B) ～だけれども (C) それゆえ (D) ～なので

重点攻略 12

●適切な語を選ぶ問題（動詞）
自動詞・他動詞の別をチェック

3. (A) access
(B) place
(C) attend
(D) participate

適切な動詞を選ぶ問題のチェックポイント

まず空所に入るべき動詞が自動詞 / 他動詞のどちらか、空所直後の目的語の有無によって判断しましょう。つまり、空所直後に目的語（名詞または名詞句）が続けば他動詞です。そのほか、人称・時制・態も併せてチェックします。

空所の属性を整理する

空所は we would like to invite you to の次にあり、直後に an interview と名詞（目的語）が続くので、空所に適切なのは他動詞の原形です。

☞自動詞の (D) participate は NG

目的語をとるときに前置詞が必要なら、それは自動詞

自動詞・他動詞の区別をしっかり覚えていない場合は、選択肢の単語を用いて簡単な文を思い浮かべてみましょう。例えば、(D) participate なら、I participated in the contest.「私はコンテストに参加しました」のように、前置詞 in とセットで「～に参加する」の意を表しますね。このように前置詞を伴わないと目的語を取れない動詞は自動詞です。

名詞とうまく結びつくかチェックして正解を導く

次に手順 1 でも見たように、動詞が空所に入る場合は、名詞との結びつきをしっかり吟味します。直後の an interview「面接」という目的語とうまく結びつくのは「～に参加する」の意の (C) attend で、これが正解です。

(C) をマーク！

訳 (A) ～に接近する　(B) ～を置く　(C) ～に参加する　(D) 参加する

難問攻略 15 ●文挿入問題（適切な挿入文を選ぶ）矛盾する選択肢を消去していく

4. (A) We will contact you with the interview's time and date.
(B) I look forward to hearing from you.
(C) Thank you for agreeing to join our company.
(D) I wish you best of luck in your new job.

適切な挿入文を選ぶ問題のチェックポイント

難問攻略のカギ（*p*.220）でも解説した通り、空所前後の文中の副詞や接続表現、代名詞、キーワードに注意して選択肢を見て、正解の可能性が高い選択肢からチェックしていきます。

消去法を活用して正解を導く

ただ基本ルールにのっとっても、なかなかヒントが見えてこない場合もあります。そんなときは消去法を利用して、本文と矛盾する選択肢を消去していきます。この空所は直後に結辞（Kind regards,）があるので、メールの最終文にあたることもわかりますね。文書全体での空所の位置づけも1つのヒントになります。

(A) は「面接の日時について（後日）ご連絡します」の意。面接日時は第2パラグラフ第1文ですでに提案されていますね。矛盾するので消去します。
(B) は「ご連絡をお待ちしています」の意。前文（第2パラグラフ最終文）の「この日時が問題ないかできるだけ早くご返事ください」ともうまく結びつきますね。正解だと判断できますが、念のため他の選択肢も確認します。
(C) は「弊社に加わることに同意くださりありがとうございます」の意。まだ面接前で採用は決まっていないので NG です。
(D) は「新しい仕事でのご成功をお祈りしています」の意。メールの宛先の Ms. Walters は今、求職中で、「新しい仕事」は決まっていない点で、矛盾します。
以上から (B) が正解だと確認できます。 (B) をマーク！

訳 (A) 面接の日時についてご連絡します。
(B) ご連絡をお待ちしています。
(C) 弊社に加わることに同意くださりありがとうございます。
(D) 新しい仕事でのご成功をお祈りしています。

練習問題

Part 6

文書内の空所に当てはまる語句や文を 4 つの答えの中から選び、下記の解答欄の (A) ~ (D) のいずれかにマークしてください。

Questions 1-4 refer to the following announcement.

Sports4U to acquire HikeIt Clothing

The leading sports retail chain Sports4U announced Thursday its intention to acquire a majority shareholding in adventure sports apparel manufacturer HikeIt Clothing. In a press release, Sports4U owner Jordan Maxwell announced that the ------- (1.) had finally been concluded after months of negotiations with HikeIt's board of directors and major shareholders. The acquisition marks another advance by Sports4U into manufacturing, ------- (2.) its purchase of sports footwear manufacturer Silver Wear Inc. last quarter.

------- (3.). This growth prompted Sports4U to move into this lucrative field at the beginning of the year, when it opened a chain of specialty stores aimed at this market under the brand name Adventure Sports4U. The company will now ------- (4.) leverage its purchase of HikeIt as a key part of its strategy going forward.

1. (A) partnership
(B) requirement
(C) deal
(D) estimate

2. (A) follow
(B) follows
(C) followed
(D) following

3. (A) There has been a boom in adventure sports in recent years.
(B) The industry has been hit by increased manufacturing costs.
(C) Sports4U is preparing to cut costs and focus on core markets.
(D) Soccer and baseball saw a small dip in profits.

4. (A) was able to
(B) being able to
(C) be able to
(D) have been able to

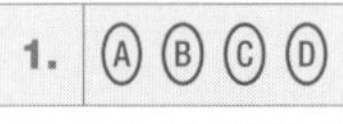
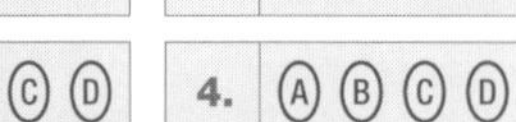
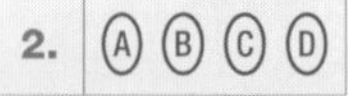

62 ワークシート

Questions 5-8 refer to the following notice.

Severe Weather Warnings

-------. That means keeping employees safe not only at work,
5.
but also on the way to work. -------, during periods of particularly
6.
hazardous weather, e-mail alerts will be sent out to all employees before 6 A.M. on working days. Information will be provided on ------- driving conditions, rail and bus service disruptions, and
7.
office closures. Please be sure ------- your e-mail at these times
8.
in order to keep up to date. Any office closures will also be announced on local radio station KCCB98.

5. (A) We at Solex Textiles care about customer convenience.
(B) Winter can be a busy season for businesses.
(C) Solex Textiles takes the safety of its staff very seriously.
(D) Please be aware that all our offices will be closed tomorrow.

6. (A) Because
(B) Furthermore
(C) Therefore
(D) Instead

7. (A) systematic
(B) sufficient
(C) reconstructed
(D) dangerous

8. (A) are monitoring
(B) to monitor
(C) are being monitored
(D) will monitor

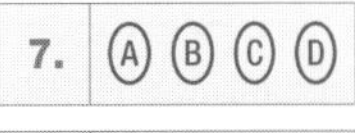

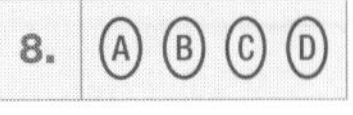

Part 6 練習問題の解答と解説

問題 1-4 の文書の流れ

Questions 1-4 refer to the following announcement.

Sports4U to acquire HikeIt Clothing

The leading sports retail chain Sports4U announced Thursday its intention to acquire a majority shareholding in adventure sports apparel manufacturer HikeIt Clothing. In a press release, Sports4U owner Jordan Maxwell announced that the -------(1.) had finally been concluded after months of negotiations with HikeIt's board of directors and major shareholders. The acquisition marks another advance by Sports4U into manufacturing, -------(2.) its purchase of sports footwear manufacturer Silver Wear Inc. last quarter.

-------(3.). This growth prompted Sports4U to move into this lucrative field at the beginning of the year, when it opened a chain of specialty stores aimed at this market under the brand name Adventure Sports4U. The company will now -------(4.) leverage its purchase of HikeIt as a key part of its strategy going forward.

訳 問題 1-4 は以下の発表に関するものです。

Sports4U が HikeIt Clothing を買収予定

大手スポーツ用品小売チェーンの Sports4U 社は木曜日、アドベンチャースポーツ衣料品メーカー HikeIt Clothing の過半数の株式を買い取るつもりであると発表しました。Sports4U 社オーナーの Jordan Maxwell 氏は、プレスリリースで、HikeIt 社の経営陣および主要株主との何カ月にもわたる交渉の末、ついに合意に達したと発表しました。この買収は前四半期にスポーツシューズメーカーの Silver Wear Inc. を買収したのに続き、Sports4U 社が製造事業においてさらに一歩前進することを意味します。

近年、アドベンチャースポーツ・ブームが続いています。この現象に後押しされる形で、Sports4U 社は今年の初めにこの収益性の高い分野に進出し、それに伴い同社は Adventure Sports4U というブランド名の下に同市場をターゲットとする専門店チェーンを立ち上げたのでした。同社は今後、前進するためのビジネス戦略の主要部門として、今回買収する HikeIt を利用できるようになるでしょう。

▼パラグラフごとに文書の流れを把握する

Check! 文書タイプ

followingの直後にannouncementとあるので「発表」だとわかります。

Check! タイトル

「Sports4U社、Hikelt Clothingを買収予定」の意です。タイトル（ヘッドライン）がついている場合、必ず本文を読む前に意味をとりましょう。article「記事」やnotice「お知らせ」などもタイトルを把握しておくことで、本文の内容が推測でき、読みやすくなります。なお、タイトルや記事の見出しではto不定詞はこれから起こることを表します。このタイトルも言い換えれば、Sports4U will acquire Hikelt Clothingとなります。

Check! 第1パラグラフ第1文

文書タイプに限らず、趣旨をつかむにはまず第1パラグラフ第1文をしっかりと頭に入れることが大切です。ここではタイトルの内容を補足して「大手スポーツ用品小売チェーンのSports4U社は木曜日、アドベンチャースポーツ衣料品メーカーHikelt Clothingの過半数の株式を買い取るつもりであると発表しました」と述べています。

Check! 第2パラグラフ第1文

文挿入箇所からパラグラフが改められているので、この場合は、直後の文を確認します。「この現象に後押しされる形で、Sports4U社は今年の初めにこの収益性の高い分野に進出した」の意です。主語This growthが文挿入箇所の正解のカギとなりそうですね。

語句

- □ acquire　～を獲得する、～を買い取る
- □ shareholding　株式保有
- □ apparel manufacturer　衣料品メーカー
- □ conclude　（契約など）を結ぶ、～と結論を出す
- □ shareholder　株主
- □ acquisition　獲得
- □ quarter　四半期
- □ prompt A to do　Aが～するように促す
- □ lucrative　利益の上がる
- □ specialty store　専門店
- □ leverage　～を活用する

重点攻略 12 適切な語を選ぶ問題（名詞）

難易度 ★★★

1. (A) partnership
(B) requirement
(C) deal
(D) estimate

解説

空所は that 節中の主語で、対応する動詞は had been concluded ですね。受動態であることに注意して、文意をとっていきます。空所の後には、after months of negotiations「何カ月にもわたる交渉の末」とあるので、「交渉がようやくまとまった」という文意だろうと推測できます。conclude の意は「契約などを締結する」。これに対応する主語は deal「契約、取引」です。

訳 (A) 事業提携
(B) 必要条件
(C) 契約、取引
(D) 見積もり

重点攻略 10 適切な動詞の形を選ぶ問題

難易度 ★★

2. (A) follow
(B) follows
(C) followed
(D) following

解説

適切な動詞の形を選ぶ問題では、空所が述語動詞の場合、時制・態・人称をチェックします。でもこの空所は The acquisition marks another advance by Sports4U into manufacturing, とすでに［主語 +（述語）動詞］を含む文の後にあることから、空所は (A) (B) (C) の述語動詞にはなり得ません。カンマの直後であることからも分詞構文をつくる ing 形が適切だと判断できます。

注 (A) 原形
(B) 3 人称単数現在形
(C) 能動態の過去形、または過去分詞
(D) ing 形

語句

□ **follow** ～（の後）に続く

難問攻略 15 文挿入問題（適切な挿入文を選ぶ）

難易度 ★★★

3. (A) There has been a boom in adventure sports in recent years.
(B) The industry has been hit by increased manufacturing costs.
(C) Sports4U is preparing to cut costs and focus on core markets.
(D) Soccer and baseball saw a small dip in profits.

解説

文挿入問題では空所の直前の文をしっかり見ることが重要です。ただ、この場合、新しいパラグラフの第 1 文が空所になっているので、This growth「この成長は」で始まる直後の文とのつながりに注目します。つまり、空所には This growth を説明している文が入ると考えられますね。選択肢の中で「成長」に類する肯定的な内容を表しているのは (A) だけで、これが正解です。

訳 (A) 近年、アドベンチャースポーツのブームが続いている。
(B) この業界は製造コストの上昇に痛手を受けている。
(C) Sports4U はコスト削減と主力市場に集中することに備えている。
(D) サッカーおよび野球分野では多少の利益の落ち込みを経験した。

語句

□ boom　ブーム
□ in recent years　近年
□ be hit by...　～に痛手を受ける
□ dip　下落、低下

重点攻略 10 適切な動詞の形を選ぶ問題

難易度 ★

4. (A) was able to
(B) being able to
(C) be able to
(D) have been able to

解説

主語 The company に対応する動詞を選ぶ問題です。空所の前に will (now) と助動詞があるので、この後にくる動詞は原形だとすぐに判断できますね。正解は be able to です。

同文は「同社は今後、前進するためのビジネス戦略の主要部門として、今回買収する HikeIt を利用できるようになるでしょう」の意になります。

注 (A) 過去形
(B) ing 形
(C) 原形
(D) 現在完了形

語句

□ be able to...　～することができる

問題 5-8 の文書の流れ

Questions 5-8 refer to the following notice.

Severe Weather Warnings

-------. That means keeping employees safe not only at work,
5.
but also on the way to work. -------, during periods of particularly
6.
hazardous weather, e-mail alerts will be sent out to all employees before 6 A.M. on working days. Information will be provided on ------- driving conditions, rail and bus service disruptions, and
7.
office closures. Please be sure ------- your e-mail at these times
8.
in order to keep up to date. Any office closures will also be announced on local radio station KCCB98.

訳　問題 5-8 は次のお知らせに関するものです。

悪天候時の警戒情報

Solex Textiles では従業員の安全を非常に重視しています。つまり、従業員が勤務中だけでなく通勤中も安全であるように配慮しています。したがって、特に危険な天候のときは平日の午前6時以前に、警戒情報を知らせるメールが全従業員に送信されます。車の運転が危険であること、鉄道およびバスの運休、事業所の休業などについての情報が届くでしょう。このようなときは必ずメールを常時チェックして最新情報を入手するようにしてください。当社のいずれかの事業所が休業になる場合は、地元ラジオ局 KCCB98 でも放送されるでしょう。

▼ パラグラフごとに文書の流れを把握する

Check! 文書タイプ

notice「お知らせ」です。

Check! タイトル

「悪天候時の警戒情報」の意。文書を読み始める前にタイトルから内容を推測しましょう。

Check! 第1文

第1文が空所なので、ここではThat meansで始まる第2文を確認します。このThatは前文の内容を指していますね。文全体では「つまり、従業員が勤務中だけでなく通勤中も安全であるように配慮しています」の意になります。

Check! 接続語が入る空所の前後

空所を除く文意は「特に危険な天候のときは午前6時以前に、警戒情報を知らせるメールが全従業員に送信されるでしょう」。空所に接続語が入る場合、空所前後の意味のつながりをチェックすることが必要です。

Check! 命令文

読み手に提案や依頼をする文は重要です。Pleaseで始まるこの命令文でも、読み手に「常時メールをチェックして最新情報を入手する」ことを求めていると推測できます。

語句

- □ weather warning　気象警報
- □ keep... safe　～の安全を保つ
- □ hazardous　危険な、有害な
- □ employee　従業員
- □ disruption　混乱、分裂
- □ keep up to date　最新情報から目を離さない
- □ closure　閉鎖

難問攻略 15　文挿入問題（適切な挿入文を選ぶ）

難易度 ★★★

5. (A) We at Solex Textiles care about customer convenience.
(B) Winter can be a busy season for businesses.
(C) Solex Textiles takes the safety of its staff very seriously.
(D) Please be aware that all our offices will be closed tomorrow.

解説

正解のヒントは空所直後の第２文にあります。That means... は「つまり～だということです」の意。代名詞 That は直前の内容を指しますから、第２文は第１文の言い換えだとわかりますね。第２文は「従業員が勤務中だけでなく通勤中も安全であるように配慮しています」の意。したがって正解は「従業員の安全を非常に重視しています」と述べる (C) です。

訳 (A) Solex Textiles では顧客にとっての利便性を重視しています。
(B) 冬は事業者にとって繁忙期かもしれません。
(C) Solex Textiles は従業員の安全を非常に重視しています。
(D) 明日は全事業所が休業となるので注意してください。

語句

□ **care about...** ～を大切にする
□ **take... seriously** ～を真剣に考える
□ **be aware that...** that 以下に留意する

重点攻略 11　適切な接続表現を選ぶ問題

難易度 ★★

6. (A) Because
(B) Furthermore
(C) Therefore
(D) Instead

解説

空所直後のカンマから、空所は接続詞のBecauseではないことが明白です。あとは空所前後の意味をとり、選択肢の語でうまく結びつくか調べます。空所前は「従業員の社内外での安全を重視している」、空所後は「危険な天候のときは警戒情報を知らせるメールが全従業員に送信される」と空所前の内容に基づく方策が述べられているので、空所には順接の接続副詞 Therefore が適切です。

訳 (A) ～なので
(B) さらに
(C) したがって
(D) その代わりに

語句

□ **because** 接続詞。［主語＋動詞］を従える
□ **furthermore** さらに
接続副詞。類義語に in addition や besides がある
□ **instead** その代わりに。［instead of + 動詞の ing 形（名詞）］は「（～すること）の代わりに」

重点攻略 12 適切な語を選ぶ問題（形容詞）

難易度 ★★

7. (A) systematic
(B) sufficient
(C) reconstructed
(D) dangerous

解説

形容詞の用法には、直後の名詞を修飾するものと動詞の補語として働くものとがあります。この場合は前者ですね。空所が修飾する直後の名詞 driving conditions との結びつきを意識して文意が成立する語を選びます。直前の文の「危険な天候時に従業員に情報がメール配信される」をふまえて、この文ではその具体例が示されていると考えます。したがって、正解は前文中の hazardous と同義の dangerous です。

訳 (A) 体系的な
(B) 十分な
(C) 再構築された
(D) 危険な

重点攻略 10 適切な動詞の形を選ぶ問題

難易度 ★★

8. (A) are monitoring
(B) to monitor
(C) are being monitored
(D) will monitor

解説

be sure to do は「必ず～する」の意で、これを知っているかどうかを問う問題です。正解は (B) で、Please be sure to monitor your e-mail.「必ずメールをチェックしてください」の意を表します。

仮にこれを知らなくても消去法で正解を得られます。選択肢には動詞 monitor「常にチェックする」のさまざまな形が並んでいます。空所は Please be sure で始まる命令文にあり、すでに be があることから空所には述語動詞は入り得ないため、(A) (C) (D) は NG と判断できます。

注 (A) 現在進行形
(B) to 不定詞
(C) 現在進行形の受動態
(D) 未来の表現

語句

□ monitor
～を常にチェックする、～を監視する

Check! Essential Words & Phrases ▶ No. 6

🔊 64

リーディングパート攻略のための、やや難解な重要動詞 100 (2)

E

- □ enhance　～を高める、～を向上させる
- □ entail　～を必要とする
- □ execute　～を実施する、～を処刑する

F

- □ facilitate　～を促進する
- □ fluctuate　(～を)変動する
- □ forge　(～を)築く

H

- □ house　～を収容する

I

- □ impair　～を損なう
- □ implement　～を実施する
- □ impose　(～を)課す、負わす
- □ incur　～を被る、～を負う
- □ initiate　～を開始する
- □ inject　～を注入する
- □ institute　～を制定する
- □ integrate　(～を)統合する
- □ interfere　妨害する
- □ intervene　介在する、口をはさむ
- □ invert　(～を)逆にする、逆になる
- □ itemize　～を箇条書きにする

L

- □ liquidate　清算する

M

- □ modify　～を修正する
- □ mount　(～を)取り付ける、登る

O

- □ outfit　～を備え付ける
- □ outweigh　～を上回る
- □ overdo　(～を)やりすぎる
- □ oversee　～を監督する、～を統括する
- □ overwhelm　～を圧倒する

P

- □ pertain to...　～に該当する
- □ plummet　急落する

R

- □ recount　～について詳しく話す
- □ rectify　～を是正する
- □ recur　繰り返される
- □ redeem　～を換金する、～を買い戻す
- □ refute　～に異議を唱える
- □ reimburse　～を返金する
- □ replenish　(～を)補給する
- □ revert to...　～に戻る
- □ revitalize　～を活性化する

S

- □ solicit　(～を)求める、勧誘する
- □ specify　～を明記する
- □ streamline　～を簡素化する、～を合理化する
- □ strive　努力する
- □ subside　弱まる、下がる
- □ subsidize　～に助成金を支払う
- □ surpass　～を超える、～を上回る

U

- □ undergo　～を経験する
- □ undertake　～を引き受ける
- □ unveil　～を公表する

W

- □ weigh　～を熟考する、重要である
- □ withstand　～に耐える、～に従う

Part 7
読解問題の攻略

750点を達成するための Part 7 対策

問題数 54 問

目標解答時間 55 分　目標正解数 39 問

どういう問題？

1つまたは複数の文書に関する設問について、それぞれ4つの選択肢から最もふさわしい答えを選ぶ問題です。問題数は1つの文書（シングルパッセージ）からの出題が29問、2つの文書（ダブルパッセージ）に関わる出題が10問、3つの文書（トリプルパッセージ）に関わる出題が15問です。

どういう流れ？

1 Directions（指示文）は読み飛ばす

テストブックには、最初に下記のDirections（指示文）が印刷されています。一度理解しておけばテスト時に指示文を読む必要はありません。

Directions: In this part you will read a selection of texts, such as magazine and newspaper articles, e-mails, and instant messages. Each text or set of texts is followed by several questions. Select the best answer for each question and mark the letter (A), (B), (C), or (D) on your answer sheet.

訳 指示：このパートでは、雑誌や新聞記事、メール、インスタント・メッセージなどのさまざまな文書を読みます。それぞれの文書や複数の文書の組み合わせには、設問が用意されています。各設問について最も適切な答えを選び、解答用紙にある(A)、(B)、(C)、(D)の記号にマークしてください。

2 文書を読み、設問に答える

指示文に続いて、問題が印刷されています。問題は、次のように文書、設問、選択肢という要素で構成されています。すべての問題に解答するには、1問あたり1分で解くようにします。つまり、下記のように設問が3つ付いていれば、文書を読む時間も含めて3分以内に解答する必要があります。

【例】

Questions 1-3 refer to the following article.

A Dance Celebration
by Michelle Baker

Moore, Co. Ewanstown (April 19) — The Moore Dance Company will showcase its newest members with a performance at Gabriel Theater next Saturday. —[1]—

Formed over 20 years ago through the efforts of professional dancers Meg Jones and Paula Shipley, the 40-member dance company has auditions each year. —[2]—

"The mission of our dance company is to develop the talent of people who can move on to become professional dancers for major dance companies all over the world," Ms. Jones explained.

The piece, entitled *Dance by the Lake*, will be performed to music played by the Moore County Symphony. —[3]—

The performance starts at 6:30 P.M., and it will be followed by a reception hosted by the Hamlin Café. —[4]— Tickets are €20, and they can be purchased online at mooredance.com/tickets.

1. What is the purpose of the article?

(A) To advertise a dance production
(B) To provide a company's earnings figures
(C) To introduce a new dance company
(D) To announce tryouts for a dance company

2. What is indicated about the performance?

(A) Tickets are already sold out.
(B) It is the orchestra's first concert.
(C) There will be an intermission.
(D) It will take place on the weekend.

3. In which of the positions marked [1], [2], [3], and [4] does the following sentence best belong?

"The one requirement is that an individual have no professional dance experience."

(A) [1]
(B) [2]
(C) [3]
(D) [4]

39問以上の正解を目指すために

Part 7は1つの文書を読んで2～4問に答えるシングルパッセージ（SP）問題が29問、2つの文書を読んで5問に答えるダブルパッセージ（DP）問題が10問、3つの文書を読んで5問に答えるトリプルパッセージ（TP）問題が15問、合計で54問出題されます。

750点を取るためには、約70%に相当する39問以上の正解を得ることが必要です。すでに600点前後を取っている方はPart 7で約60%、32問程度正解しているはずですから、到達目標まであと7問です。Part 7では39問以上の正解を目指して、本章で重点攻略と難問攻略に取り組みましょう。

Part 7の問題構成

まず出題される文書タイプを確認しておきましょう。

● Part 7の主な文書タイプ

文書タイプ	文書の例
1. 記事・お知らせ等	article、announcement、notice
2. ビジネス文書等	e-mail、letter、memo「社内通達」、invitation、invoice「請求書」、note「メモ」、form「記入用紙」、policy「方針」
3. 広告・プレスリリース等	(job) advertisement、press release
4. ウェブページ等	Web page、online review
5. 図表	table of contents「目次」、schedule、survey「調査」
6. テキストメッセージ、オンラインチャット	text-message chain、online chat discussion

ではPart 7の基本的な解き方を確認したあと、Part 7の難問である文挿入問題（適切な挿入位置を答える問題）の対策をしましょう。

Part 7の鉄則

鉄則1　1問1分で解く
鉄則2　簡単な問題から解く

Part 7は55分間で54問解くことが求められます。平均して1問約1分と高速で解く必要があります。これがPart 7の鉄則1です。そして難しい問題に手こずって精神的にも物理的にも慌てないために、1つの文書についている複数の問題は、やさしそうなものから解きましょう。これが鉄則2です。難しい問題は、他の問題を解きながら得られた情報も加えて最後に解けば、正解率も高まります。

Part 5 と Part 6 と連携して 75 分で目標正解数を得られるよう、しっかりタイムマネジメントしましょう。

基本的な解き方

手順① 設問を先読みして「日本語で」内容を頭に入れる

Questions 150-152 refer to the following article. のように、問題番号のある文中 following の後に文書タイプが記載されています。これをチェックしておくと、文書を誤解せずにすみます。

手順② 手順 1 で頭に入れた設問中のキーワードとその関連語で文書をスキャン。文書中にキーワード・関連語を探し当てたら、その周辺を丁寧に読み、解答する

その際、問題タイプ別のチェックポイントを意識すると、精度高く効率的に解答できます。

問題タイプ	難易度	問題タイプ別チェックポイント
1. 文書の目的を問う問題	★★	文書の第 1 パラグラフを丁寧に読む。第 2 パラグラフ以降はトピックセンテンス（各パラグラフ第 1 文）をチェックする
2. 職業 / 業種を問う問題	★★	選択肢にある職業の関連語を複数探して推測する
3. 読者対象を問う問題	★★	文書中の you（読者）に注意して、その特徴や所属グループが何かを探る
4. 推測問題	★★★	問われている対象と選択肢のキーワードを文書中にスキャンし、記述がある箇所をしっかり読んで判断する
5. 真偽を問う問題	★★	
6. 適切な挿入位置を選ぶ問題	★★★	挿入文中のキーワードや代名詞・副詞・接続表現に注意して本文をスキャンし、本文との「つながりポイント」を見極める
7. 詳細を問う問題	★★	ターゲットの語句をすばやくスキャンし、選択肢を検討
8. 特定の発言の意図を問う問題	★★★	特定された発言の直前直後をよくチェックする。対話全体の趣旨がわかりにくいときは各発言の第 1 文をすばやくチェックする
9. 図表問題	★★	表は横軸と縦軸の項目など構成要素をすばやくチェックする。表題も付いていれば確認する
10. クロスレファランス問題	★★★	複数の文書を参照して解くクロスレファランス問題では、複数の文書から得られる情報を統合して正解を導く
11. 語彙問題	★★	指定された単語は、必ず文書の当該部分での用法を参照して解答する

難問攻略のカギ

では、Part 7の中でも解くのに時間がかかりがちな「適切な挿入位置を選ぶ問題」の攻略法を身につけましょう。

適切な挿入位置を選ぶ問題の解法

次の例題を解いてみます。

ディレクションは以下の通りで、「[1]、[2]、[3]、[4] と記載された箇所のうち、次の文が入るのに最もふさわしいのはどれですか」の意。

引用符で囲まれる英文を文書中の4つの位置のうちどこに挿入するか解答します。

In which of the positions marked [1], [2], [3], and [4] does the following sentence best belong?
"I attribute this growth to the practical steps proposed in the information guide."
(A) [1]　(B) [2]　(C) [3]　(D) [4]

Portland Interchange Information Guide (Second Edition)
Foreword

At Tasty Burger, we rely on drive-throughs for approximately 50% of our business. When we learned that the interchange project had been approved, we were of course concerned that the closure of Jenson Road, where we have been located for 20 years, would have a negative impact on our profits. —[1]—So when the first edition of the *Portland Interchange Information Guide* was released, I immediately procured a copy. —[2]— What I found were a number of important strategies to maximize our profits while dealing with the lighter traffic that accompanied the road closures. While neighboring businesses saw their profits plummet, our restaurant has experienced a five percent increase in revenue since the project started. —[3]—

In addition to the practical solutions provided in the first edition of the guide, the new, second version offers stories from several business owners who have worked to improve their business revenue while the interchange project is underway. The information they provide on the steps they took to handle the problem is invaluable to all business owners in the area.—[4]—

Ralph Berger
Owner
Tasty Burger

（英文の訳は *p.*337）

手順 1　挿入文をよく読み、意味を理解し、挿入文中にヒントを探す。

手順 2　挿入文中の代名詞・副詞・接続表現（for example, や therefore 等）・キーワードと関連語に注意して、挿入箇所を検討し、本文との「つながりポイント」を見極める。

手順① 挿入文をよく読み、意味を理解し、挿入文中にヒントを探す

文全体は「私はこの成長を、この情報ガイドブックにおいて提案された具体的なステップのおかげだと考えています」の意ですね。挿入文中のキーワードは growth、practical steps、the information guide といった名詞(句)です。また代名詞 this も重要です。

I attribute this growth to the practical steps proposed in the information guide.

手順② 挿入文中の代名詞・副詞・接続表現・キーワード等に注意して、挿入箇所を検討し、本文との「つながりポイント」を見極める

this growth に着目します。this growth「この成長」と述べているからには、直前の文に「成長」に類する記述があるだろうと考えられます。this growth が本文の適切な箇所との「つながりポイント」のはずです。

このように this、that、it といった代名詞が文挿入問題では重要な働きをします。

文書に戻って「成長」関連の名詞や動詞による表現をスキャンしてみます。

[3] の前文を見てみると、growth 関連の語句として a five percent increase in revenue「5% の収益増」が見つかります。

おそらくこれが正しいつながりポイントだと推測できますが、念のため挿入文を続けてつながり方を確認しましょう。うまくつながるので正解は (C) です。

While neighboring businesses saw their profits plummet, our restaurant has experienced a five percent increase in revenue since the project started. I attribute this growth to the practical steps proposed in the information guide.

代名詞 this から直前に growth といえることが記述されていると推測する！

訳　近隣の企業が収益減となっているのに対し、私どものレストランはこのプロジェクトが開始して以来、5% の収益増となっています。私はこの成長を、この情報ガイドブックにおいて提案された具体的なステップのおかげだと考えています。

Part 7

文書を読み、それぞれの設問について最も適切な答えを 4 つの中から選び、下記の解答欄の (A) ～ (D) のいずれかにマークしてください。

Questions 1-3 refer to the following article.

A Dance Celebration
by Michelle Baker

Moore, Co. Ewanstown (April 19) — The Moore Dance Company will showcase its newest members with a performance at Gabriel Theater next Saturday. —[1]—

Formed over 20 years ago through the efforts of professional dancers Meg Jones and Paula Shipley, the 40-member dance company has auditions each year. —[2]—

"The mission of our dance company is to develop the talent of people who can move on to become professional dancers for major dance companies all over the world," Ms. Jones explained.

The piece, entitled *Dance by the Lake*, will be performed to music played by the Moore County Symphony. —[3]—

The performance starts at 6:30 P.M., and it will be followed by a reception hosted by the Hamlin Café. —[4]— Tickets are €20, and they can be purchased online at mooredance.com/tickets.

1. What is the purpose of the article?

(A) To advertise a dance production
(B) To provide a company's earnings figures
(C) To introduce a new dance company
(D) To announce tryouts for a dance company

2. What is indicated about the performance?

(A) Tickets are already sold out.
(B) It is the orchestra's first concert.
(C) There will be an intermission.
(D) It will take place on the weekend.

3. In which of the positions marked [1], [2], [3], and [4] does the following sentence best belong?

"The one requirement is that an individual have no professional dance experience."

(A) [1]
(B) [2]
(C) [3]
(D) [4]

1.	Ⓐ Ⓑ Ⓒ Ⓓ
2.	Ⓐ Ⓑ Ⓒ Ⓓ
3.	Ⓐ Ⓑ Ⓒ Ⓓ

Questions 4-7 refer to the following online chat discussion.

4:11 P.M. Priya Chauhan: Hey, so have you heard? We got feedback from the product management team. They want us to make some changes to our new phone design.

4:12 P.M. Roberto Fuentes: What kind of changes? We included all the features they asked for, despite all the difficulties we had implementing high-resolution audio.

4:12 P.M. Priya Chauhan: That's part of the problem. The manufacturing division estimates that with that feature, the phone will cost 20% more to make than we originally planned.

4:14 P.M. Roberto Fuentes: Then why not sell the phones at a higher price point to cover the increased manufacturing cost? It's a high-quality product, so customers should expect to pay a slightly higher price.

4:14 P.M. Priya Chauhan: That's the other problem. Our market analysis team believes the high-end smartphone market is oversaturated, with too many high-performance products competing for a small number of wealthy customers.

4:16 P.M. Roberto Fuentes: So we need to go back to the drawing board and modify the design to appeal to users on a lower budget. How do you suggest we go about that?

4:19 P.M. Priya Chauhan: Well, high-resolution audio is still a priority. It will make this product stand out from other smartphones in its price range. However, we can save a bit of money by using the older 96kHz system instead of the new 384kHz one.

4:19 P.M. Roberto Fuentes: Also, we can install a cheaper camera and a lower-resolution display. That should reduce costs a lot.

4:20 P.M. Priya Chauhan: That's a good idea. I'll draw up a plan and brief the rest of the engineering team at the meeting tomorrow morning.

66 ワークシート

4. In what department do the writers most likely work?

(A) Product management
(B) Manufacturing
(C) Market analysis
(D) Engineering

5. What is suggested about the smartphone market?

(A) There are too many advanced phone models.
(B) Only the most high-tech designs can succeed.
(C) The market for lower-budget phone models is shrinking.
(D) Cameras are the most important feature for users.

6. What is decided about high-resolution audio?

(A) It will be implemented as originally designed.
(B) They will drop the feature.
(C) They will use an older system.
(D) They were unable to develop a system for it.

7. At 4:16 P.M., what does Roberto Fuentes mean when he writes, “go back to the drawing board”?

(A) He needs to replace his drawing equipment.
(B) They need to redesign the product.
(C) He wants to ask the board to reconsider.
(D) He thinks the design is fine as it is.

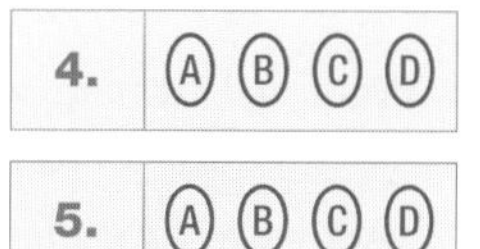

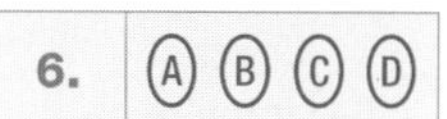

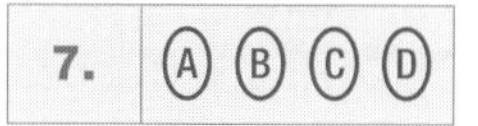

Questions 8-12 refer to the following article, timetable and review.

EXCITING NEW GAME ANNOUNCEMENTS EXPECTED AT WFGX

Washington (May 4th) — Opening today, this year's Washington Future Games Expo (WFGX) is shaping up to be one of the biggest events of the year for the video game industry. With nearly all the world's leading game producers setting up booths at the four-day event, there's a lot to look forward to for gamers excited about the next big thing.

Multisoft has already announced that it will show a playable version of its long-awaited virtual reality racing simulation "Speed Barrier"; Dolphin is set to unveil its new action-adventure game "A Different World"; and Serious Software is likely to bring this year's update of its "Serious Soccer" sports game franchise. However, we at *Gaming Monthly* are keeping an eye on Camco. There have been rumors for a while about a sequel to their hit "Bone Storm," and this year's WFGX would be the ideal setting for a surprise announcement. Game console developer Bob Peters of TU Systems will also be giving a talk and answering questions.

Finally, be sure to check out our magazine's panel discussion on the future of gaming, in which our writers will be joined by top game designers Ted Villeneuve and Zelda Harris.

PRESENTATION ZONE TIMETABLE - DAY 1

	Elite Zone	Frontier Zone	Danger Zone	Fantasy Zone
11:00 A.M.	Gamer Contest Round 1		Presentation (Multisoft)	Presentation (Dolphin)
12:00 P.M.	Gamer Contest Round 2	Discussion Panel (Gaming Monthly)	Playable demo (Multisoft)	
1:00 P.M.	Gamer Contest Quarter-Final		Talk (TU Systems)	
2:00 P.M.	Gamer Contest Semi-Final	Presentation (Camco)	Presentation (Serious Software)	Playable demo (Dolphin)
3:00 P.M.	Gamer Contest Final			

8. What will *Gaming Monthly* do at the Washington Future Games Expo?

(A) Make a surprise announcement
(B) Participate in a video game contest
(C) Unveil a new game for the first time
(D) Host a discussion with some game designers

9. At what time will Bob Peters be speaking?

(A) 11:00 A.M.
(B) 12:00 P.M.
(C) 1:00 P.M.
(D) 3:00 P.M.

67 ワークシート ＊上のパッセージのみ音声・ワークシートがあります。

"Blood Fire" Sets WFGX Alight!

The market for fighting games is huge and growing, but few games in the genre are as legendary as "Bone Storm." That's why there was so much excitement at this year's Washington Future Games Expo around the announcement of its sequel, "Blood Fire." Yes, "Blood Fire" is as violent as its predecessor – even more so, in fact. (Parents should be very careful in deciding whether to let their young ones play this game.)

However, the game's real strength is in how it combines a simple, easy-to-understand control system with exciting action that keeps you entertained. The graphics are similar to those in "Bone Storm," but much faster — which adds to the sense of action and excitement. "Blood Fire" is certain to be one of this year's biggest-selling games, and looks like it'll be setting a new standard for fighting games to come.

10. What is true about Camco?

(A) *Gaming Monthly* is paying very little attention to them.
(B) They are not planning to give a presentation.
(C) They have never released fighting games.
(D) They have announced their new title at WFGX.

11. What is implied about "Blood Fire"?

(A) It may not be suitable for children.
(B) It is less violent than "Bone Storm."
(C) The controls are difficult to understand.
(D) Its sales will likely be disappointing.

12. In the review, the word "strength" in paragraph 2, line 1, is closest in meaning to

(A) power
(B) sign
(C) merit
(D) personality

8. Ⓐ Ⓑ Ⓒ Ⓓ

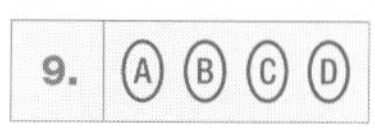

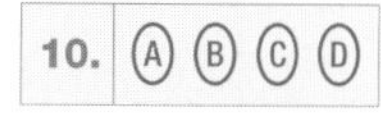

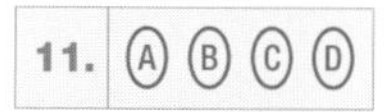

12. Ⓐ Ⓑ Ⓒ Ⓓ

Questions 1-3 の攻略

手順① 設問を先読みして本文検索用のキーワードを頭に入れる

1. What is the purpose of the article?

(A) To advertise a dance production

(B) To provide a company's earnings figures

(C) To introduce a new dance company

(D) To announce tryouts for a dance company

2. What is indicated about the performance?

(A) Tickets are already sold out.

(B) It is the orchestra's first concert.

(C) There will be an intermission.

(D) It will take place on the weekend.

3. In which of the positions marked [1], [2], [3], and [4] does the following sentence best belong?

"The one requirement is that an individual have no professional dance experience."

(A) [1]

(B) [2]

(C) [3]

(D) [4]

重点攻略 13

●文書の目的を尋ねる問題
選択肢にも目を通しておく

設問中、purposeの代わりにmain ideaが用いられることもあります。いずれにしてもこの設問自体には文書ごとの検索用キーワードはないので、選択肢にざっと目を通して選択肢中の名詞・動詞を頭に入れておきましょう。

難問攻略 16

●推測問題
問われているトピックは何か、キーワードを意識する

設問中にindicated やinferred、suggested、impliedなどがあれば推測問題です。about 以下に述べられるトピックを表す語（the performance）とその類語（例えばshow、showcase 等）をしっかり頭に入れます。これを本文を検索するときのキーワードとして用います。

難問攻略 17

●文挿入問題（適切な挿入位置を選ぶ）
挿入文の意味をとり、ヒントを探す

Part 6の文挿入問題と異なり、指定された挿入文の挿入位置を選ぶものです。まず挿入文の意味をとります。その上で挿入文中の名詞・代名詞、接続表現（However, / Therefore, / For example, など）に注意します。これらが前後の文とのつながりのヒントになります。

この挿入文は「唯一の資格要件はプロのダンサーとしての経験がないことである」とrequirement「資格要件」について述べていますね。代名詞や接続表現は使用されていないので、名詞に注目するとよいでしょう。

パラグラフごとに文書の流れを把握する

Questions 1-3 refer to the following article.

A Dance Celebration
by Michelle Baker

Moore, Co. Ewanstown (April 19) — The Moore Dance Company will showcase its newest members with a performance at Gabriel Theater next Saturday. —[1]—

Formed over 20 years ago through the efforts of professional dancers Meg Jones and Paula Shipley, the 40-member dance company has auditions each year. —[2]—

"The mission of our dance company is to develop the talent of people who can move on to become professional dancers for major dance companies all over the world," Ms. Jones explained.

The piece, entitled *Dance by the Lake*, will be performed to music played by the Moore County Symphony. —[3]—

The performance starts at 6:30 P.M., and it will be followed by a reception hosted by the Hamlin Café. —[4]— Tickets are €20, and they can be purchased online at mooredance.com/tickets.

訳 問題 1-3 は次の記事についてです。

ダンスの祝祭
文　Michelle Baker

Moore 社、Ewanstown 発（4 月 19 日）── Moore 舞踏団は次の土曜日、Gabriel 劇場で最新メンバーによるパフォーマンスを披露する。

プロダンサーの Meg Jones と Paula Shipley の尽力により 20 年以上前に作られ、今や 40 名のメンバーを擁するこの舞踏団は毎年オーディションを行っている。

「私たちの舞踏団の使命は世界中の一流舞踏団でプロのダンサーとして踊れるようになる才能を育成することです」と Jones さんは説明した。

Dance by the Lake（湖のほとりでのダンス）と題する作品は Moore 郡交響楽団による音楽に合わせて上演される予定である。

舞台は午後 6 時 30 分開始で、その後、Hamlin Café 主催のレセプションが催される。チケットは 20 ユーロで、ネットでは mooredance.com/tickets でチケットを購入できる。

Check! 文書タイプ

followingの後の文書タイプをチェックします。タイトルが付いている場合は（ここではA Dance Celebrationを）しっかり見ておきましょう。文書の趣旨を理解する際の重要な情報になります。e-mailやletter、memoなどの通信文については差出人・宛先・日付・件名など情報をチェックします。

Check! 第1パラグラフ

Moore舞踏団の公演の予告です。動詞showcaseはなじみが薄い単語かもしれませんが、助動詞willの直後にあることから動詞だと推測できますね。名詞として「ショーケース、陳列棚」の意を、動詞では「示す、展示する」の意を表します。

Check! 第2パラグラフ

20年前に創設されたこの舞踏団が毎年オーディションを行っていることがわかります。文頭のFormedは過去分詞。分詞構文なので主節の主語とbe動詞を補って、The 40-member dance company was (formed) と意味をとりましょう。

Check! 第4パラグラフ

演目等の情報が示されています。entitled Aは「Aというタイトルの」の意。named A「Aという名の」やcalled A「Aと呼ばれる」も同様の表現です。

Check! 第5パラグラフ

公演の開始時刻やチケットについての記述です。複数文から成るパラグラフでは、各文がどうつながっているのか、意識しながら読む習慣をつけましょう。ここでは「開始時刻 / 終演後のレセプションについて / チケット料金 / チケット購入方法」と公演の詳細が各文で並列的に書き記されています。

手順② 設問タイプ別チェックポイントを検討する

重点攻略 13

●文書の目的を尋ねる問題
各パラグラフの趣旨を第1文からつかむ

1. What is the purpose of the article?
(A) To advertise a dance production
(B) To provide a company's earnings figures
(C) To introduce a new dance company
(D) To announce tryouts for a dance company

設問タイプ別チェックポイント：文書の目的を尋ねる問題

1 第1パラグラフは全文を読む

基本的に文書の趣旨は第１パラグラフで述べるのがルールです。まずここを丁寧に読み、選択肢を絞っていきましょう。

☞第１パラグラフでは、The Moore Dance Company will showcase its newest members with a performance at Gabriel Theater next Saturday.「Moore 舞踏団は次の土曜日、Gabriel 劇場で最新メンバーによるパフォーマンスを披露する」と、公演の予定が告知されていますね。ここから、正解が (A) または (C) であると推測できます。

2 各パラグラフの第1文を読めば文書の概要がわかる

１つのパラグラフは、１つのトピックを伝えるために作られます。そして多くの場合、各パラグラフの第１文がその趣旨を伝える役目を担っていて、これをトピックセンテンスといいます。したがって、各パラグラフのトピックセンテンスを拾い読みしていくと文書全体の概要がわかるのです。

この article は各パラグラフとも１～２文ずつで、全文を読むのにそう時間がかかるわけではありませんが、全文を読むのに一定以上の時間がかかる長い文書でも、[第１パラグラフのみ全文＋第２パラグラフ以降は各パラグラフの第１文]

を読めば文書の概要がわかります。

☞正解は第 1 パラグラフからおそらく (A)、あるいは (C) だろうとすでに絞っています。つまり「舞踏公演の告知」か「舞踏団の紹介」かの二者択一ですね。これを決定づける材料を第 2 パラグラフ以降のトピックセンテンスをさっと読んで確認します。

3 正解の決め手を見極める

●第 2 パラグラフのトピックセンテンス

Formed over 20 years ago through the efforts of professional dancers Meg Jones and Paula Shipley, the 40-member dance company has auditions each year.「プロダンサーの Meg Jones と Paula Shipley の尽力により 20 年以上前に作られ、今や 40 名のメンバーを擁するこの舞踏団は毎年オーディションを行っている」

☞「20 年以上前に作られた」という記述と、(C) の「新しい舞踏団」という点が矛盾しているのでこれは誤りです。したがって正解は (A) です。

念のため、残りの文書のトピックセンテンスを見てみましょう。

第 3 パラグラフは引用文（Jones さんの発話）で、引用文は通常、直前に述べたことの補足的内容を示しているので、ここは趣旨の見極め材料として検討しなくても OK です。

第 4 パラグラフは上演予定の演目について、第 5 パラグラフは開演時刻等の情報を示しています。以上を総合すると、やはり正解は (A)「ダンスの上演について広告すること」だと確認できます。 (A) をマーク！

訳 この記事の目的は何ですか。
(A) ある舞踏公演の宣伝をすること
(B) ある会社の収益を公表すること
(C) 新しい舞踏団を紹介すること
(D) ある舞踏団のオーディションについて知らせること

難問攻略 16

●推測問題

いくつかの情報をもとに類推する

2. What is indicated about the performance?

(A) Tickets are already sold out.
(B) It is the orchestra's first concert.
(C) There will be an intermission.
(D) It will take place on the weekend.

設問タイプ別チェックポイント：推測内容を問う問題

1 問われている about 以下の名詞が何を指すか明確にする

手順 1 の復習になりますが、「～について何がわかりますか」と問う問題では、まず、about 以下のトピックが何を示しているのかを正確に理解することが大事です。設問中の about 以下の単語が本文には使用されておらず、別の単語に言い換えられている場合もあるので、注意してください。

ここでは about 以下の名詞は the performance となっています。第 1 パラグラフにそのまま出ていますから、舞踏団の「公演」のことだとすぐにわかります。

2 4 つの選択肢を頭に入れる

次に全選択肢をさっと読み、内容を頭に入れましょう。推測問題の選択肢は長めの文になっている場合が多く、すべて読むにはそれなりに時間もかかりますが、本文が長い場合は特に、この手順の方が正解への近道となります。

選択肢は名詞と動詞をキーワードとして意識しながら読んでいきます。英語でそのまま意味を頭にインプットしていければベターですが、(A)「チケットは売り切れ」、(B)「オーケストラの最初の公演」、(C)「幕間がある」、(D)「週末開催」のような形で全選択肢の意味を日本語で頭に入れるのでも OK です。

3 本文をスキャンし、選択肢のキーワードを見つけたら検討する

4 つの選択肢のキーワードを探しながら、本文をさっと見ていきます。そして、キーワードを見つけたら、その文をよく読み、選択肢との整合性を調べて解答します。一方、選択肢のキーワードが本文にない場合は、その選択肢の内容は書か

れていないからNGだと判断します。

ここで注意したいのは、本文をスキャンするとき、選択肢中のキーワードそのものだけでなく、類義語も対象にスキャンすることが大切だということです。例えば、この設問の選択肢の場合、次のような語もスキャンの対象にします。

●スキャン対象語に加えておきたいキーワードの類義語の例

●選択肢のキーワード	●これもスキャンする!
(A) sold out「売り切れ」	→ **booked up, run out**
(B) orchestra「オーケストラ」	→ **symphony**
concert「コンサート」	→ **performance, live show**
(C) intermission「幕間」	→ **interval, break**
(D) weekend「週末」	→ **Saturday, Sunday**

では各選択肢を検討してみましょう。

(A) sold out に関する情報は本文になく、第5パラグラフにはこの選択肢のもう1つのキーワードである tickets について「20ユーロでネットで買える」と示されています。内容がかみ合わないのでNGです。

(B) 第4パラグラフに orchestra の類義語 symphony が固有名詞 Moor County Symphony として出てきています。ただここでは「舞踏団の公演」の演奏をするオーケストラとして述べられていて、選択肢の内容とは異なります。

(C) intermission やその類語に関する語は本文に見当たらないので、この選択肢はNGと判断します。

(D) 第1パラグラフに next Saturday とあり、「公演が週末に開催される」という記述と一致するので、正解です。

(D) をマーク!

訳 パフォーマンスについて何が示唆されていますか。
(A) チケットはすでに売り切れている。
(B) そのオーケストラにとって初めてのコンサートである。
(C) 幕間があるだろう。
(D) その週末に開催される予定である。

難問攻略 17

●文挿入問題（適切な挿入位置を選ぶ）

ヒントを元に「つながりポイント」を見極める

3. In which of the positions marked [1], [2], [3], and [4] does the following sentence best belong?

"The one requirement is that an individual have no professional dance experience."

(A) [1]
(B) [2]
(C) [3]
(D) [4]

設問タイプ別チェックポイント：文挿入問題

1 挿入文のメッセージを記事全体の趣旨と重ね合わせて考える

手順 1 では挿入文の意味をとり、文中に潜んでいるかもしれないヒントに着目しました。このヒントを元に解答を探しますが、同時に、挿入文の記事全体における位置づけを意識してください。挿入文は The one requirement is that an individual have no professional dance experience.「唯一の資格要件はプロのダンサーとしての経験がないことである」でしたね。また記事全体の趣旨はダンス公演のお知らせであることが、特に設問 1 を解いたあとならわかっているはずです。つまり、挿入文中の the one requirement は、記事全体の中では、公演団体である Moore Dance Company に入るための資格要件のことを示していると推測できそうです。

2 挿入文のキーワード関連語「つながりポイント」を本文に探す

挿入文の字句通りの意味が理解できたら、選択肢に示された箇所 1 つずつに文を挿入して、適切につながるかどうか検討していってもかまいません。ただ、短時間で正解するためには、挿入文中の代名詞や名詞、接続表現などをヒントとして、それに関連する語や、対応する表現を本文に探していった方が効率的です。つまり、挿入文とその前文とを接着する「つながりポイント」を探すのです。

手順 1 でも見たとおり、この挿入文中には、代名詞や、文と文の位置関係を明確に示す手がかりとなる For example, などの接続表現は見つかりませんでした。残る「つながりポイント」は名詞です。前ステップで検討したように、挿入文のトピックでもある the one requirement「唯一の資格要件」の関連語を選択肢に示された位置の前文中に探していきましょう。

ターゲット the one requirement「唯一の資格要件」の関連語を探す！

(A) [1] の前文：The Moore Dance Company will showcase its newest members with a performance at Gabriel Theater next Saturday.

☞ The Moore Dance Company は関連語の一種ですが、挿入文中の the one requirement と強く結びつく関連語はないので NG。

(B) [2] の前文：Formed over 20 years ago through the efforts of professional dancers Meg Jones and Paula Shipley, the 40-member dance company has auditions each year.

☞ requirement「資格要件」の関連語がありましたね！ auditions「オーディション」です。オーディションに応募できる人の「資格要件」とつながりますね。正解の候補としてキープし、残る選択肢も念のため検討しておきましょう。

(C) [3] の前文：The piece, entitled *Dance by the Lake*, will be performed to music played by the Moore County Symphony.

(D) [4] の前文：The performance starts at 6:30 P.M., and it will be followed by a reception hosted by the Hamlin Café.

☞ (C) も (D) も the one requirement の関連語はないので NG と判断します。

(B) をマーク！

PART 1 PART 2 PART 3 PART 4 PART 5 PART 6 PART 7

coffee break

Part 7の文挿入問題の挿入文中には、しばしば代名詞や接続表現が含まれていて、これが大きなヒントになる場合が多々あります。

例えば、次のような文が挿入文として示されていたらどうでしょうか。

Also, you can get them at the box office from noon to 6 P.M.

ここでは文頭の Also, と them がカギとなります。挿入文の意は「また、正午から午後6時の間、チケット売り場でも買うことができます」となります。

Also,「それから」という語から、get them する手段が前に示されているだろうと考えましょう。また get them の them は何かを明確にとらえます。同文中の the box office「チケット売り場」から、tickets だと推測できますね。したがって、「ネットでチケットが入手できる」という最終文の後がこの挿入文の適切な位置となります。

訳 [1][2][3][4] と記載された箇所のうち、次の文が入るのに最もふさわしいのはどれですか。

「唯一の資格要件はプロのダンサーとしての経験がないことである」

Questions 4-7 の攻略

設問を先読みして本文検索用のキーワードを頭に入れる

4. In what department do the writers most likely work?

(A) Product management
(B) Manufacturing
(C) Market analysis
(D) Engineering

5. What is suggested about the smartphone market?

(A) There are too many advanced phone models.
(B) Only the most high-tech designs can succeed.
(C) The market for lower-budget phone models is shrinking.
(D) Cameras are the most important feature for users.

6. What is decided about high-resolution audio?

(A) It will be implemented as originally designed.
(B) They will drop the feature.
(C) They will use an older system.
(D) They were unable to develop a system for it.

7. At 4:16 P.M., what does Roberto Fuentes mean when he writes, "go back to the drawing board"?

(A) He needs to replace his drawing equipment.
(B) They need to redesign the product.
(C) He wants to ask the board to reconsider.
(D) He thinks the design is fine as it is.

基本攻略

●職業 / 業種を尋ねる問題
4つの選択肢をしっかりチェックする

チャット問題では、書き手の職業や部署を問う問題がよく出されます。選択肢の単語が本文にそのまま出ている場合もありますが、複数の語句から類推して答える問題も多く、その場合、難度は少し高くなります。

ここでは部署名を問われています。本文を読む前に、まず選択肢の部署名をしっかり頭に入れましょう。また、どのような業種の会社にも存在する一般的な部署名については日頃から覚えておきましょう。

例☞ sales「営業」、public relations (PR)「広報」、human resources (HR) または personnel「人事」、accounting「経理」など

難問攻略 16

●推測問題
各選択肢の意味をとる

まず about 以下で述べられている示唆の対象をチェックします。ここでは smartphone market「スマートフォン市場」ですね。次に各選択肢をスマホ市場での事柄と意識し、意味をしっかり理解します。(A) 「上位機種が過剰」、(B)「最高のスペックのみが成功」、(C)「低価格機種市場は縮小」、(D)「カメラが決め手」のようにスマホ市場と結びつけて意味を把握しておきます。

重点攻略 14

●詳細を問う問題
各選択肢の意味をとる

まず about の次にくるトピックをしっかりと認識することが大事。ここではその上で、本文を読む前に各選択肢のキーワード（おもに名詞・動詞）を頭に入れ、各選択肢の意味をつかんでおきましょう。不正解の選択肢は、「本文に出てくるキーワードを含んではいるけれど、文全体として伝える内容が間違っている」という作りになっていることが多いので、このトリックに引っかからないように。

難問攻略 18

●発言の意図を問う問題
引用部分をシンプルに理解する

オンラインチャットやテキストメッセージチェーンで毎回出題されるのが、書き手の意図を問う問題です。まず、指定された引用部分の字句通りの意味をとりましょう。drawing board は設計者や画家が使う「製図版、画板」のこと。

パラグラフごとに文書の流れを把握する

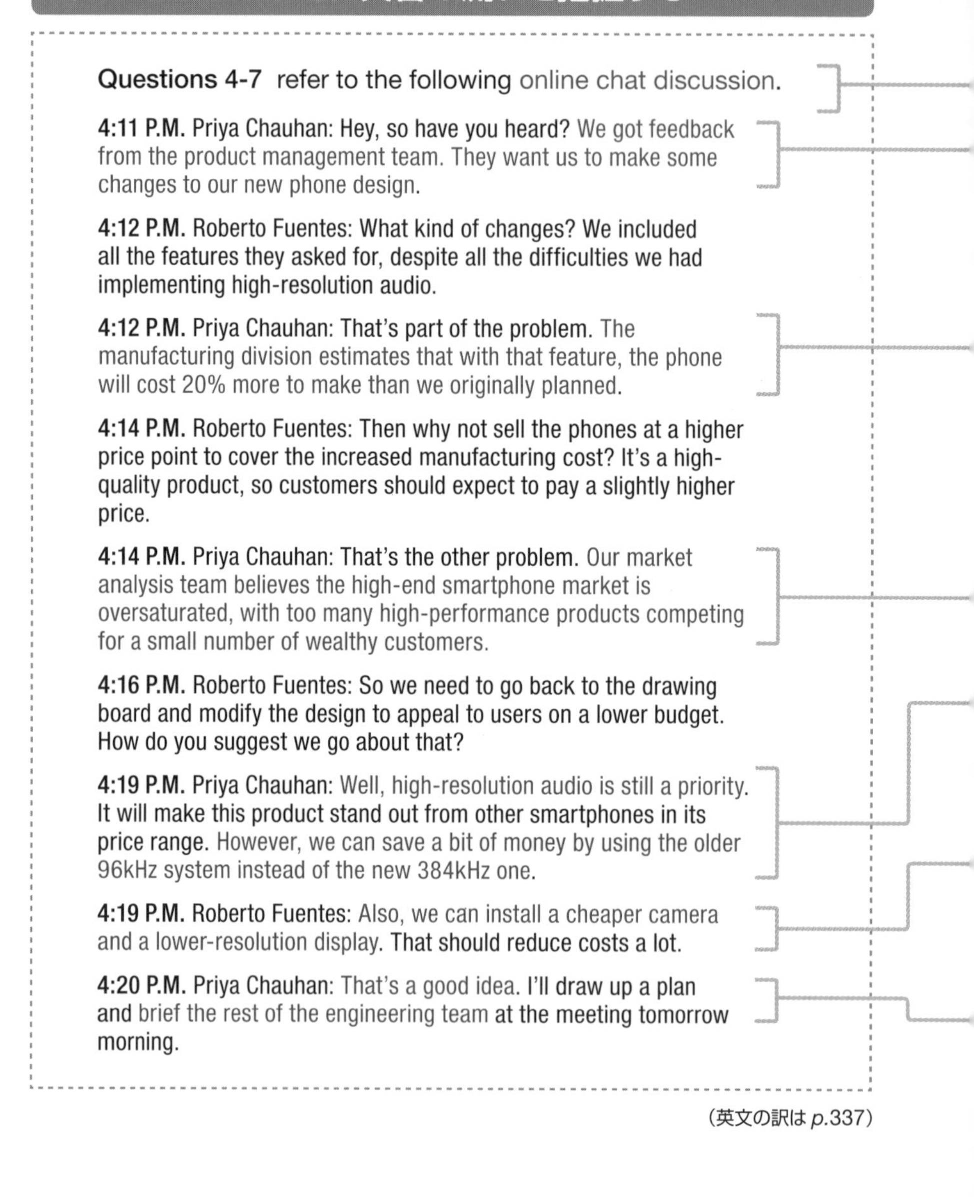

Questions 4-7 refer to the following online chat discussion.

4:11 P.M. Priya Chauhan: Hey, so have you heard? We got feedback from the product management team. They want us to make some changes to our new phone design.

4:12 P.M. Roberto Fuentes: What kind of changes? We included all the features they asked for, despite all the difficulties we had implementing high-resolution audio.

4:12 P.M. Priya Chauhan: That's part of the problem. The manufacturing division estimates that with that feature, the phone will cost 20% more to make than we originally planned.

4:14 P.M. Roberto Fuentes: Then why not sell the phones at a higher price point to cover the increased manufacturing cost? It's a high-quality product, so customers should expect to pay a slightly higher price.

4:14 P.M. Priya Chauhan: That's the other problem. Our market analysis team believes the high-end smartphone market is oversaturated, with too many high-performance products competing for a small number of wealthy customers.

4:16 P.M. Roberto Fuentes: So we need to go back to the drawing board and modify the design to appeal to users on a lower budget. How do you suggest we go about that?

4:19 P.M. Priya Chauhan: Well, high-resolution audio is still a priority. It will make this product stand out from other smartphones in its price range. However, we can save a bit of money by using the older 96kHz system instead of the new 384kHz one.

4:19 P.M. Roberto Fuentes: Also, we can install a cheaper camera and a lower-resolution display. That should reduce costs a lot.

4:20 P.M. Priya Chauhan: That's a good idea. I'll draw up a plan and brief the rest of the engineering team at the meeting tomorrow morning.

（英文の訳は *p.*337）

Check! **文書タイプ**

オンラインチャットやテキストメッセージチェーンでは、まず、何人の対話か確認してください。3 人以上のやりとりになっている場合もあります。

Check! **Priya**

We と us を使っていることから Priya と相手（Roberto）が同僚であり、彼らが最近設計を行った新しい電話について、製品管理チームから設計の変更依頼がきたことがわかります。design は、「設計する」の意の頻出語です。

Check! **Priya**

最初の That は Roberto が直前に述べた内容（ハイレゾ音声機能の実装）を指していて、それが問題の 1 つだ、当初の予定より経費が 20% 増になると述べています。

Check! **Priya**

That は Roberto の直前の発言（ハイエンド商品に見合った高価格をつければよいのではという意見）を指しています。市場分析チームが、一部の富裕層向けの高機能製品にしない方がいいと考えていることを伝えています。

Check! **Priya**

設計のやり直しに際して、問題のハイレゾ音声機能の実装は以前のシステムを使った上で残そうと伝えます。

Check! **Roberto**

安いカメラと低解像度のディスプレイの使用でコストを抑えようと提案をしています。we can は「～したらどうだろう」と提案するときにも用います。

Check! **Priya**

That's a good idea. は相手の意見に賛同する表現。brief は「～に説明する、～に要約して伝える」の意です。ここで the rest of は「残りの～」の意。the rest of the engineering team は「エンジニアリング・チームのほかの人たち」ということです。

手順② 設問タイプ別チェックポイントを検討する

基本攻略

●職業 / 業種を尋ねる問題

we/our/us など 1 人称の代名詞をチェックする

4. In what department do the writers most likely work?

(A) Product management
(B) Manufacturing
(C) Market analysis
(D) Engineering

設問タイプ別チェックポイント：職業 / 業種を尋ねる問題

1 選択肢の職業・職種名とその関連表現を本文に探す

オンラインチャット問題とテキストメッセージチェーン問題では、職業・職種を尋ねる設問が頻出しています。手順 1 で選択肢の職業を頭に入れたら、次は本文をスキャンして、選択肢の単語とその関連語を探しましょう。ここでは、選択肢の部署名がすべて Priya の発言に出てきていますね。

職業を問う問題は、それほどひねったものでなく、本文を丁寧に読んでいけば正解が得られることが多いのですが、選択肢の職業名が一つも本文には含まれていないケースも多いので、その場合は職業に関連した表現から類推して解答しましょう。

2 1人称の表現に注意する

チャットの中では、「私は A 社に勤めています」とか「私は経理部です」などと正解をストレートに言うことは稀なので、1 人称の表現に注意して、書き手が何をしているのか意識しながら本文をスキャンしていきます。

4:11 P.M. の発言で、Priya はまず We got feedback from the product management team.「製品管理チームが感想を言ってきたのよ」と言っています。ここから少なくとも (A) の product management team に属していないことがわかります。

また、次の第2文でThey want us to make some changes to our new phone design.「新しい電話の設計にいくつか変更を加えてほしいって」と述べています。our new phone designから書き手たちは新しい電話のdesignに関わっていることがわかります。

「デザインする人」というと、ファッションデザイナーなどを思い浮かべるかもしれません。でも、ここではdesignは「設計」の意で用いられていて、これがわかればこの時点で正解を類推することができます。ただ、確信がもてない場合、この段階では、消去法で(A)はNGと確定だけしておきましょう。

3 消去法を活用する

1でスキャンした選択肢の部署名が出てくる発言を見てみましょう。

(B) Manufacturingも、(C) Market analysisも書き手のPriyaにとって第三者として述べられていますね。The manufacturing division estimates . . .「製造部は～と見積もっています」のような形です。したがってNGです。このように、上記2のポイントを逆から見て、「1人称で表現されていない」という視点から誤答を消去していくこともよい方法です。

ここまでくると、残りの(D) Engineeringが正解だと判断できます。

消去法では自信がもてない方、4:20 P.M.のPriyaの発言をチェックしてください。I'll draw up a plan and brief the rest of the engineering team at the meeting tomorrow morning.「私がプランをまとめて、明日の朝の会議でエンジニアリング・チームのほかの人たちに説明するわ」と話していますね。the rest ofは「残りの～」の意。つまり、「私（Priya）とあなた（Roberto）以外のエンジニアリング・チーム」と言っています。正解は(D)と確認できます。

(D)をマーク！

訳 書き手たちはどの部署で働いていると考えられますか。
(A) 製品管理
(B) 製造
(C) 市場分析
(D) エンジニアリング

難問攻略 16

●推測問題

各選択肢中のキーワードの類語をまとめて手早く探す

5. What is suggested about the smartphone market?

(A) There are too many advanced phone models.
(B) Only the most high-tech designs can succeed.
(C) The market for lower-budget phone models is shrinking.
(D) Cameras are the most important feature for users.

設問タイプ別チェックポイント：示唆内容を問う問題

1 各選択肢のキーワード（関連語句）を本文に探す

各選択肢のキーワードとその関連語を本文に探していきます。(A) (B) のキーワードはほぼ同じ内容を表しているのでまとめてスキャンできますね。

(A) advanced phone models
(B) high-tech designs
　① a high-quality product (4:14 Roberto)、
　② high-end smartphone models (4:14 Priya)
(C) low-budget phone models
　③ on a lower budget (4:16 Roberto)
(D) cameras
　④ a cheaper camera (4:19 Roberto)

2 キーワード（関連語句）を含む文をチェックして選択肢と比べる

では上記のキーワード関連語句を含む文を 1 つずつ検討していきましょう。

① 4:14 P.M. Roberto Fuentes:...... It's a high-quality product, so customers should expect to pay a slightly higher price.

「これは高機能モデルなんだから、消費者は多少は高く払ってもいいと思うだろう」

☞ (A) (B) どちらの記述とも合致はしていないので、ひとまず正解のヒントではないと考えます。次の箇所を検討することにすばやく切り替えます。

② 4:14 P.M. Priya Chauhan: Our market analysis team believes the high-end smartphone market is oversaturated, with too many high-performance products competing for a small number of wealthy customers.

「市場分析チームは、ハイエンドのスマートフォン市場は飽和していると見ているの。過剰な数の高機能製品が少数の富裕層を狙って競合していると」

☞これは (A) の「上位機種が過剰だ」という記述と重なりますね。正解だと推測できます。

念のため、キーワード関連語句を含むもう 2 箇所も確認します。

③ 4:16 P.M. Roberto Fuentes: So we need to go back to the drawing board and modify the design to appeal to users on a lower budget.

「ということは、またプランニング段階に戻って、低価格商品を求めるユーザー層にアピールする設計に変更する必要があるんだね」

☞ (C) の記述と正反対の内容になっているので、(C) は誤答と判断します。

④ 4:19 P.M. Roberto Fuentes: Also, we can install a cheaper camera and a lower-resolution display. That should reduce costs a lot.

「それから、もっと安いカメラと低解像度のディスプレイを組みこもうか。そうすればかなりコストを抑えられるはずだ」

☞カメラとディスプレイはコスト節減のターゲットとして捉えられていることから、この商品で最も大事な機能であるという (D) の記述とは矛盾しますね。やはり誤答だと判断します。 (A) をマーク！

訳 スマートフォン市場について何が示唆されていますか。
(A) 上位機種が過剰に存在している。
(B) 最もハイテクな設計だけが勝ち残れる。
(C) 低価格モデルのマーケットは縮小している。
(D) カメラはユーザーにとって最も重要な機能だ。

重点攻略 14

●詳細を問う問題

ターゲットの語句をすばやくスキャンしたら、さくさく検討する

6. What is decided about high-resolution audio?

(A) It will be implemented as originally designed.
(B) They will drop the feature.
(C) They will use an older system.
(D) They were unable to develop a system for it.

設問タイプ別チェックポイント：詳細を問う問題

1 問われているトピックを本文に探す

手順1では、各選択肢についてキーワードを意識しながら、意味を把握しましたね。次は設問中のabout以下のトピック（この場合high-resolution audio）とその関連語をターゲットに本文をスキャンしましょう。

まずhigh-resolution audioは以下の2箇所に見られます。本文をじっくり読まずに5～10秒でスキャンが完了できれば上出来です。

① 4:12 P.M. Roberto Fuentes
② 4:19 P.M. Priya Chauhan

2 スキャンしたターゲット語句を含む文を検討する

では、上記1で見つけた2つの発話を確認してみましょう。

① 4:12 P.M. Roberto Fuentes: What kind of changes? We included all the features they asked for, despite all the difficulties we had implementing high-resolution audio.

「どんな変更？　頼まれた機能は全部入れたよね。ハイレゾ音声機能を実装するのがすごく大変だったけれどさ」

☞ここから、high-resolution audioは、彼らが求められた機能の1つで、とりわけ実装するのが難しかったが、要求通り設計に組み込めた機能だとわかりますね。したがって、実装できなかったとする(D)はNGです。まずこれを消去しましょう。despite「～にもかかわらず」は前置詞なので、後には名詞句が続きます。

② 4:19 P.M. Priya Chauhan: Well, high-resolution audio is still a priority. It will make this product stand out from other smartphones in its price range. However, we can save a bit of money by using the older 96kHz system instead of the new 384kHz one.

「そうね、ハイレゾの音声機能は優先すべきだわ。それがこの製品をこの価格帯の他社のスマートフォンよりも際立ったものにしてくれるでしょうから。でも、新しい384kHzシステムでなく、古い96kHzシステムを使って少しでもコストを削減したらどうかしら」

☞まず第1文でハイレゾ音声機能は継続しようと述べているので、(B) はNGです。ただ、コスト削減のため、前のシステムで導入してはどうかと第3文で明確に提案しています。「私たちは～できる」の意のwe can... は、この発話のように、「～したらどうか」と提案するときにもよく用いられる表現です。したがって、第3文の内容を言い換えた (C) They will use an older system. が正解です。元々の規格でハイレゾ音声機能を実装するという内容の (A) も同時にNGだと判断できますね。 (C) をマーク！

訳 ハイレゾ音声について何が決まっていますか。
(A) 元々の設計通りに実装される。
(B) その機能をなくす。
(C) 前のシステムを使用する。
(D) そのためのシステム開発ができなかった。

難問攻略 18

●発言の意図を問う問題

他の設問で得た情報も最大限利用する

7. At 4:16 P.M., what does Roberto Fuentes mean when he writes, “go back to the drawing board”?

(A) He needs to replace his drawing equipment.
(B) They need to redesign the product.
(C) He wants to ask the board to reconsider.
(D) He thinks the design is fine as it is.

設問タイプ別チェックポイント：発言の意図を問う問題

1 各発話の冒頭に注意して、会話の流れをつかむ

手順 1 で引用部分を含む 1 文の字句通りの意味を「(じゃあ) また製図板に戻る (ことが必要なの？)」だと理解したあとは、会話の中でのその発言の位置づけを意識して、選択肢を検討していきます。

オンラインチャットとテキストメッセージチェーンは、だいたい 8 ～ 10 発話の対話で構成され、全体では 150 語程度の文書になっている場合が多く、長い英文記事を読むときのような難解さはありません。

しかし、会話に特有の表現が使われたり、話者がさまざまな意見を言ったりするために、記事のワンパラグラフを読むより趣旨がわかりづらいという難点もあります。3 人以上の対話の場合は特にその傾向が強くなります。

そこで各発言の第 1 文に注意して、会話の流れをつかむことを心がけてください。また、第 1 文が 4:12 P.M. の Priya のように That's... で始まる場合は、その That は直前の相手の発言内容を受けていますから、そこにも目配りして、会話の大きな流れをくむようにしてください。

2 引用部分の直前の発言をチェックする

意図問題を解くときの最大のヒントは、引用部分の直前の発言です。この場合、引用部分は 4:16 P.M. の Roberto の発言中にあるので、その直前、つまり 4:14 P.M. の Priya の発言をチェックします。

That's the other problem. Our market analysis team believes the high-end smartphone market is oversaturated, with too many high-performance products competing for a small number of wealthy customers.

「それがもう１つの問題なの。市場分析チームは、ハイエンドのスマートフォン市場は飽和していると見ているの。過剰な数の高機能製品が少数の富裕層を狙って競合していると」

☞Priyaの冒頭の１文That's the other problem.「それがもう１つの問題なの」は、その直前（4:14 P.M.）のRobertoの発言「製造コストが高くなる分をカバーするために高価格で商品を販売すればいい」に対してのものですね。この流れをまずおさえましょう。そして「市場分析チームは高機能製品にはしない方がいいと考えている」とPriyaは述べています。

これを受けて、Robertoの「製図板にまた戻らないといけない」という発言がきているわけです。このように直前の流れを確認した上で、選択肢を１つずつ確認して消去法で正解を得ることもできますが、他の設問で得た情報を最大限利用すると、文脈理解がカギである意図問題は、かなり解きやすくなります。

問題５で見たように、PriyaとRobertoは電話の設計のやり直しが必要だと話していますから、Robertoは、go back to the drawing board againという表現によって、「電話の設計を最初からやり直す必要があるのか」とPriyaに尋ねていると推測できますね。したがって、正解は(B)です。因みにgo back to the drawing boardは、設計に限らず「最初の段階に戻ってやり直す」の意のイディオムです。しっかり覚えておきましょう。

(B)をマーク！

訳 午後４時16分にRoberto Fuentesが"go back to the drawing board"と書く際、何を意図していると考えられますか。
(A) 彼は製図機器を取り替える必要がある。
(B) 彼らは商品を再設計する必要がある。
(C) 彼は取締役会に再考するよう求めたい。
(D) 彼はその設計は現状のままでよいと考えている。

Questions 8-12 トリプルパッセージ問題の攻略

- 複数の文書タイプをまず確認する
- 設問を先読みし、本文検索用のキーワードを頭に入れる
- どの文書に正解のヒントがありそうか見当をつける

8. What will *Gaming Monthly* do at the Washington Future Games Expo?

(A) Make a surprise announcement
(B) Participate in a video game contest
(C) Unveil a new game for the first time
(D) Host a discussion with some game designers

9. At what time will Bob Peters be speaking?

(A) 11:00 A.M.
(B) 12:00 P.M.
(C) 1:00 P.M.
(D) 3:00 P.M.

10. What is true about Camco?

(A) *Gaming Monthly* is paying very little attention to them.
(B) They are not planning to give a presentation.
(C) They have never released fighting games.
(D) They have announced their new title at WFGX.

11. What is implied about "Blood Fire"?

(A) It may not be suitable for children.
(B) It is less violent than "Bone Storm."
(C) The controls are difficult to understand.
(D) Its sales will likely be disappointing.

12. In the review, the word "strength" in paragraph 2, line 1, is closest in meaning to

(A) power
(B) sign
(C) merit
(D) personality

基本攻略

●予定を問う問題
設問中の固有名詞をチェックする

設問に固有名詞が含まれる場合は、まずそれを文書 1 から順に探します。ほとんどのトリプル（ダブル）パッセージ問題では、5 問のうち最初の 1 問の解答ヒントは文書 1 にあります。見過ごさないようにしましょう。

難問攻略 19

●詳細を問うクロスレファランス問題
設問中のキーワードをスキャンする

詳細を問う設問自体は難度が低いのですが、トリプル（ダブル）パッセージ問題では、複数の文書から正解を導く場合が多いので、1 つの文書だけで解答を決めないよう注意が必要です。Bob Peters を各文書にスキャンします。

難問攻略 20

●真偽を問う問題
各選択肢の意味をとる

about の次にくるトピック（この場合は Camco）と選択肢を結びつけながら、各選択肢の意味を把握します。異なる時に書かれた文書を複数扱うトリプル（ダブル）パッセージ問題では、選択肢の時制にもよく注意してください。

難問攻略 16

●推測問題
トピックを文書に探す

推測問題では、複数の文書をクロスレファランスして解くものが多いので、1 文書で正解を決めきらないようにしましょう。まず about 以下のトピックをスキャンして該当箇所を丁寧に読みます。

基本攻略

●語彙問題
文書中での用法を必ず確認する

選択肢にさっと目を通した上で、問われている単語をすぐに探します。この場合、第 3 文書の「レビュー」、パラグラフ 2、1 行目の strength ですね。自分の知っている単語の定義が正解でない場合もあるので、注意が必要です。

📖 パラグラフごとに文書の流れを把握する ①

Questions 8-12 refer to the following article, timetable and review.

EXCITING NEW GAME ANNOUNCEMENTS EXPECTED AT WFGX

Washington (May 4th) — Opening today, this year's Washington Future Games Expo (WFGX) is shaping up to be one of the biggest events of the year for the video game industry. With nearly all the world's leading game producers setting up booths at the four-day event, there's a lot to look forward to for gamers excited about the next big thing.

Multisoft has already announced that it will show a playable version of its long-awaited virtual reality racing simulation "Speed Barrier"; Dolphin is set to unveil its new action-adventure game "A Different World"; and Serious Software is likely to bring this year's update of its "Serious Soccer" sports game franchise. However, we at *Gaming Monthly* are keeping an eye on Camco. There have been rumors for a while about a sequel to their hit "Bone Storm," and this year's WFGX would be the ideal setting for a surprise announcement. Game console developer Bob Peters of TU Systems will also be giving a talk and answering questions.

Finally, be sure to check out our magazine's panel discussion on the future of gaming, in which our writers will be joined by top game designers Ted Villeneuve and Zelda Harris.

訳 問題 8-12 は次の記事、スケジュール、レビューに関するものです。

WFGX で発表が期待されるエキサイティングな新作ゲームの数々

Washington（5 月 4 日）—本日始まった今年の Washington Future's Games Expo（WFGX）は、ビデオゲーム業界にとって今年最大のイベントの 1 つになりつつある。世界の主要ゲームメーカーのほぼ全社がこの 4 日間のイベント会場にブースを設けており、次なる大物を心待ちにしているゲーム愛好者にとっては楽しみなことが山積みである。

Multisoft 社はすでに、待望のバーチャルリアリティ・レースシミュレーション Speed Barrier のプレイ可能バージョンを展示すると発表している。Dolphin 社は新作のアクションアドベンチャーゲーム A Different World を発表する予定。そして Serious Software 社はスポーツゲームシリーズ Serious Soccer の今年の更新版を展示すると思われる。しかし、当 *Gaming Monthly* 編集部では Camco 社から目が離せない。同社のヒット作 Bone Storm の続編が出るという噂がしばらく前からあり、今年の WFGX は電撃発表のための格好の舞台となるかもしれないのだ。 TU Systems 社でゲーム機の開発を担当している Bob Peters 氏も講演を行って聴衆の質問に答える予定だ。

そして最後に、小誌主催のゲームの将来についてのパネルディスカッションにぜひともお立ち寄りを。このパネルディスカッションでは、小誌のライターたちがゲーム開発者として有名な Ted Villeneuve、Zelda Harris の両氏と討論することになっている。

Check! 文書タイプ

3つの文書の種類が順番に記されているのでしっかりと確認します。ここでは「記事」「タイムテーブル（予定表）」「レビュー」になっていますね。review はイベントなどの事後の評価を記すものです。

Check! タイトル

「WFGX で発表が期待されるエキサイティングな新作ゲームの数々」の意。タイトルは必ず確認して記事の全体像をつかみましょう。

Check! 第 1 パラグラフ

「Washington 発 5 月 4 日」の記事です。複数の文書は書かれた日が大幅に異なる場合もあるので、時を表す語句に注意して読みましょう。この日にゲームエキスポが始まったとあり、記事全体はこの紹介だろうと推測できます。

Check! 第 2 パラグラフの前半

第 1 文では「Multisoft 社はすでに、待望のバーチャルリアリティ・レースシミュレーション Speed Barrier のプレイ可能バージョンを展示すると発表している」とあります。続いて、Dolphin、Serious Software など他社の展示内容を示しています。be set to do は「～する予定」、be likely to do は「～するだろう」の意。

Check! 第 2 パラグラフの後半

however や but など逆接を表す語の後には、その前よりさらに重要なことや、筆者が焦点を当てていることを述べるのが常です。ここでは However, の後で、筆者が Camco 社に注目したいと述べていることに注意しましょう。また、ここからこの記事は *Gaming Monthly* という雑誌のものだとわかります。さらにパラグラフ最終文で、話題が Camco から Bob Peters of TU Systems に変わっていることにも気をつけてください。

Check! 第 3 パラグラフ

Gaming Monthly がパネルディスカッションを主催することを述べています。be sure to do は「必ず～してください」の意。

表のパーツを意識して、内容を把握する ②

PRESENTATION ZONE TIMETABLE - DAY 1

	Elite Zone	Frontier Zone	Danger Zone	Fantasy Zone
11:00 A.M.	Gamer Contest Round 1		Presentation (Multisoft)	Presentation (Dolphin)
12:00 P.M.	Gamer Contest Round 2	Discussion Panel (Gaming Monthly)	Playable demo (Multisoft)	
1:00 P.M.	Gamer Contest Quarter-Final		Talk (TU Systems)	
2:00 P.M.	Gamer Contest Semi-Final	Presentation (Camco)	Presentation (Serious Software)	Playable demo (Dolphin)
3:00 P.M.	Gamer Contest Final			

訳

プレゼンテーション会場（で開催されるイベント）の予定表　1日目

	エリートゾーン	フロンティアゾーン	デインジャーゾーン	ファンタジーゾーン
午前11時	ゲーマーコンテスト 第1回戦		プレゼンテーション (Multisoft)	プレゼンテーション (Dolphin)
正午	ゲーマーコンテスト 第2回戦	パネルディスカッション (Gaming Monthly)	プレイ可能なデモ (Multisoft)	
午後1時	ゲーマーコンテスト 準々決勝		トーク (TU Systems)	
午後2時	ゲーマーコンテスト 準決勝	プレゼンテーション (Camco)	プレゼンテーション (Serious Software)	プレイ可能なデモ (Dolphin)
午後3時	ゲーマーコンテスト 決勝戦			

Check! 文書タイプと表題

2 つめの文書は timetable「タイムテーブル（予定表）」です。この場合、タイトル部分にも明記されていてわかりやすいですが、例えば estimate「見積書」と invoice「送付状 / 請求書」のように一見見分けがつきにくいものもあるので、文書 1 の直前に問題番号とともに記された文書タイプをしっかり認識しておくことが必要です。

また、表題からこれはプレゼンテーション会場で行われるイベントの予定表だということおさえておきましょう。

Check! 表の項目（横軸）

図表が文書に含まれる場合、タイトルと横軸・縦軸の項目を意識的にチェックします。この場合、横軸にはどれも「～ Zone」とあって、プレゼンテーション会場の中に 4 つのゾーンがあることがわかります。

Check! 表の項目（縦軸）

この表の縦軸には時刻が記されていますね。縦軸と横軸が交わる部分にイベント名が記されていることも確認できます。

Check! 表の構成要素

縦軸と横軸が交わる部分はイベント名ですが、その下にカッコ書きで何か記されているものもあります。大文字で始まる固有名詞ばかりが並ぶので、イベントの主催者（社）だろうと推測できます。

パラグラフごとに文書の流れを把握する ③

"Blood Fire" Sets WFGX Alight!

The market for fighting games is huge and growing, but few games in the genre are as legendary as "Bone Storm." That's why there was so much excitement at this year's Washington Future Games Expo around the announcement of its sequel, "Blood Fire." Yes, "Blood Fire" is as violent as its predecessor – even more so, in fact. (Parents should be very careful in deciding whether to let their young ones play this game.)

However, the game's real strength is in how it combines a simple, easy-to-understand control system with exciting action that keeps you entertained. The graphics are similar to those in "Bone Storm," but much faster — which adds to the sense of action and excitement. "Blood Fire" is certain to be one of this year's biggest-selling games, and looks like it'll be setting a new standard for fighting games to come.

訳 Blood Fire が WFGX に火をつける！

格闘ゲームの市場は極めて大きく、成長し続けているが、この分野で Bone Storm ほどよく知られたゲームはそれほど多くない。したがって、その続編 Blood Fire が今年の Washington Future Games Expo で発表されると、会場は興奮に包まれた。確かに、Blood Fire は前作と同じく、いや実際、それ以上に、暴力シーンが多い（保護者は自分の子どもにこのゲームをさせるべきか判断するときは慎重になるべきである）。

しかし、このゲームの真の強みは、簡単でわかりやすい操作方法と、ユーザーを絶え間なく楽しませてくれるエキサイティングなアクションとを兼ね備えていることにある。グラフィックスは Bone Storm とあまり違いはないが、はるかに速い。それがアクション感覚と興奮をさらに高めてくれる。 Blood Fire が今年のベストセラーゲームの 1 つとなるのは明らかであり、これは今後の格闘ゲームのために新しい基準を 1 つ設定することになるだろうと思われる。

Check! タイトル

「Blood Fire が WFGX に火をつける！」の意味です。文書タイプは review「レビュー」なので、「Blood Fire が WFGX で注目の的」だったという内容だと予測できますね。

Check! 第 1 パラグラフの第 1 文

「格闘ゲームの市場は極めて大きく、成長し続けているが、この分野で Bone Storm ほどよく知られたゲームはそれほど多くない」と述べています。特に but の後が重要で、レビュー全体のトピックを提示していると考えられます。

このレビューは 2 つのパラグラフから成る短めのものですが、多数のパラグラフから成る長めの文書でも、各パラグラフの第 1 文はしっかりと読んで意味を理解しましょう。

Check! 固有名詞

前記の第 1 文に固有名詞 Bone Storm が出てきているので、異なる固有名詞が出ているこの文をチェックして、2 つがどう位置づけられているのか見ていきます。ここでは「Bone Storm の続編として発表された Blood Fire は、前作と同じく、いや実際、それ以上に、暴力シーンが多い」と述べています。

Check! 第 2 パラグラフの第 1 文

however や but を見たらその後の記述に注意しましょう。より重要なことを述べる場合が多いのです。ここでは、「しかし、このゲームの真の強みは、簡単でわかりやすい操作方法と、ユーザーを絶え間なく楽しませてくれるエキサイティングなアクションとを兼ね備えていることにある」と Blood Fire の最大の特長についてふれています。

Check! but の後

ここにも but があるので、その後をしっかりチェックしましょう。ここでは「(グラフィックスは Bone Storm とあまり違いはないが) はるかに速い。それがアクション感覚と興奮をさらに高めてくれる」と Blood Fire の特長を述べています。

手順② 設問タイプ別チェックポイントを検討する

基本攻略

●予定を問う問題

5問中の1問目は文書1に正解を探す

8. What will *Gaming Monthly* do at the Washington Future Games Expo?

(A) Make a surprise announcement
(B) Participate in a video game contest
(C) Unveil a new game for the first time
(D) Host a discussion with some game designers

設問タイプ別チェックポイント：予定を問う問題

1 設問中のキーワードを含む文を丁寧に読む

これまでの出題傾向からすると、トリプル（ダブル）パッセージ問題の第1問は、ほとんど文書1に正解のヒントがあります。まず手順1でピックアップした設問中の固有名詞を文書1から探してみると、次のように、文書1のパラグラフ1と2に見つかります。

キーワード❶ **Washington Future Games Expo**

Opening today, this year's Washington Future Games Expo (WFGX) is shaping up to be one of the biggest events of the year for the video game industry.

☞ Washington Future Games Expo というビデオゲーム業界最大のイベントの1つが今日始まったことがわかります。

キーワード❷ ***Gaming Monthly***

However, we at *Gaming Monthly* are keeping an eye on Camco.

☞設問中の主語 *Gaming Monthly* は、Camco に注目している、とあります。

ただ、以上の文とその周辺を見ても、選択肢と合致するものはありません。

2 書き手を表す１人称の代名詞に注意する

そこで、キーワード②が述べられている箇所をもう一度よく見ると、we at *Gaming Monthly* とありますね。ここからこの記事の筆者は *Gaming Monthly* 自身だとわかります。*Gaming Monthly* の名称から、月刊のゲーム業界誌と推測できますね。

このように書き手が１人称複数の we を使うのは「私どもは」の意で、企業や団体を代表して意見を述べる場合です。そこで、we（our、us）をキーワードに再度この文書１をスキャンしてみます。

新たなキーワード❸ １人称複数の代名詞：we、our、us など

Finally, be sure to check out our magazine's panel discussion on the future of gaming, in which our writers will be joined by top game designers Ted Villeneuve and Zelda Harris.

☞ our magazine's panel discussion と our writers の中に our「私どもの」が見つかりました。ここから、*Gaming Monthly* がパネルディスカッションを WFGX で開くことがわかります。選択肢を見ると、(D) Host a discussion with some game designers が同じ意を表しています。

(D) をマーク！

coffee break

予定や可能性を表すフレーズに注目！

この問題タイプでは、次のようなフレーズを意識して、正解ヒントをキャッチしましょう。

・～する予定だ

□ be going to do　□ be scheduled to do
□ be doing　□ will be doing
□ be supposed to do

・～しそうだ

□ be likely to do

・～するところだ

□ be about to do

訳 *Gaming Monthly* は Washington Future Games Expo で何をしますか。
(A) 電撃発表を行う
(B) ビデオゲームコンテストに出場する
(C) 新作ゲームを初めて発表する
(D) ゲーム開発者とのディスカッションを主催する

難問攻略 19

●詳細を問うクロスレファランス問題

キーワードを含む文書から先に検討し、1文書で解答を特定しない

9. At what time will Bob Peters be speaking?

(A) 11:00 A.M.
(B) 12:00 P.M.
(C) 1:00 P.M.
(D) 3:00 P.M

設問タイプ別チェックポイント：詳細を問うクロスレファランス問題

1 設問と選択肢から見るべき文書を特定する：文書2→文書1

トリプル（ダブル）パッセージでは、この問題のように詳細を問う設問にクロスレファランス（複数の文書を参照すること）が必要なものが出題されることがあります。複数の文書を見る必要があることを前提として、効率よく正解を探せるようにしましょう。

この場合、選択肢に時刻が並ぶので、まず文書2のタイムテーブルに正解がありそうだと見当をつけ、設問の主語 Bob Peters を探します。しかし「流れ」のページで見たように、文書2には人物名は記されていませんね。そこで、Bob Peters をターゲットに他の文書をすばやくスキャンし、彼がどのイベントに関わっているのか、情報を探します。

すると文書1第2パラグラフの最終文に Bob Peters が見つかりますね。

Game console developer Bob Peters of TU Systems will also be giving a talk and answering questions.

「TU Systems社でゲーム機の開発を担当しているBob Peters氏も講演を行って聴衆の質問に答える予定だ」

2 2つの文書から正解を探し当てる：文書2→文書1→文書2

文書1に Bob Peters of TU Systems will also be giving a talk とあるのをすばやく見つけたら、文書2のタイムテーブルに戻って、TU Systems を探します。Bob Peters の行うイベントが talk であることもこの記述からわかり、探す

ときのカギにはなりますが、ここは talk より固有名詞 TU Systems で探した方が正解を得る効率がよいでしょう。 (C) をマーク！

PRESENTATION ZONE TIMETABLE - DAY 1

	Elite Zone	Frontier Zone	Danger Zone	Fantasy Zone
11:00 A.M.	Gamer Contest Round 1		Presentation (Multisoft)	Presentation (Dolphin)
12:00 P.M.	Gamer Contest Round 2	Discussion Panel (Gaming Monthly)	Playable demo (Multisoft)	
1:00 P.M.	Gamer Contest Quarter-Final		Talk (TU Systems)	
2:00 P.M.	Gamer Contest Semi-Final	Presentation (Camco)	Presentation (Serious Software)	Playable demo (Dolphin)
3:00 P.M.	Gamer Contest Final			

訳 Bob Peter 氏は何時に講演を行いますか。
(A) 午前 11 時
(B) 正午
(C) 午後 1 時
(D) 午後 3 時

難問攻略 20

●真偽を問う問題

別問題を解きながら得た情報と消去法を活用する

10. What is true about Camco?

(A) *Gaming Monthly* is paying very little attention to them.
(B) They are not planning to give a presentation.
(C) They have never released fighting games.
(D) They have announced their new title at WFGX.

設問タイプ別チェックポイント：真偽を問う問題

1 もっている情報を最大限活用して、選択肢を絞り込む

問題 8 を先に解くなかで、Camco が「*Gaming Monthly* が注目しているゲーム開発会社だ」という情報を文書 1 からすでに得ているはずです。第 2 パラグラフで However, we at *Gaming Monthly* are keeping an eye on Camco. と述べていましたね。ここから「*Gaming Monthly* はこの会社にほとんど注目していない」という (A) は真逆の内容で NG だとすぐにわかります。→ (A) を消去。

次にその直後の文を見てみます。

There have been rumors for a while about a sequel to their hit "Bone Storm," の中の代名詞 their は前文を受けて「Camco 社の」の意ですね。したがってこの文も Camco 社についての記述です。続く this year's WFGX would be the ideal setting for a surprise announcement から、Camco 社が今年の WFGX で発表をすることがわかるので、(B) も NG です。→ (B) を消去。

2 複数の文書で選択肢の真偽を検討する

2 つの選択肢が消去できたので、残り 2 つを検討しましょう。

(C) They have never released fighting games.

文書 1 から Camco 社は Bone Storm というヒットしたゲームをすでに発売したことがわかっています。ポイントは Bone Storm が fighting games「格闘ゲーム」の一種かどうかの判断ですね。そこで、イベントの種類と開催者（社）

しか記されていない文書2のタイムテーブルはスキップして、文書3を見ます。

文書3第1文は The market for fighting games is huge and growing, but few games in the genre are as legendary as "Bone Storm."「格闘ゲームの市場は極めて大きく、成長し続けているが、この分野で Bone Storm ほどよく知られたゲームはそれほど多くない」とあり、これが格闘ゲームの1種であることがわかります。したがって (C) は NG です。→ (C) を消去。

消去法によって残りの (D) が正解だと判断できます。ここで正解を (D) とマークして差し支えありませんが、念のため、(D) の内容をみておきます。

(D) They have announced their new title at WFGX.

文書3第2文に That's why there was so much excitement at this year's Washington Future Games Expo around the announcement of its sequel, "Blood Fire." とあり、文脈から Camco 社が新作 Blood Fire を発表したことがわかりますね。(D) が正解だと確認できます。

注意したいのは時制です。(D) は「すでに発表した」と現在完了時制となっているので、文書1の情報だけからは正解だと特定できません。時制が現在完了であることから、イベントの事後に書かれたレビュー（文書3）に正解のヒントがありそうだと見当をつけてすばやく文書3を見れば、効率よく解答できます。

(D) をマーク！

訳 Camco 社について正しいことは、次のどれですか。
(A) *Gaming Monthly* はこの会社にほとんど注目していない。
(B) 同社がプレゼンテーションをする予定はない。
(C) 同社が格闘ゲームを発売したことは一度もない。
(D) 同社は WFGX で新作を発表した。

難問攻略 16

●推測問題
正解がありそうな文書を先にチェックする

11. What is implied about "Blood Fire"?
(A) It may not be suitable for children.
(B) It is less violent than "Bone Storm."
(C) The controls are difficult to understand.
(D) Its sales will likely be disappointing.

設問タイプ別チェックポイント：推測問題

1 各選択肢のキーワード（関連語句）を本文に探す

問われているトピック Blood Fire は文書 3 のタイトルにも含まれていることから、まず文書 3 に着目することが大事です。選択肢のキーワードを頭に入れ、文書 3 の本文をスキャンして各キーワードとその関連語句を探してみましょう。

●選択肢のキーワード	●見つかったキーワードと関連語句
(A) not suitable for children	→ Parents, young ones
(B) less violent than "Bone Storm"	→ as violent as its predecessor
(C) controls、difficult to understand	→ easy-to-understand control system
(D) sales、disappointing	→ biggest-selling games

2 各選択肢のキーワード（関連語句）を本文に探す

では上記のキーワード関連語句を含む文を 1 つずつ検討していきましょう。

(A) → Parents、young ones を含む文を検討

Parents should be very careful in deciding whether to let their young ones play this game.
「保護者は自分の子どもにこのゲームをさせるべきか判断をするときは慎重になるべきである」と述べています。子どもに不向きであるという選択肢 (A) の記述に一致しますね。 (A) をマーク！

自信をもって最初の選択肢が正解だと判断できれば、そこで解答をマークし、次の問題に移って差し支えありません。

ここでは念のため、他の選択肢も手短かに検討します。

(B) → as violent as its predecessor を含む文を検討

"Blood Fire" is as violent as its predecessor – even more so, in fact.

「確かに、Blood Fire は前作と同じく、いや実際、それ以上に、暴力シーンが多い」とあるので、(B) の記述は誤りです。程度がより少ないことを示す劣等比較の less を見逃さないようにしましょう。predecessor は「先行するもの、前作」の意で、つまり Bone Storm のことです。　→ (B) は NG。

(C) → easy-to-understand control system を含む文を検討

However, the game's real strength is in how it combines a simple, easy-to-understand control system with exciting action that keeps you entertained.

「しかし、このゲームの真の強みは、簡単でわかりやすい操作方法と、ユーザーを絶え間なく楽しませてくれるエキサイティングなアクションとを兼ね備えていることにある」とあり、選択肢の内容に反しています。→ (C) は NG。

(D) → biggest-selling games を含む文を検討

"Blood Fire" is certain to be one of this year's biggest-selling games

「Blood Fire が今年のベストセラーゲームの 1 つとなるのは明らかであり」とあり、売上が悪い（disappointing）とする記述に反します。→ (D) は NG。

訳 Blood Fire について、どのようなことが示唆されていますか。
(A) 子ども向けではないかもしれない。
(B) Bone Storm よりは暴力シーンが少ない。
(C) 操作方法がわかりにくい。
(D) 売上は期待外れとなるだろうと思われる。

基本攻略

●語彙問題

本文での用法を必ず確かめて解答する

12. In the review, the word “strength” in paragraph 2, line 1, is closest in meaning to

(A) power
(B) sign
(C) merit
(D) personality

設問タイプ別チェックポイント：語彙問題

1 指定された箇所をすばやく見る

指定された箇所を見ずに設問と選択肢だけを見て答えようとすると、この場合だったら「strength の類義語は power かな」と判断してしまうかもしれませんが、これは禁物です。必ず、設問で指定された本文を見て、文意全体から判断してください。

トリプル（ダブル）パッセージ問題の語彙問題では、In the review, のように、どの文書を見るべきかが最初に指示されます。この場合 review は文書 3 ですね。すばやく文書 3 を見て、第 2 パラグラフの 1 行目から strength を見つけます。

However, the game’s real strength is in how it combines a simple, easy-to-understand control system with exciting action that keeps you entertained.

2 当該文だけで判断がつかなければ、文脈をチェックする

ここで、strength が使われている上記の文が「しかし、このゲームの真の強みは、簡単でわかりやすい操作方法と、ユーザーを絶え間なく楽しませてくれるエキサイティングなアクションとを兼ね備えていることにある」の意だとわかればすぐに正解は (C) と判断できます。 (C) をマーク！

が、この文全体を見ても、strength の意味がモヤッとしか伝わらない場合は、この文までの流れを見てみましょう。

文書3はタイトルが示す通り、Blood Fireの人気について書かれたレビューです。そしてstrength が使われている文の手前までは、「前作を凌ぐ暴力シーンが多いこの新作ゲームの発表がゲームエキスポで大きな関心を集めた」ことを述べています。

では、暴力シーンが多いことがこの新作の特長なのでしょうか。筆者はHowever, を文頭に用いて、「暴力シーンの多さではなく、このゲームの真の強みは……」と述べているのです。

このようにターゲットの語を含む文までの内容をつかむため、さかのぼって読んでいくと解答は見えてきます。時間は余計にかかりますが、解答に迷うときは、その文までの話の流れを整理してみましょう。

ただ1問に時間をかけ過ぎるとやさしい問題を解き残してしまうことにもなりかねません。リーディングテストで380点以上を目標とするならば、100問を75分で解ききり、75問以上を正解するためのタイムマネジメントが必要です。目安としてPart 7では1問に1分以上はかけないようにしましょう。

因みに、strengthは「長所、強み」の意で、対義語はweakness「短所、弱点」です。英文の履歴書ではたいていの場合Strengths and Weaknesses「自分の長所と短所」を述べることが求められています。

訳 レビューの第2パラグラフ1行目のstrengthという語に最も意味が近いのは
(A) 力
(B) 標識
(C) 長所
(D) 性格

練習問題

Part 7

文書を読み、それぞれの設問について最も適切な答えを 4 つの中から選び、下記の解答欄の (A) ～ (D) のいずれかにマークしてください。

Questions 1-4 refer to the following e-mail.

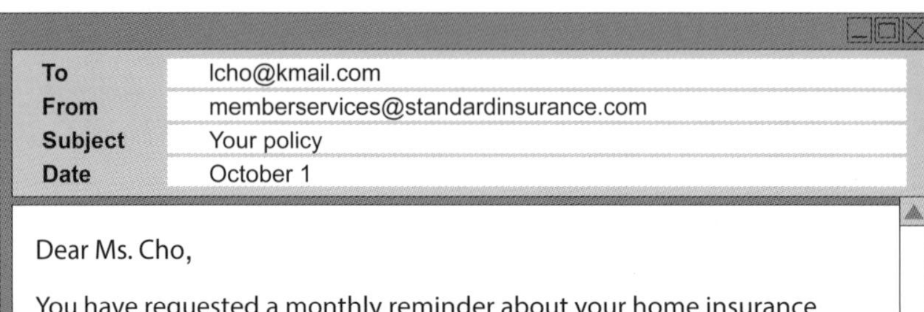

To	lcho@kmail.com
From	memberservices@standardinsurance.com
Subject	Your policy
Date	October 1

Dear Ms. Cho,

You have requested a monthly reminder about your home insurance payment with Standard Insurance. Your next payment is due on October 26. You have also chosen to use our monthly automatic payment option, so on that date, the amount of $38.00 will be automatically deducted from the checking account associated with your insurance account.

If you should have any questions about your home insurance payments, do not reply directly to this e-mail. Instead, please phone us at your earliest convenience. Our customer service representatives are available 24 hours a day, 7 days a week at (02) 555-1243.

If you would like to make any changes to your account, please log in to your account on our Web site at www.standardinsurance.com/accounts. Per government regulations, any changes you make to your account require us to contact you through the mail and indicate what changes were made.

We thank you for your business.

Sincerely,

The Standard Insurance member services team

1. Why was the e-mail sent?

(A) To announce an increase in charges
(B) To remind Ms. Cho about this month's payment
(C) To provide details of a payment from last month
(D) To ask for some account information to be updated

2. What is suggested about Ms. Cho?

(A) She is a new policyholder.
(B) She signed up for automatic payments.
(C) She is an employee of Standard Insurance.
(D) She has an automobile insurance contract.

3. What is indicated about Standard Insurance?

(A) It will soon change the design of its Web site.
(B) Its member services team can sell additional policies.
(C) It provides insurance policies to government employees.
(D) Its representatives can be reached at any time of the day.

4. According to the e-mail, how can Ms. Cho update her mailing address?

(A) By logging on to a Web site
(B) By making a telephone call
(C) By meeting with an insurance sales agent
(D) By contacting Standard Insurance via e-mail

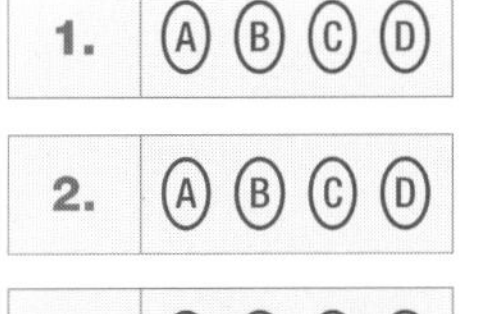

3. Ⓐ Ⓑ Ⓒ Ⓓ

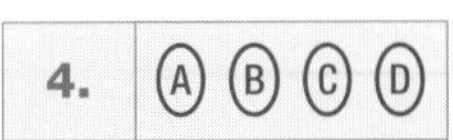

Questions 5-6 refer to the following text-message chain.

Greg Warner [4:40 P.M.]
The business management seminar ended just now.

Helen Anderson [4:43 P.M.]
Thanks for all your work. How was it?

Greg Warner [4:47 P.M.]
More people came than we expected. It was a big success.

Helen Anderson [4:51 P.M.]
Wonderful. Two weeks ago, we were considering a smaller meeting room, so it's a good thing we didn't make the change.

Greg Warner [4:58 P.M.]
Yes, definitely. It's great that more people participated. By the way, when I was cleaning up the meeting room, I noticed a notebook with the name Emily Brown written on it.

Helen Anderson [5:07 P.M.]
If you look at the attendance list, her name should be there. I'll send her an e-mail to let her know.

Greg Warner [5:12 P.M.]
Thanks. We'll send her the notebook soon.

5. Who most likely is Mr. Warner?

(A) A speaker
(B) An accountant
(C) A sales manager
(D) An event organizer

6. At 4:51 P.M., what does Ms. Anderson mean when she writes, "Two weeks ago, we were considering a smaller meeting room"?

(A) The large meeting room was under construction.
(B) They prepared a small number of refreshment.
(C) They were considering extending the registration deadline.
(D) They did not expect so many participants.

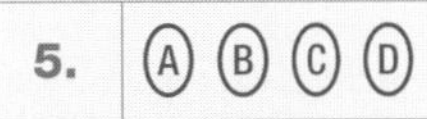

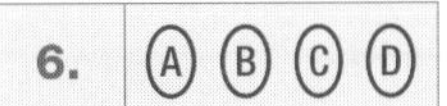

Question 7-10 refer to the following article.

Dover (July 8)—Regular customers at Brenda's Coffee Shop will likely be surprised by the big changes the shop is making starting next month. Not only will it close for two weeks for renovations, but Brenda Valens, the owner of the popular café, will no longer be standing behind the counter. —[1]— Her son Jonathan will be taking her place.

"I have been at this shop almost every day for the past 25 years," Ms. Valens said. "—[2]— I'm thrilled to be able to take a break from it and do some traveling. I know the shop will be in good hands with the employees we have. And I know that my son, who has worked on and off at the shop for the last ten years, will do a great job as manager."

Except for Ms. Valens's departure and the renovated interior, the shop will remain exactly the same. —[3]—

Ms. Valens will travel to Australia for several months this year, and she also plans to spend more time focusing on her favorite activity, oil painting. Several of her works already adorn the walls of the coffee shop, but Ms. Valens hopes to display her art more prominently at an art show in the coming year. —[4]—

7. What is the main purpose of the article?

(A) To publish some earnings figures
(B) To give details about an increase in a shop's rent
(C) To report that a local business owner will retire
(D) To announce that the CEO of an international company will quit

8. What is mentioned about Ms. Valens's son?

(A) He is in charge of the renovations at the shop.
(B) He has worked at Brenda's Coffee Shop.
(C) He will open his own coffee shop.
(D) He is 25 years old.

9. What is indicated about Brenda's Coffee Shop?

(A) It has been in business for decades.
(B) It purchases its pastries from a supplier.
(C) It has a restaurant attached to it.
(D) It was sold by Ms. Valens.

10. In which of the positions marked [1], [2], [3], and [4] does the following sentence best belong?

"It will continue to roast its own coffee on the premises, and to offer pastries baked in the shop each morning."

(A) [1]
(B) [2]
(C) [3]
(D) [4]

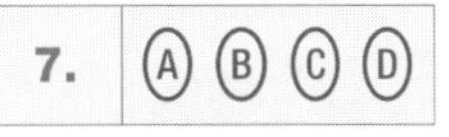

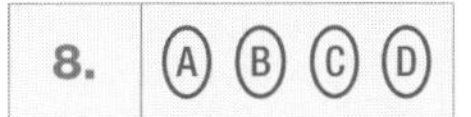

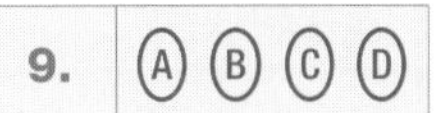

10. (A) (B) (C) (D)

Questions 11–15 refer to the following advertisement and e-mail.

Ruby Hotel

Choose the Ruby Hotel for your next large corporate event. We offer four event halls to meet your company's needs.

Event hall	Seating	Features and Equipment*	Cost
Wilson Hall	20 executive chairs	Conference table, projector, and projector screen	€200 per half day
Smith Hall	50 executive chairs	Large conference table, projector, and projector screen	€230 per half day
Beasley Hall	75 executive chairs	Interactive smartboard and sound system	€280 per half day
Bradley Hall	Auditorium seats for 100 people	Theater screen, projector, sound system, and interactive smartboard	€350 per half day

*Each event hall at the Ruby Hotel is equipped with individual whiteboards, dry-erase markers, notepads and pens. In addition, wireless Internet is free throughout the hotel.
**Half-day prices are for a five-hour block starting in either the morning (8 A.M. to 1 P.M.) or afternoon (3 P.M. to 8 P.M.).

Halls must be reserved at least one week prior to the date of registration. Please call Rob Jenkins at 800-555-1892 to make a reservation.

From robjenkins@rubyhotel.co.uk
To mariafoster@landsdowne.co.uk
Subject Hall rental
Date November 1

Dear Ms. Foster,

I'm sending this e-mail to confirm receipt of your payment for a meeting hall for November 28. You requested Smith Hall for a half day in the afternoon. However, we just found out that room will be undergoing renovations during the week in which you will need it. Instead, for the same rate, we will offer you Beasley Hall, which is a larger room featuring better equipment, such as an interactive smartboard and a high-fidelity audio system.

If you have any questions or concerns about these arrangements, please feel free to call me at 800-555-1892.

Sincerely,

Rob Jenkins

Manager

72 ワークシート ＊下の パッセージのみ音声・ワークシートがあります。

11. In the advertisement, what is indicated about the event halls?

(A) They all have audio systems.
(B) They all have writing equipment.
(C) They are all approximately the same size.
(D) They have chairs that can be rearranged.

12. Which room would be most appropriate for a meeting with 20 people?

(A) Wilson Hall
(B) Smith Hall
(C) Beasley Hall
(D) Bradley Hall

13. What is one purpose of the e-mail?

(A) To confirm that a hotel room is vacant
(B) To give directions to the Ruby Hotel
(C) To say that a credit card payment was declined
(D) To offer alternative arrangements for an event

14. According to the e-mail, how much will the Ruby Hotel charge Ms. Foster?

(A) €200
(B) €230
(C) €280
(D) €350

15. What is implied about Ms. Foster's reservation?

(A) She might change the day.
(C) She made it after the deadline.
(B) She will likely cancel it due to a miscommunication.
(D) She can use the room from 3 P.M. on the day of her reservation.

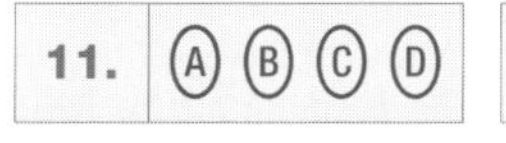

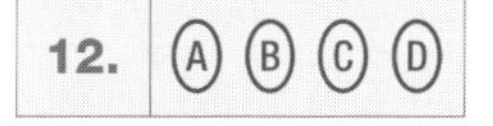

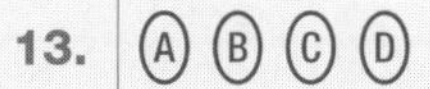

Questions 16-20 refer to the following advertisement, article, and e-mail.

Why Not Become an Official Sponsor of the Brighton City Marathon?

Brighton City will hold its annual residents' marathon once again this year. The Brighton City Marathon was established with the aim of promoting the health of city residents. This year we are holding our 10th marathon!

Since this is a large-scale event with around 600 participating runners each year, we've seen more and more visitors come to watch the race each time. Last year, over 10,000 people came to cheer on the runners. Because of the large number of visitors, and because the event focuses on health and wellness, this is an excellent chance to promote your company's products and services. Doing so can also help build a positive perception of your business.

■ **Title Sponsor: $20,000**
Benefits: Logo on race bibs, logo incorporated into event logo, logo on event T-shirts, name & logo in all ads, and logo & link on race Web site.
In addition, a representative of your company can take a commemorative photo with the marathon winner and use this photo for promotional purposes.

■ **Gold Sponsor: $5,000**
Benefits: Logo on event T-shirts, name & logo in all ads, and logo & link on race Web site.

■ **Silver Sponsor: $2,000**
Benefits: Name & logo in all ads, and logo & link on race Web site.

■ **Bronze Sponsor: $500**
Benefits: Logo & link on race Web site.

For more information, please contact our event coordinator, Robin Norton (coorobin@brightonruns.org).

Brighton (May 21) — Yesterday, the 10th Brighton City Marathon was held, with 800 runners participating. They battled it out over a 20-kilometer-long course stretching over the city.

The winner, invited athlete William Spencer, is an outstanding runner who has won marathons both in this country and overseas. Spencer said, "It was the first time I'd entered this marathon, so I was really happy about the victory. The scenery along the course was beautiful, and the event was managed very smoothly."

The mayor of Brighton gave the closing speech, saying, "We had more runners participating this year than ever before. We were pleased to cooperate closely with many local sponsors, such as Allstar Products, Trad & Trend Shoes, and the Brighton Local Network. We plan to continue this event in the future, welcoming more and more participants every year."

The Brighton City Marathon is slated to be held next year as well, establishing it even more firmly as one of the city's representative events.

73-74 ワークシート ＊上下のそれぞれのパッセージに音声・ワークシートがあります。

From	mgreenwell@allstarproducts.com
To	allemployees@allstarproducts.com
Date	May 22
Subject	Brighton City Marathon

To all employees,

I am happy to tell you that the Brighton City Marathon, of which we are a sponsor, was a great success. I would like to express my sincere thanks to all of you who worked hard on our activities for the event.

I personally visited the course and saw all the athletes picking up our sports drinks. In addition, at the vending machines set up around the course, I noticed many spectators buying our company's products. Through this event, I think more local people than ever before have had a chance to get to know our products.

Finally, we have posted a new page on our company Web site about our sponsorship activities. On this page you can see a photo of me and winning runner William Spencer. If you like, please take a look.

Best regards,

Marcus Greenwell

16. In the advertisement, the word "build" in paragraph 2, line 6, is closest in meaning to

(A) construct
(B) clear
(C) create
(D) correct

17. What is true about the Brighton City Marathon?

(A) A tenth anniversary commemorative ceremony was held.
(B) The marathon was held to revitalize local industry.
(C) It is expected that the event will not be held next year.
(D) The number of runners has increased compared to last year.

18. What is suggested about Mr. Spencer?

(A) He was born in Brighton City.
(B) He has won an international marathon.
(C) He was an ordinary participating runner.
(D) He had previously participated in the Brighton City Marathon.

19. What kind of work does Allstar Products most likely do?

(A) Making sportswear
(B) Designing Web sites
(C) Organizing events
(D) Selling beverages

20. What type of sponsorship did Allstar Products choose?

(A) Title Sponsor
(B) Gold Sponsor
(C) Silver Sponsor
(D) Bronze Sponsor

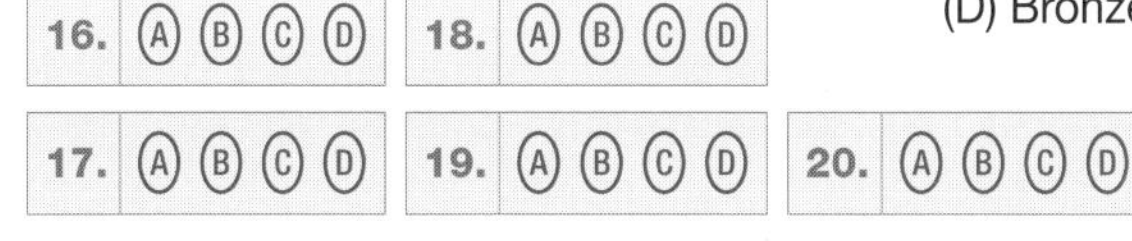

PART 1 PART 2 PART 3 PART 4 PART 5 PART 6 PART 7

問題 1-4 の文書の流れ

Questions 1-4 refer to the following e-mail.

To: lcho@kmail.com
From: memberservices@standardinsurance.com
Subject: Your policy
Date: October 1

Dear Ms. Cho,

You have requested a monthly reminder about your home insurance payment with Standard Insurance. Your next payment is due on October 26. You have also chosen to use our monthly automatic payment option, so on that date, the amount of $38.00 will be automatically deducted from the checking account associated with your insurance account.

If you should have any questions about your home insurance payments, do not reply directly to this e-mail. Instead, please phone us at your earliest convenience. Our customer service representatives are available 24 hours a day, 7 days a week at (02) 555-1243.

If you would like to make any changes to your account, please log in to your account on our Web site at www.standardinsurance.com/accounts. Per government regulations, any changes you make to your account require us to contact you through the mail and indicate what changes were made.

We thank you for your business.

Sincerely,

The Standard Insurance member services team

（英文の訳は *p*.338）

▼ パラグラフごとに文書の流れを確認する

Check! 文書タイプ

following の後をチェックし、メールであることを確認。文書タイプがメール、手紙、FAX などビジネス文書の場合は、さっと送信者・宛先・日付・件名を確認しましょう。メールの趣旨を一言で表す件名は特に重要です。policy は「保険契約証書、保険契約内容」を指します。

Check! 第 1 パラグラフ

第 1 文からこのメールが住宅保険料の支払いのリマインドメールであることがわかります。第 2 文以降では次回の支払日が 10 月 26 日であることと、その日に額面 38 ドルが銀行からの自動引き落としによって支払われることが述べられています。deduct は「差し引く」の意で、この場合、銀行口座の残高からその額を「引き落とす」ことを指しています。

Check! 第 2 パラグラフ

住宅保険の支払いについて質問があれば、このメールへの返信ではなく、電話をするように伝えています。phone は動詞で、phone us は「私どもに電話してください」の意。

Check! 第 3 パラグラフ

保険口座に変更を加えたい場合はウェブ上でできること、また顧客が何らかの変更をした場合は、その後、政府の規制により保険会社から顧客に確認の連絡を行うことを通知しています。

語句

- □ **reminder** リマインドメール、確認メール
  何かを確認したり思い出させたりするために自動的に送信されるメール
- □ **due** 支払期限である
- □ **checking account** 預金口座
  日本では普通預金口座に相当する
- □ **deduct** ～を差し引く
- □ **insurance account** 保険口座
- □ **phone** ～に電話する
- □ **make changes to...** ～に変更を加える

重点攻略 13 文書の目的を尋ねる問題

1. Why was the e-mail sent?

(A) To announce an increase in charges
(B) To remind Ms. Cho about this month's payment
(C) To provide details of a payment from last month
(D) To ask for some account information to be updated

解説

ビジネス文書の趣旨は第1パラグラフ冒頭で述べるのが基本です。第1・第2文で You have requested a monthly reminder about your home insurance payment with Standard Insurance. Your next payment is due on October 26. と述べています。つまり Cho さんへの保険料の支払を再通知するリマインドメールだったわけですね。正解は (B) です。

訳 このメールはなぜ送信されたのですか。
(A) 料金引き上げを知らせるため
(B) Cho さんに今月の支払いについて確認してもらうため
(C) 先月の支払い金額の明細を提供するため
(D) 口座の情報を更新をするように依頼するため

語句

□ **charge** 料金
□ **remind A about B**
A に B について思い出させる

難問攻略 16 推測問題

難易度 ★★★

2. What is suggested about Ms. Cho?

(A) She is a new policyholder.
(B) She signed up for automatic payments.
(C) She is an employee of Standard Insurance.
(D) She has an automobile insurance contract.

解説

第1パラグラフ第3文で You have also chosen to use our monthly automatic payment option「また、あなた様は自動月払いのご利用を選択なさいました」と Ms. Cho がすでに保険料の支払い方法として自動支払を申し込んだことがわかるので、正解は (B)。本文中の have chosen to use は、選択肢では signed up for に言い換えられていることに注意しましょう。

訳 Cho さんについて何が示唆されていますか。
(A) 彼女は新規の保険契約者である。
(B) 彼女は自動支払いを申し込んだ。
(C) 彼女は Standard 保険会社の社員である。
(D) 彼女は自動車保険を契約している。

語句

□ **policyholder** 保険契約者
□ **sign up for...** ～を申し込む
□ **automatic payment** 自動支払

難問攻略 16 推測問題

難易度 ★★★

3. What is indicated about Standard Insurance?

(A) It will soon change the design of its Web site.
(B) Its member services team can sell additional policies.
(C) It provides insurance policies to government employees.
(D) Its representatives can be reached at any time of the day.

解説

第2パラグラフ最終文に、Our customer service representatives are available 24 hours a day, 7 days a week at (02) 555-1243「当社のカスタマーサービス担当者は毎日24時間、(02) 555-1243で対応させていただいています」とあるので、正解は(D)。この場合は、選択肢中のキーワードを頭に入れた上で本文をスキャンすると、正解の記述を早く見つけ出すことができます。

訳 Standard 保険会社について何がわかりますか。
(A) 同社はもうすぐウェブサイトのデザインを変更する。
(B) 同社の会員サービスチームは追加契約を販売することができる。
(C) 同社は公務員に保険契約を提供する。
(D) 同社の担当者には1日の何時であっても連絡することができる。

語句

□ additional policy　追加契約
□ insurance policy　保険契約
□ representative　担当者

重点攻略 14 詳細を問う問題

4. According to the e-mail, how can Ms. Cho update her mailing address?

(A) By logging on to a Web site
(B) By making a telephone call
(C) By meeting with an insurance sales agent
(D) By contacting Standard Insurance via e-mail

解説

第3パラグラフ第1文にIf you would like to make any changes to your account, please log in to your account on our Web site「もし保険口座の内容に何らかの変更をなさりたい場合は、当社のウェブサイトでご自分の保険口座にログインしてください」とあるので、正解は(A)。

本文中のlog in to... と選択肢のlog on to... は同義。

訳 このメールによると、Cho さんはどのようにして自分の郵送先住所を更新できますか。
(A) ウェブサイトにログインすることで
(B) 電話をかけることで
(C) 保険販売担当者と直接会うことで
(D) Standard 保険会社にメールで連絡することで

語句

□ update　～を更新する
□ make a telephone call　電話をかける
□ sales agent　販売代理店、販売担当者

問題 5-6 の文書の流れ

Questions 5-6 refer to the following text-message chain.

Greg Warner [4:40 P.M.]
The business management seminar ended just now.

Helen Anderson [4:43 P.M.]
Thanks for all your work. How was it?

Greg Warner [4:47 P.M.]
More people came than we expected. It was a big success.

Helen Anderson [4:51 P.M.]
Wonderful. Two weeks ago, we were considering a smaller meeting room, so it's a good thing we didn't make the change.

Greg Warner [4:58 P.M.]
Yes, definitely. It's great that more people participated. By the way, when I was cleaning up the meeting room, I noticed a notebook with the name Emily Brown written on it.

Helen Anderson [5:07 P.M.]
If you look at the attendance list, her name should be there. I'll send her an e-mail to let her know.

Greg Warner [5:12 P.M.]
Thanks. We'll send her the notebook soon.

訳　問題 5-6 は、次のテキストメッセージチェーンに関するものです。

Greg Warner [午後 4:40]：今、企業経営セミナーが終わりました。
Helen Anderson [午後 4:43]：いろいろとご苦労さま。どうでした？
Greg Warner [午後 4:47]：予想していた以上にたくさんの人が来てくれて、大成功でした。
Helen Anderson [午後 4:51]：よかったわ。 2 週間前にはもっと小さな会議室を考えていたわよね。変更しなくて正解だったわ。
Greg Warner [午後 4:58]：ええ、そのとおりです。あんなに大勢来てくれて本当によかったです。ところで、会議室の後片付けをしていたら、Emily Brown と名前が書いてあるノートが出てきました。
Helen Anderson [午後 5:07]：出席者リストを見てごらんなさい。彼女の名前はその中にあるはずよ。彼女には私からメールを送って知らせておくわ。
Greg Warner [午後 5:12]：ありがとう。すぐ彼女にノートを送ってあげましょう。

▼ パラグラフごとに文書の流れを確認する

Check! 文書タイプ

スマートフォンなどで行うテキストメッセージチェーンです。本文をさっと見て、Greg と Helen のやりとりであることを把握します。

Check! Greg

今先、企業経営セミナーが終わったと話しています。

Check! Greg

セミナーが大成功だったと伝えています。ここから Greg はセミナーの運営側だったことが推測できますね。

Check! Helen

主語に we を用いてセミナーのための会議室の選択をしたときのことを振り返っています。Helen も Greg の同僚だとわかります。

Check! Greg

By the way, when I was cleaning up the meeting room,「ところで、会議室の後片付けをしていたら」と述べているところからも、Greg がセミナーの運営側であることが確認できます。

語句

- □ business management　企業経営
- □ definitely　絶対に
- □ attendance list　参加者リスト

基本攻略 職業 / 業種を尋ねる問題

難易度 ★★

5. Who most likely is Mr. Warner?

(A) A speaker
(B) An accountant
(C) A sales manager
(D) An event organizer

解説

職業を尋ねる問題はメッセージチェーン問題でよく出題されますが、発言の中で自分の職業名を言うことは滅多にありません。複数のキーワードや、発言内容から推測して答えを得ます。

まず Greg は 4:47 P.M. に More people came than we expected. It was a big success.「予想していた以上にたくさんの人が来てくれて、大成功でした」と述べていますね。ここから Greg はセミナー主催側であることが推測できます。

ただ 1 箇所の記述だけで判断すると、誤答に誘導されることもあるので、もう 1 箇所、確認できる記述を探します。

4:58 P.M. の Greg の発言に when I was cleaning up the meeting room,「会議室の後片付けをしていたら」とありますね。ここからも Greg がセミナー主催側であることが推測できます。したがって正解は (D) です。

本文の seminar「セミナー」が正解の選択肢では event「イベント」と言い換えられていることにも注意しておきましょう。実際のテストでも、正解の選択肢には本文の語句をパラフレーズしたものが多いので、いつも類義の表現に注意しておくとよいでしょう。

語句

- □ **speaker** 講演者
  類義語に speech-maker、lecturer など
- □ **accountant** 会計士、税理士
- □ **sales manager** 営業部長
- □ **event** イベント
- □ **organizer** 主催者、事務局

訳 Warner さんの職業はおそらく何ですか。
(A) 講演者
(B) 会計士
(C) 営業部長
(D) イベントの主催者

難問攻略 18 発言の意図を問う問題

難易度 ★★★

6. At 4:51 P.M., what does Ms. Anderson mean when she writes, "Two weeks ago, we were considering a smaller meeting room"?

(A) The large meeting room was under construction.
(B) They prepared a small number of refreshment.
(C) They were considering extending the registration deadline.
(D) They did not expect so many participants.

解説

意図問題では、まず引用符で明示されたターゲットとなる発言の意味をしっかりとります。ここでは、「2週間前には、もっと小さな会議室を考えていた」の意になりますね。

これをおさえた上で、この発言の前後をしっかり読みましょう。意図問題の正解のヒントは問われている発言の前後に必ずあるので、よく注意して文脈を正しく把握しましょう。

まず、直前の Greg の発言 [4:47 P.M.] を見ると、More people came than we expected.「予想していた以上にたくさんの人が来てくれた」と述べていますね。ここから、彼らがセミナーの参加者数を実際よりは少なく見積もっていたことがわかります。ここで正解は (D) と見当がつきます。

念のため、引用部分の直後、Helen の発言の続きを見てみましょう。Helen は so it's a good thing we didn't make the change「変更しなくて正解だったわ」と述べていますね。ここから「参加者数を少なく見積もっていたけれど、それに合わせて小さい会議室に変更しなくてよかった、なぜなら予想以上に多くの人が参加したから」ということがわかりますね。したがって、正解は (D) だと確認できます。

語句

□ **under construction** 建設中で
□ **refreshment** 軽食、清涼飲料
□ **extend** ～を延ばす
□ **registration** 登録
□ **deadline** 締切
□ **participant** 参加者

訳 午後4時51分に Anderson さんは「2週間前には、もっと小さな会議室を考えていた」と書いていますが、どういう意味ですか。
(A) 大きな会議室は工事中だった。
(B) 少しの軽食を準備していた。
(C) 登録の締切を延ばすことを考えていた。
(D) 参加者がそれほど多いとは予想していなかった。

問題 7-10 の文書の流れ

Questions 7-10 refer to the following article.

Dover (July 8)—Regular customers at Brenda's Coffee Shop will likely be surprised by the big changes the shop is making starting next month. Not only will it close for two weeks for renovations, but Brenda Valens, the owner of the popular café, will no longer be standing behind the counter. —[1]— Her son Jonathan will be taking her place.

"I have been at this shop almost every day for the past 25 years," Ms. Valens said. "—[2]— I'm thrilled to be able to take a break from it and do some traveling. I know the shop will be in good hands with the employees we have. And I know that my son, who has worked on and off at the shop for the last ten years, will do a great job as manager."

Except for Ms. Valens's departure and the renovated interior, the shop will remain exactly the same. —[3]—

Ms. Valens will travel to Australia for several months this year, and she also plans to spend more time focusing on her favorite activity, oil painting. Several of her works already adorn the walls of the coffee shop, but Ms. Valens hopes to display her art more prominently at an art show in the coming year. —[4]—

訳　問題 7-10 は次の記事に関するものです。

Dover（7 月 8 日）：Brenda's Coffee Shop の常連客は、来月からこのカフェが大きく変わることに驚くことになりそうだ。改装工事のために 2 週間休業となるだけでなく、この人気カフェのオーナーである Brenda Valens はもうカウンターの中にいないだろう。彼女の息子さんの Jonathan が後継者となる予定だ。

「これまで 25 年間、ほとんど毎日、私はこの店に出ていました」と Valens さんは語る。「それを一休みして旅行ができるのでワクワクしています。店は今いるスタッフに任せれば大丈夫だとわかっています。それに、これまで 10 年間、店でときどき仕事をしてきた息子が店長としてすばらしい仕事をしてくれるだろうとわかっていますから」

Valens さんが辞めることと改装された店内以外、カフェはこれまでとまったく同じだろう。

Valens さんは年内に数カ月間、オーストラリアに旅行する予定だが、さらに趣味の油絵を描くことにも、もっと時間を使おうと考えている。彼女の作品のいくつかはすでにこのカフェの壁に飾ってあるが、Valens さんは来年の美術展で自分の作品をもっと大々的に展示したいと考えている。

▼パラグラフごとに文書の流れを確認する

Check! 文書タイプ

article「記事」です。この記事にはありませんが、タイトルや見出しがある場合は最初にさっと見ます。なお、本文冒頭の Dover は発信地、(July 8) は記事の書かれた日付です。

Check! 第1パラグラフ

第1文から Brenda's Coffee Shop の big changes「大きな変更」についての常連客向け記事だとわかります。Not only A but B「A だけでなく B も」から、変更点は「改装で 2 週間休業すること」「現オーナーの息子が店に立つこと」の 2 つです。

Check! 第2パラグラフ

おもに発話の引用から成るパラグラフです。引用符の前後に記される発話者を確認して読み進めましょう。現オーナーの Valens さんの発言ですね。彼女は息子と信頼できる従業員に仕事を託して旅に出ると話しています。

Check! 第3パラグラフ

以上の変更点以外は店は前と変わらないと述べています。

Check! 第4パラグラフ

Valens さんの旅の予定は、オーストラリアに数カ月間だと述べています。また、その後は趣味の油絵をもっと本格的にやろうと彼女が考えていることも伝えています。

語句

- □ regular customer 常連客
- □ likely ～しそうだ
- □ renovation 改築
- □ take one's place ～の後任になる
- □ in good hands with... ～によって安泰だ
- □ on and off 断続的に
- □ departure 出発
- □ spend time + ing ～することに時間を使う

重点攻略 13 文書の目的を尋ねる問題

難易度 ★★

7. What is the main purpose of the article?

(A) To publish some earnings figures
(B) To give details about an increase in a shop's rent
(C) To report that a local business owner will retire
(D) To announce that the CEO of an international company will quit

解説

記事冒頭の Dover は発信地を示しています。第 1 パラグラフ第 1 文では Dover にある Brenda's Coffee Shop について 2 つの大きな変更がなされることが具体的に述べられています。

また、第 2・第 4 パラグラフでは、そのうちの 1 つとして、現オーナーが息子に店を譲り自分は旅に出ること、また趣味の油絵を本格的にやることを伝えています。したがって、正解は (C) です。

訳 この記事の目的は何ですか。
(A) 収益値を公表すること
(B) 店の賃借料の値上げについて詳細を述べること
(C) 地元の店舗オーナーが辞めると報道すること
(D) 国際企業の CEO が辞めると知らせること

語句

□ **earnings** 利益、収益

□ **CEO** 最高経営責任者
chief executive officer の頭字語

重点攻略 14 詳細を問う問題

難易度 ★★

8. What is mentioned about Ms. Valens's son?

(A) He is in charge of the renovations at the shop.
(B) He has worked at Brenda's Coffee Shop.
(C) He will open his own coffee shop.
(D) He is 25 years old.

解説

設問中の about に続く Ms. Valens's son をキーワードに本文をスキャンします。

第 2 パラグラフの Ms. Valens の発言に my son, who has worked on and off at the shop for the last ten years, will do a great job as manager「これまで 10 年間、店でときどき仕事をしてきた息子が店長としてすばらしい仕事をしてくれるだろう」とあるので正解は (B)。on and off は「断続的に」の意。

訳 Valens さんの息子について何が述べられていますか。
(A) 彼は店の改装を担当している。
(B) 彼は Brenda's Coffee Shop で働いたことがある。
(C) 彼は自分のコーヒーショップを開く予定だ。
(D) 彼は 25 歳である。

語句

□ **in charge of...**
～の担当で、～の責任者で

□ **renovation** 改装

難問攻略 16 推測問題

難易度 ★★★

9. What is indicated about Brenda's Coffee Shop?

(A) It has been in business for decades.
(B) It purchases its pastries from a supplier.
(C) It has a restaurant attached to it.
(D) It was sold by Ms. Valens.

解説

選択肢のキーワードで本文をスキャンして似た内容の記述を見つけましょう。第2パラグラフ第1文の現オーナーの Valens さんの発言に I have been at this shop almost every day for the past 25 years「これまで25年間、ほとんど毎日、私はこの店に出ていました」とあります。decade「10年」を複数形にした (A) の for decades は「何十年間も」の意で、for past 25 years の言い換えです。(A) が正解です。

訳 Brenda's Coffee Shop について何が示されていますか。
(A) 同店は何十年も前から営業してきた。
(B) 同店では、ある納入業者からペストリーを購入している。
(C) 同店にはレストランが併設されている。
(D) 同店は Valens さんによって売却された。

語句

- □ **in business** 営業して
- □ **for decades** 何十年間。decade は「10年」
- □ **attached to...** 〜に付属した

難問攻略 17 文挿入問題（適切な挿入位置を選ぶ）

10. In which of the positions marked [1], [2], [3], and [4] does the following sentence best belong?

"It will continue to roast its own coffee on the premises, and to offer pastries baked in the shop each morning."

(A) [1]　(B) [2]　(C) [3]　(D) [4]

解説

まず挿入文をよく読みます。主語 It は Brenda's Coffee Shop を指していて、コーヒーやペストリーに触れながら、「この店は今後も変わらない」と述べていることがわかりますね。will continue to...「〜し続ける」と will を用いた表現に注意しましょう。ここから、第3パラグラフの the shop will remain exactly the same「カフェはまったくこれまでと同じでしょう」の後が適切だと判断できます。したがって、正解は(C)です。

訳 [1]、[2]、[3]、[4] と記載された箇所のうち、次の文が入るのに最もふさわしいのはどれですか。
「この店では今後もオリジナルコーヒーを店内で焙煎し、毎朝、店内で焼いたペストリーを出してくれるでしょう」

語句

- □ **continue to do** 〜し続ける
- □ **roast** 〜を焙煎する
- □ **premises** 店舗、敷地

問題 11-15 ダブルパッセージの文書の流れ

Questions 11-15 refer to the following advertisement and e-mail.

Ruby Hotel

Choose the Ruby Hotel for your next large corporate event. We offer four event halls to meet your company's needs.

Event hall	Seating	Features and Equipment*	Cost**
Wilson Hall	20 executive chairs	Conference table, projector, and projector screen	€200 per half day
Smith Hall	50 executive chairs	Large conference table, projector, and projector screen	€230 per half day
Beasley Hall	75 executive chairs	Interactive smartboard and sound system	€280 per half day
Bradley Hall	Auditorium seats for 100 people	Theater screen, projector, sound system, and interactive smartboard	€350 per half day

*Each event hall at the Ruby Hotel is equipped with individual whiteboards, dry-erase markers, notepads and pens. In addition, wireless Internet is free throughout the hotel.
**Half-day prices are for a five-hour block starting in either the morning (8 A.M. to 1 P.M.) or afternoon (3 P.M. to 8 P.M.).

Halls must be reserved at least one week prior to the date of registration. Please call Rob Jenkins at 800-555-1892 to make a reservation.

(英文の訳は *p.*338)

▼パラグラフごとに文書の流れを確認する　文書①広告

Check! 文書タイプ

ダブルパッセージ問題では2つの文書タイプをきちんと確認します。文書1は広告、文書2はメールですね。

Check! ヘッドライン

Ruby Hotelとあるので、このホテルの提供するサービス等の広告だろうと推察します。

Check! 第1パラグラフ

本文のリード的な位置づけで、次に続く表の説明となっています。しっかり読みましょう。

Check! 表

4会場について、座席（椅子の種類と数）、設備・機器、料金が示されていることを把握します。表は縦軸と横軸に記されている項目をチェックしましょう。

Check! 表の補足事項

*Each event hallで始まる文では、すべての会場に共通の設備が記されています。また、**Half-day pricesの文では半日使用の料金と使用時間帯が、そして最後に予約方法について記されています。アステリスク（*印）に続く文は、表中に同じアステリスクで記された箇所の補足説明になっています。

語句

- □ corporate event　企業イベント
- □ meet needs　要望に応える
- □ dry-erase markers　ホワイトボード用マーカー
  ホワイトボードにこのマーカーで書いたものは、乾いた布などで簡単に消せる
- □ prior to...　～に先行して

From: robjenkins@rubyhotel.co.uk
To: mariafoster@landsdowne.co.uk
Subject: Hall rental
Date: November 1

Dear Ms. Foster,

I'm sending this e-mail to confirm receipt of your payment for a meeting hall for November 28. You requested Smith Hall for a half day in the afternoon. However, we just found out that room will be undergoing renovations during the week in which you will need it. Instead, for the same rate, we will offer you Beasley Hall, which is a larger room featuring better equipment, such as an interactive smartboard and a high-fidelity audio system.

If you have any questions or concerns about these arrangements, please feel free to call me at 800-555-1892.

Sincerely,

Rob Jenkins

Manager

送信者：robjenkins@rubyhotel.co.uk
宛先：mariafoster@landsdowne.co.uk
件名：会場のレンタル
日付：11月1日

Foster 様
このメールは、11月28日にご利用予定の会議室の料金受領の確認のために差し上げています。Smith Hall の午後半日のご利用をお申し込みいただきましたが、ご利用予定の週に、この部屋は改装工事に入ることがたった今わかりました。代わりに、同じ料金で Beasley Hall をご用意させていただきます。この部屋はより広い上に、双方向型のスマートボードやハイファイ音響設備など、上位の機器を備えています。

この変更について何かご質問やご心配なことがございましたら、私までお電話ください（800-555-1892）。

よろしくお願いいたします。

Rob Jenkins
マネジャー

▼ パラグラフごとに文書の流れを確認する　文書②メール

Check! ヘッダー

ビジネス文書では送付元・宛先・日付を確認します。メールの場合はヘッダー部分でこれらに加えて件名もチェックしましょう。このメールの件名は、Hall rental「会場のレンタル」となっています。

Check! 第 1 パラグラフ

メールや手紙などビジネス文書では長い前置きや挨拶なしで第 1 パラグラフから用件を切り出すのが普通です。まず第 1 文でこのメールの目的を予約会場について支払確認の連絡だと伝え、第 2 文でその予約内容を述べています。次の第 3 文冒頭の However に注意してください。but や however の後ではしばしばより重要なことが述べられます。ここでは予約していた会場が改装により使用できなくなる予定となったため、別の会場の利用を提案しています。

Check! 第 2 パラグラフ

質問等を受け付ける電話番号を知らせています。

語句

- □ confirm　～を確認する
- □ receipt　受領
- □ request　～を頼む
- □ undergo　～を経験する
- □ undergo renovation　改装工事をする
- □ high-fidelity　ハイファイの

難問攻略 16 推測問題

難易度 ★★★

11. In the advertisement, what is indicated about the event halls?

(A) They all have audio systems.
(B) They all have writing equipment.
(C) They are all approximately the same size.
(D) They have chairs that can be rearranged.

解説

文書 1 の広告に正解を探します。表の項目中 Features and Equipment に * 印（アステリスク）がついているので、表の下の補足説明として同じ * がついている箇所を読むと、どの会場にも、individual whiteboards, dry-erase markers, notepads and pens「ホワイトボード、ホワイトボード用マーカー、メモ帳とペン」が常備されているとあるので、これを言い換えた (B) が正解です。

訳 広告では、イベント会場について何が示されていますか。
(A) すべてが音響機器を備えている。
(B) すべて筆記用具が完備している。
(C) どれもほぼ同じ広さである。
(D) 可動式の椅子がある。

語句

□ **writing equipment** 筆記用具
□ **approximately** およそ
□ **rearrange** ～を再配置する

重点攻略 14 詳細を問う問題

難易度 ★★

12. Which room would be most appropriate for a meeting with 20 people?

(A) Wilson Hall
(B) Smith Hall
(C) Beasley Hall
(D) Bradley Hall

解説

選択肢には会場名が並んでいるので、これらの会場名が左列に記された、文書 1 中の表に正解のヒントがあると推測できますね。

設問中のキーワードは meeting with 20 people です。これを頭に入れて表をスキャンしていくと、一番上の Wilson Hall の Seating「座席」欄に 20 executive chairs「重役用椅子 20 脚」とありますね。正解は (A) だと判断できます。

訳 どの部屋が 20 人の会議に最適ですか。
(A) Wilson Hall
(B) Smith Hall
(C) Beasley Hall
(D) Bradley Hall

語句

□ **appropriate** 適切な
□ **seating** 座席
□ **exective chair** 重役用椅子

重点攻略 13 文書の目的を尋ねる問題

難易度 ★★

13. What is one purpose of the e-mail?

(A) To confirm that a hotel room is vacant
(B) To give directions to the Ruby Hotel
(C) To say that a credit card payment was declined
(D) To offer alternative arrangements for an event

解説

メールの目的は通常第１パラグラフで述べます。第１文では、Foster さんがイベント会場を予約し、すでにその料金を彼女が払ったことを確認したと述べています。第３文 However「しかし」の後では、予約した会場が改装で使用できないことを伝え、料金の高い別会場を追加料金なしで提供すると代替案を申し出ています。これを offer alternative arrangements と言い換えた (D) が正解です。

訳 このメールの目的の１つは何ですか。
(A) ホテルの部屋が空いているか確認すること
(B) Ruby Hotel への道順を伝えること
(C) クレジットカードによる支払いが受け付けられなかったと伝えること
(D) あるイベントのために代替案を提示すること

語句

- □ vacant　空いている
- □ decline　～を拒否する
- □ alternative　代替の

難問攻略 19 詳細を問うクロスレファランス問題

14. According to the e-mail, how much will the Ruby Hotel charge Ms. Foster?

(A) €200
(B) €230
(C) €280
(D) €350

解説

設問から料金表と Foster さんの予約内容とを、広告とメールの 2 文書に照合し、そこで得られる情報を統合して答えるクロスレファランス問題だろうとまず見当をつけておきましょう。

設問中に According to the e-mail「メールによれば」とあるので、まず文書 2 を読みます。すると第 2 文から、Foster さんが Smith Hall を半日借りる予定であることがわかります。

次に文書 1（広告）の中に Smith Hall を探すと、Cost の欄に €230 per half day「半日 230 ユーロ」とあります。

さらに第 3 文では、Smith Hall が改装で Foster さんの借りたい日には使用できないことにふれ、第 4 文では Instead, for the same rate, we will offer you Beasley Hall「代わりに、同じ料金で Beasley Hall をご用意させていただきます」と申し出ています。

以上から、Foster さんは当初予定していた Smith Hall でなく、Beasley Hall を Smith Hall と同じ値段で借りることになるだろうと推測できます。したがって、Ruby Hotel が Foster さんに請求する金額は広告中の表 Smith Hall の欄から、€230 だとわかります。正解は (B) です。

13 番を解いた後であれば、Foster さんが実際に使うことになる会議室と料金が変わらないことをすでに把握しているので、以上の解答プロセスはかなり省略できます。このように他の問題を解くことで得た情報は大いに利用しましょう。

語句

- □ **according to...** ～によれば
- □ **charge** ～に請求する
- □ **€** ユーロ
  欧州連合（EU）における経済通貨同盟で用いられている通貨。Euro/euro/EUR と表記

訳 メールによると、Ruby Hotel は Foster さんにいくら請求しますか。
(A) 200 ユーロ
(B) 230 ユーロ
(C) 280 ユーロ
(D) 350 ユーロ

難問攻略 16 推測問題

難易度 ★★★

15. What is implied about Ms. Foster's reservation?

(A) She might change the day.
(B) She made it after the deadline.
(C) She will likely cancel it due to a miscommunication.
(D) She can use the room from 3 P.M. on the day of her reservation.

解説

設問中に Ms. Foster があるので、Foster さんへのメールに正解がありそうと推測して、まず文書 2 から、選択肢に関連した内容を拾っていきましょう。

(A) (B) (C) に関連する内容は文書 2 をスキャンしても見つかりません。NG だろうと推測して、次の (D) を見てみます。

第 1 パラグラフ第 1、第 2 文から、彼女が 11 月 28 日午後の半日使用で Smith Hall を予約していることがわかります。また、改築で使えなくなるとわかったこの会議室の代わりに、第 4 文で Beasley Hall が提案されていることから、彼女がこの部屋を利用するだろうと推測できます。

ただ、午後 3 時からの使用という記述は文書 2 にはなく、for a half day in the afternoon とあるので、今度は文書 1 の広告を見てみます。すると、表の下部の補足事項中、**Half-day prices で始まる文に「半日とは 5 時間のことで、午前 8 時から午後 1 時か、午後 3 時から午後 8 時まで」と書かれていますね。したがって、この記述から、Foster さんが午後 3 時から会議室を使用することが確認できるので、正解は (D) です。

語句

- □ imply 暗に言う
- □ change ～を変更する
- □ make it うまくいく、間に合う

訳 Foster さんが行った予約について何が示されていますか。

(A) 彼女は予約日を変えるかもしれない。
(B) 彼女は期限が過ぎてから予約した。
(C) 彼女は行き違いがあったため予約をキャンセルするかもしれない。
(D) 彼女は予約した日の午後 3 時から部屋を利用できる。

問題 16-20 トリプルパッセージの文書の流れ

Questions 16-20 refer to the following advertisement, article, and e-mail.

Why Not Become an Official Sponsor of the Brighton City Marathon?

Brighton City will hold its annual residents' marathon once again this year. The Brighton City Marathon was established with the aim of promoting the health of city residents. This year we are holding our 10th marathon!

Since this is a large-scale event with around 600 participating runners each year, we've seen more and more visitors come to watch the race each time. Last year, over 10,000 people came to cheer on the runners. Because of the large number of visitors, and because the event focuses on health and wellness, this is an excellent chance to promote your company's products and services. Doing so can also help build a positive perception of your business.

■ Title Sponsor: $20,000

Benefits: Logo on race bibs, logo incorporated into event logo, logo on event T-shirts, name & logo in all ads, and logo & link on race Web site. In addition, a representative of your company can take a commemorative photo with the marathon winner and use this photo for promotional purposes.

■ Gold Sponsor: $5,000

Benefits: Logo on event T-shirts, name & logo in all ads, and logo & link on race Web site.

■ Silver Sponsor: $2,000

Benefits: Name & logo in all ads, and logo & link on race Web site.

■ Bronze Sponsor: $500

Benefits: Logo & link on race Web site.

For more information, please contact our event coordinator, Robin Norton (coorobin@brightonruns.org).

(英文の訳は *p*.339)

▼パラグラフごとに文書の流れを確認する　文書①広告

Check! 文書タイプ

following の後を見て、3 つの文書のタイプをしっかりと理解しておきましょう。advertisement「広告」と article「記事」、e-mail「メール」ですね。

Check! ヘッドライン

広告のヘッドラインや本文の 1 行目は、扱う商品やサービスへの潜在ニーズを掘り起こすキャッチコピーになっている場合がほとんどです。この場合も「Brighton 市民マラソンの公式スポンサー」になることへの勧誘だとわかります。

Check! 第 1 パラグラフ

Brighton 市民マラソンについての概要を説明しています。市民の健康促進を目的とし、年に 1 度開催されるもので、今年で 10 回目となると述べています。

Check! 第 2 パラグラフ

Brighton 市民マラソンは参加者数が約 600 人、1 万人以上の観客が見込める一大イベントであると具体的な数字を用いて述べています。そして、この大会のスポンサーになることで、健康促進を目的とするこれらの来場者に向けて商品やサービスの宣伝をすることができるとメリットを説明しています。

Check! 広告している商品の概要

この広告で売ろうとしている商品はスポンサーシップ。モノではありませんが、売られているスポンサーシップは全部で 4 種類あることがわかります。各スポンサーシップの Benefits「メリット」の記述から、価格が高いものほど、会社の宣伝効果も大きくなることがわかりますね。

問い合わせ先が示されています。

語句

- □ annual　年に 1 度の
- □ resident　住民
- □ with the aim of...　～を目的として
- □ large-scale　大規模な
- □ cheer on...　～を応援する
- □ wellness　健康であること
- □ positive perception　好印象、肯定的な認識
- □ bib　ビブス、ゼッケン
- □ commemorative　記念の

Brighton (May 21) — Yesterday, the 10th Brighton City Marathon was held, with 800 runners participating. They battled it out over a 20-kilometer-long course stretching over the city.

The winner, invited athlete William Spencer, is an outstanding runner who has won marathons both in this country and overseas. Spencer said, "It was the first time I'd entered this marathon, so I was really happy about the victory. The scenery along the course was beautiful, and the event was managed very smoothly."

The mayor of Brighton gave the closing speech, saying, "We had more runners participating this year than ever before. We were pleased to cooperate closely with many local sponsors, such as Allstar Products, Trad & Trend Shoes, and the Brighton Local Network. We plan to continue this event in the future, welcoming more and more participants every year."

The Brighton City Marathon is slated to be held next year as well, establishing it even more firmly as one of the city's representative events.

訳 Brighton（5月21日）— 昨日、第10回 Brighton 市民マラソン が開催され、800人のランナーが参加し、市内を貫く20キロのコースで熱戦を繰り広げた。

優勝した招待選手の William Spencer さんは卓越したランナーで、国内外のマラソン大会で優勝した経験がある。Spencer さんは次のように語っている。「このマラソンに出場したのは初めてだったので、優勝できて本当にうれしいです。コース沿いの景色が美しく、大会はとても円滑に運営されていました」

Brighton 市市長は閉会の挨拶で次のように述べている。「今年はこれまで以上に多くのランナーに参加していただきました。喜ばしいことに、Allstar Products、Trad & Trend Shoes、Brighton Local Network など、数多くの地元スポンサーとも緊密に協力し合うことができました。この大会は今後とも続けていく所存ですので、毎年ますます多くの方の参加を歓迎いたします」

Brighton 市民マラソンは来年も開催される予定で、同市の代表的なイベントの1つとして、さらにしっかりと根づいていくことだろう。

▼パラグラフごとに文書の流れを確認する　文書②記事

Check! 第1パラグラフ

文書1の冒頭で3つの文書タイプをそれぞれ確認しました。これは article「記事」だと認識したうえで、第1パラグラフから読みます。まず記事の書かれた場所と日付が Brighton (May 21) と示されています。第1文から、Brighton 市民マラソンの開催翌日に書かれたものだとわかりますね。

Check! 第2パラグラフ

優勝者の William Spencer について an outstanding runner who has won marathons both in this country and overseas「卓越したランナーで、国内外のマラソン大会で優勝した経験がある」と述べ、彼の談話を紹介しています。

Check! 第3パラグラフ

Brighton 市の市長が閉会のスピーチを行ったと述べ、その一部を紹介しています。昨年より観客が多かったことに加え、We were pleased to cooperate closely with many local sponsors「数多くの地元スポンサーとも緊密に協力し合うことができてよかった」と述べ、such as 以下でスポンサーとなった企業名を3社紹介しています。

Check! 第4パラグラフ

このマラソン大会が来年も開催予定であることを述べています。be slated to は「～する予定である」の意。

語句

- □ battle it out　最後まで戦い抜く
- □ outstanding　卓越した、傑出した
- □ manage　～を運営する
- □ mayor　市長
- □ closing speech　閉会の辞
- □ cooperate with...　～と協力・連携する
- □ closely　緊密に
- □ be slated to...　～する予定だ
- □ firmly　しっかりと、固く

From: mgreenwell@allstarproducts.com
To: allemployees@allstarproducts.com
Date: May 22
Subject: Brighton City Marathon

To all employees,

I am happy to tell you that the Brighton City Marathon, of which we are a sponsor, was a great success. I would like to express my sincere thanks to all of you who worked hard on our activities for the event.

I personally visited the course and saw all the athletes picking up our sports drinks. In addition, at the vending machines set up around the course, I noticed many spectators buying our company's products. Through this event, I think more local people than ever before have had a chance to get to know our products.

Finally, we have posted a new page on our company Web site about our sponsorship activities. On this page you can see a photo of me and winning runner William Spencer. If you like, please take a look.

Best regards,

Marcus Greenwell

送信者：mgreenwell@allstarproducts.com
宛先：allemployees@allstarproducts.com
日付：5月22日
件名：Brighton 市民マラソン

従業員の皆さんへ

我が社がスポンサーとなっている Brighton 市民マラソンが大成功を収めたことを皆さんにお伝えできるのを、うれしく思います。この大会に向けた我が社の活動に熱心に取り組んでくださったすべての方々に、心から感謝いたします。

私自身、マラソンコースを訪れて、マラソン走者の全員が我が社のスポーツドリンクを手に取るところを目にしました。さらに、コースのあちこちに設置された自動販売機で、多くの観客が我が社の製品を購入しているのに気づきました。今回のイベントを通じて、これまでになく多くの地元の人たちが我が社の製品を知る機会を得てくれたことと思います。

最後に、我が社のウェブサイトに今回のスポンサー活動についての新しいページを掲載しました。このページでは、私が優勝ランナーの William Spencer さんといっしょに写っている写真を見ることができます。よろしかったら、どうぞご覧になってください。

よろしくお願いいたします。

Marcus Greenwell

▼パラグラフごとに文書の流れを確認する　文書③メール

Check! メールのヘッダー

文書タイプが e-mail「メール」の場合、本文を見る前にヘッダーをさっと確認しましょう。特に件名はメールの趣旨を表す、内容理解に欠かせない情報です。

Check! メールの宛先

ヘッダー内の To: 以下でも確認できますが、この箇所から全従業員に宛てたメールだとわかります。

Check! 第 1 パラグラフ

Brighton 市民マラソンが成功したことと、これに尽力した従業員に対し感謝の意を述べています。

Check! 第 2 パラグラフ

マラソンコースの中に設けられた給水所で、ランナーたちが自社のスポーツドリンクを手に取っていたことを伝えています。そして In addition,「さらに」として観客が自販機で自社の商品を購入していたことも付け加えています。our sports drinks の our が「自社の、我が社の」の意を表すことに注意しましょう。

Check! 第 3 パラグラフ

Finally「最後に」、自社ウェブサイトにこのマラソン大会のスポンサーを務めたニュースをまとめて紹介したと通知しています。

語句

- □ express sincere thanks　心からの感謝を伝える
- □ vending machine　自動販売機
- □ spectator　観客、見学者
- □ post　～を掲載する、～を投稿する

基本攻略 語彙問題

難易度 ★★

16. In the advertisement, the word "build" in paragraph 2, line 6, is closest in meaning to

(A) construct
(B) clear
(C) create
(D) correct

解説

語彙問題は、必ず本文の指定箇所での用法を確認してから解答しましょう。選択肢だけを見て判断すると、誤答に誘導される危険性があります。ここでは a positive perception を目的語にとる表現の中で使われていますね。これは「好印象、肯定的な見方」の意。ここから build は「築く、作り出す」の意を表していると推測できます。したがって、正解は create「作り出す」です。

訳 広告の第2パラグラフ6行目にある build という語は、次のどれに最も意味が近いですか。

(A) 組み立てる
(B) 取り除く
(C) 作り出す
(D) 訂正する

難問攻略 20 真偽を問う問題

難易度 ★★★

17. What is true about the Brighton City Marathon?

(A) A tenth anniversary commemorative ceremony was held.
(B) The marathon was held to revitalize local industry.
(C) It is expected that the event will not be held next year.
(D) The number of runners has increased compared to last year.

解説

文書2第3パラグラフ第1文で市長が We had more runners participating this year than ever before.「今年はこれまで以上に多くのランナーに参加していただきました」と述べているので、正解は (D)。

これ以外では、参加者数について文書1第2パラグラフで「例年約600人」、文書2第1パラグラフで「今年は800人」と述べているところから正解を導くこともできます。

訳 Brighton 市民マラソン について正しいのは、次のどれですか。

(A) 10周年記念式典が開催された。
(B) このマラソン大会は、地域産業の活性化のために開催された。
(C) この大会は、来年は開催されないと予想される。
(D) 参加者の数は昨年に比べて増えた。

語句

□ **revitalize** ～を活性化する
□ **local industry** 地域産業
□ **compared to...** ～と比べて

難問攻略 16 推測問題

難易度 ★★★

18. What is suggested about Mr. Spencer?

(A) He was born in Brighton City.
(B) He has won an international marathon.
(C) He was an ordinary participating runner.
(D) He had previously participated in the Brighton City Marathon.

解説

Spencer さんについての記述を 3 文書から探し、丁寧に読みます。まず、文書 2 第 2 パラグラフ第 1 文の初出箇所を見ると、William Spencer は卓越したランナーで、who has won marathons both in this country and overseas.「国内外のマラソン大会で優勝した経験があります」と述べています。したがって正解は (B) です。本文中の overseas「国外で」は選択肢では international「国際的な」と言い換えられています。

訳 Spencer さんについて、どのようなことが示唆されていますか。

(A) 彼は Brighton 市で生まれた。
(B) 彼は国際マラソン大会で優勝したことがある。
(C) 彼は一般参加のランナーだった。
(D) 彼は以前 Brighton 市民マラソンに出場したことがあった。

語句

- □ **win** ～に勝つ、～で優勝する
- □ **ordinary** 普通の、一般の
- □ **previously** 以前に

基本攻略 職業 / 業種を尋ねる問題

19. What kind of work does Allstar Products most likely do?

(A) Making sportswear
(B) Designing Web sites
(C) Organizing events
(D) Selling beverages

解説

Allstar Products は文書 2 に大会のスポンサー企業の例として初出していますが、業種はわかりません。一方、文書 3 のメールの宛先と送信人のアドレスが @allstarproducts.com であることから、このメールは Allstar Products 社内のものと判断できます。その上で文書 3 第 2 パラグラフを読むと、our sports drinks とあり、our「我が社の」から同社が飲料の販売会社だと推測できます。

訳 Allstar Products 社はどのような業種である可能性が最も高いですか。

(A) スポーツウェアの製造
(B) ウェブサイトのデザイン
(C) イベントの企画
(D) 飲料の販売

語句

- □ **design** ～をデザインする、～を設計する
- □ **organize** ～を企画する
- □ **beverage** 飲み物

難問攻略 19 詳細を問うクロスレファランス問題

難易度 ★★★

20. What type of sponsorship did Allstar Products choose?

(A) Title Sponsor
(B) Gold Sponsor
(C) Silver Sponsor
(D) Bronze Sponsor

解説

文書 1 には選択肢に並ぶスポンサーシップの記述がありますが、これだけでは、Allstar Products 社がどれを選んだかは不明です。マラソン大会で同社に許された活動内容とスポンサーシップの記述を照合して答えるクロスレファランス問題だろうと考えて、同社の社内メールである文書 3 を確認します。

第 3 パラグラフ第 2 文に On this page you can see a photo of me and winning runner William Spencer.「このページでは、私が優勝ランナーの William Spencer さんといっしょに写っている写真を見ることができます」とあります。文書 1 の Title Sponsor の箇所の最終文 In addition, a representative of your company can take a commemorative photo with the marathon winner and use this photo for promotional purposes.「さらに、貴社の代表者はマラソンの優勝者と記念写真を撮り、それを貴社の宣伝用に使うことができます」と内容が一致するので、正解は (A) Title Sponsor です。

語句

□ **sponsorship** スポンサーシップ
□ **title** 冠、タイトル

訳 Allstar Products 社は、どのスポンサーシップを選びましたか。
(A) タイトル・スポンサー
(B) ゴールド・スポンサー
(C) シルバー・スポンサー
(D) ブロンズ・スポンサー

Check! Essential Words & Phrases ▶ No. 7 🔊76

リーディングパート攻略のための、やや難度の高い名詞50

A

- □ advocate　主張者、支持者
- □ affiliation　提携
- □ appraisal　査定、評価
- □ attire　盛装

B

- □ batch　一団、一群

C

- □ conjecture　推測、憶測
- □ conservation　保存、維持、保護
- □ constraint　強制、圧迫、制約
- □ contingency　不測の事態
- □ criteria　基準

D

- □ delegation　代表団、派遣団
- □ deliberation　討議、評議
- □ demeanor　態度、ふるまい
- □ detour　迂回路
- □ diagnosis　診断
- □ discrepancy　相違、食い違い
- □ discretion　思慮深さ

F

- □ fixture　設備、固定された物
- □ flaw　きず、欠陥

G

- □ gala　催し、お祝い

I

- □ inception　開始
- □ indicator　指標
- □ infringement　侵害
- □ installment　分割払いの１回分

M

- □ malfunction　故障、誤動作
- □ medication　薬、薬剤投与
- □ momentum　勢い

N

- □ norm　規範

O

- □ observance　順守、慣習
- □ outage　停止
- □ outskirts　はずれ、中心地から離れた所
- □ oversight　見過ごし、過失

P

- □ panel　審査員団、委員会
- □ pension　年金
- □ practitioner　熟練家、施術者
- □ premises　場所、建物、敷地
- □ premium　保険料
- □ proprietor　経営者、所有者
- □ proximity　近接

Q

- □ query　質問、疑念
- □ quote　見積もり

R

- □ redemption　引き換え、回収
- □ remittance　送金
- □ resumption　再開、取り戻すこと

S

- □ scrutiny　精査、凝視
- □ shortcoming　欠点
- □ superintendent　監督、管理者

T

- □ tenure　在任期間
- □ turnaround　改善、好転
- □ turnover　離職率、離職者数

p.116 の訳

問題 10-12 は 3 人の話し手による次の会話に関するものです。

W：① Eric、ウェブサイトにあなたがしてくれた仕事、ありがとう。全体的なデザインはすばらしいし、お客さんから好意的な感想をいくつか聞いているわ。②でも、1 つお願いがあるの。

M1：いいよ、Shelley。何だい？

W：③トップページの一番大きな写真のことなの。今は、何人かのお客さんが食事を楽しんでいる写真だけど、メインの画像としては（レストランの）外観を見せて、お客さんたちの写真は同じページのずっと下の方にもってきたらもっとすてきになるだろうと思うの。

M1：④それは変えられるよ、もちろん。外観の写真は何枚か写したし、まだ僕のコンピューターの中にある。最初のページをすぐ変更するよ。

M2：ありがとう。⑤実は、もう 1 つ変えてもらいたいことがあるんだ。このサイトのメニューのページのフェットチーネ（fettuccine）のスペルが間違っている。「i」ではなくて「e」で終わるべきなんだ。

M1：おや、それはちょっと恥ずかしい。僕はいつも自分はスペルには強いと思っていたのに！⑥それは悪かった、Steve。

M2：よくあるミスだから、たいていの人は気づかないよ。これはシェフだけが気づくようなことなんだ。僕たちはこの単語をしょっちゅう目にするからね。

M1：⑦とにかく、それはすぐに訂正するよ。サイトをアップデートしたものは今日の午後にはオンラインで見られるだろうよ。

p.149 の訳

おはようございます。Carnaby Cars の Paul です。お客様のお車を拝見しシートベルトの不具合の原因は格納機能の小部品の欠落だとわかりました。どこかで外れるかなくなるかしたか、あるいは最初から正しく組み込まれていなかったのかもしれません。お客様のお車は 3 年以上たっていて保証期限は切れておりますので、修理代がかかってまいります。部品代が 50 ドル、作業代が 100 ドルとなります。後ほどお電話でこれをご承認いただけますか。作業を進める前にお客様のご承認が必要です。よろしくお願いします。

p.164 の訳

4. このメッセージのおもな目的は何ですか。
   (A) 新しいフィットネスクラブ会員を募集するため
   (B) 新しいクラス時間を発表するため
   (C) インストラクターにスケジュールについて知らせるため
   (D) 会員に変更について知らせるため

*p.*248 の訳

Portland Interchange Information Guide（第 2 版）

序文

Tasty Burger において私どもは売上の約 50% をドライブスルーから得ています。インターチェンジの計画が承認されたと聞いたとき、20 年間店を構えてきた Jenson Road が閉鎖されることは収益にマイナスになるだろうともちろん心配しておりました。それゆえに *The Portland Interchange Information Guide* の初版が発売されたとき、私はすぐに 1 部買い求めました。そしてそこで発見したのは、道路の閉鎖に伴い交通量が少なくなることに対処しながら、収益を最大化するための多数の方略でした。近隣の企業が収益減となっているのに対し、私どものレストランはこのプロジェクトが開始して以来、5% の収益増となっています。私はこの成長を、この情報ガイドブックにおいて提案された具体的なステップのおかげだと考えています。

初版に示されたこの実際的な解決策に加え、新しい第 2 版は、インターチェンジ計画の実施中に収益の改善を図るために努力した数人の事業主の談話を掲載しています。この問題に対処するために彼らがとった方法についての情報は、この地域のすべての事業主にとってかけがえのないものです。

Ralph Berger

Tasty Burger 店主

*p.*268 の訳

問題 4-7 は次のオンラインチャットに関するものです。

午後 4:11 Priya Chauhan：ねえ、ちょっと聞いた？　製品管理チームが感想を言ってきたのよ。新しい電話の設計にいくつか変更を加えてほしいって。

午後 4:12 Roberto Fuentes：どんな変更？ 頼まれた機能は全部入れたよね。ハイレゾ音声機能を実装するのがすごく大変だったけれどさ。

午後 4:12 Priya Chauhan：それが問題の 1 つなの。製造部門では、その機能だと当初の予定よりも電話の製造コストが 20%高くなると予測しているの。

午後 4:14 Roberto Fuentes：だったら、製造コストが高くなる分をカバーするために、どうしてもっと高い価格で売らないんだ？ これは高機能モデルなんだから、消費者は多少は高く払ってもいいと思うだろう。

午後 4:14 Priya Chauhan：それがもう 1 つの問題なの。市場分析チームは、ハイエンドのスマートフォン市場は飽和していると見ているの。過剰な数の高機能製品が少数の富裕層客を狙って競合していると。

午後 4:16 Roberto Fuentes：ということは、またプランニング段階に戻って、低価格商品を求めるユーザー層にアピールする設計に変更する必要があるんだね。 君は、どうすればそれができると思う？

午後 4:19 Priya Chauhan：そうね、ハイレゾ音声機能は優先すべきだわ。 それがこの製品をこの価格帯で他社のスマートフォンよりも際立ったものにしてくれるでしょうから。でも、新しい 384kHz システムでなく、古い 96kHz システムを使って少しでもコストを削減したらどうかしら。

午後 4:19 Roberto Fuentes：それから、もっと安いカメラと低解像度のディスプレイを組み込もうか。そうすればかなりコストを抑えられるはずだ。

午後 4:20 Priya Chauhan：それはいい考えね。 私がプランをまとめて、明日の朝の会議でエンジニアリング・チームのほかの人たちに説明するわ。

p.306 の訳

問題 1- 4 は次のメールに関するものです。

宛先：lcho@kmail.com
送信者：memberservices@standardinsurance.com
件名：あなた様の保険契約
日付：10月1日

Cho 様

あなた様は弊社 Standard 保険会社でご契約の住宅保険のお支払いにつきまして、月々のリマインドメールを申し込んでいらっしゃいます。あなた様の次回のお支払い日は 10 月 26 日となります。また、あなた様は自動月払いのご利用を選択なさいましたので、当日は保険口座にご登録いただいている預金口座から 38 ドルが自動的に引き落とされることになります。

住宅保険のお支払いにつきまして何かご不明なことがございましたら、このメールに直接返信なさらずに、できるだけ早くお電話をください。当社のカスタマーサービス担当者は毎日 24 時間、(02) 555-1243 で対応させていただいています。

もし保険口座の内容に何らかの変更をなさりたい場合は、当社のウェブサイト www.standardinsurance.com/accounts でご自分の保険口座にログインしてください。政府の規制により、保険口座に何らかの変更があった場合、弊社はご本人に郵便で連絡し、どのような変更がなされたかをお知らせするように義務づけられています。

弊社をご利用いただき、ありがとうございます。

よろしくお願いいたします。

Standard 保険会社 会員サービスチーム

p.318 の訳

問題 11-15 は次の広告とメールに関するものです。

御社の次回の大規模な企業イベントには、ぜひ Ruby Hotel をご利用ください。当ホテルでは御社のご要望に応じるため４つのイベント会場を用意しています。

会場	座席	設備・機器 *	料金 **
Wilson Hall	重役用椅子 20 脚	会議用テーブル、プロジェクター、プロジェクタースクリーン	半日　200 ユーロ
Smith Hall	重役椅用子 50 脚	大きめの会議用テーブル、プロジェクター、プロジェクタースクリーン	半日　230 ユーロ
Beasley Hall	重役用椅子 75 脚	双方向型スマートボード、音響設備	半日　280 ユーロ
Bradley Hall	聴衆用座席 100 名分	シアタースクリーン、プロジェクター、音響設備、双方向型スマートボード	半日　350 ユーロ

*Ruby Hotel のいずれのイベント会場にもホワイトボード、ホワイトボード用マーカー、メモ帳とペンが常備されています。また、無線インターネットはホテル内のどこでも無料でお使いいただけます。

** 半日料金は、午前（午前 8 時～午後 1 時）または午後（午後 3 時～ 8 時）のいずれかに利用を開始した場合の 5 時間枠に適用されます。

会場はご利用日の少なくとも 1 週間前にはご予約ください。ご予約は、Rob Jenkins (800-555-1892) までお電話ください。

p.326 の訳

問題 16-20 は次の広告、記事、メールに関するものです。

Brighton 市民マラソンの公式スポンサーになりませんか

Brighton City は今年もまた毎年恒例の市民マラソンを開催いたします。Brighton 市民マラソンは市民の健康増進を目的として創設されました。今年で 10 回目の開催となります！

これは毎年約 600 人のランナーが参加する一大イベントであり、回を重ねるごとにますます多くの人たちがレースを観戦に訪れているのを私たちは目にしてきました。昨年は 1 万人を超える人たちがランナーを応援しに来てくれました。 観戦者の数の多さと、この大会が健康増進を目的としていることからして、これは貴社の製品やサービスを宣伝する絶好の機会です。そうすることで、貴社のよいイメージ作りにも役立つことでしょう。

■タイトル・スポンサー：20,000 ドル

メリット：出場者のゼッケンに貴社のロゴを表示、本大会ロゴに貴社のロゴを組み合わせて表示、本大会用 T シャツに貴社のロゴを印刷、すべての広告に貴社の社名とロゴを掲載、そして本大会用ウェブサイトに貴社のロゴとウェウブリンクを掲載。

さらに、貴社の代表者はマラソンの優勝者と記念写真を撮り、それを貴社の宣伝用に使うことができます。

■ゴールド・スポンサー：5,000 ドル

メリット：本大会用 T シャツに貴社のロゴを印刷、すべての広告に貴社の社名とロゴを掲載、そして本大会用ウェブサイトに貴社のロゴとウェブリンクを掲載。

■シルバー・スポンサー：2,000 ドル

メリット：すべての広告に貴社の社名とロゴを掲載、そして本大会用ウェブサイトに御社のロゴとウェブリンクを掲載。

■ブロンズ・スポンサー：500 ドル

メリット：本大会用ウェブサイトに貴社のロゴとウェブリンクを掲載。

詳細はイベントコーディネーターの Robin Norton（coorobin@brightonruns.org）までお問い合わせください。

リーディングパートのダウンロード音声とワークシートの活用法

TOEIC® L&Rテストでは、リーディングパートの問題には英語音声は組み込まれていませんが、本書ではみなさんのスキルアップのために英語音声を付けています。以下の活用法を参考にトレーニングしてみてください。

[☞音声ファイル番号一覧については p.22-23 を参照してください]

Part 5

サンプル問題と練習問題について空所を補充した完成英文の音声が収録されています。英文を見ながら聞き、正解の語（句）を音声とともに確実にインプットしましょう。

発展的トレーニング リテンション

テキストを見ずに行います。

1 文ごとに音声を停止して、聞こえてきた通りのイントネーションとスピードで言ってみましょう。基本的な英文構造をきちんと覚えていくことに役立ちます。

英文を見ずに、英語音声と同じイントネーションとスピードで言えるようになる！

Part 6 & Part 7

図表以外のパッセージの英文がすべて収録されています。以下の手順でまずトライしてみてください。自分に合ったトレーニング方法があれば、それを集中的に行うとスキルアップしやすくなります。

基本トレーニング シャドーイング

英語音声に影のように後ろにぴったり付いて発話するトレーニングです。

スタートのタイミングは、英文の最初のかたまり（例：“Dear Ms. Walters”）を聞いたとき。あとは、英語音声に自分の声をかぶせながら、聞いた通りにひたすら英語を言い続けます。次の 2 ステップでトレーニングを進めてください。

Step 1 [音に集中]

最初は「聞こえてきた通りに言う」ことを重視しながらトレーニングします。

Step 2 [意味に集中]

音に集中するシャドーイングに慣れ、80% ぐらい言えるようになったら今度は意味に集中してトレーニングしてください。英語の意味を思い浮かべながらシャドーイングします。

シャドーイングのポイント

① 名詞・動詞・形容詞・副詞など強く明確に発音される語を意識してシャドーイングします。
② 弱く発音される語は前後の語句とひとかたまりで発音されることを意識してシャドーイングします。

パッセージの英語音声を、意味を理解しながらシャドーイングできるようになる！

発展トレーニング❶ インタープリテーション

英語音声を聞きながら、かたまりごとに日本語で意味を言ってみます。基本トレーニングの Step 2 で頭に思い浮かべた日本語を声に出して行うトレーニングです。

☞自分で一通り行ってみた後、ワークシートの日本語の部分を参照して、だいたい同じように日本語訳を言えているかどうかチェックしてください。

パッセージの英語音声を聞きながら、日本語でだいたい意味を言えるようになる！

発展トレーニング❷ サイトトランスレーション

英語音声は使用しないトレーニングです。

ワークシートの左段の英語を見ながら、英語の語順通りに声に出して日本語に訳していきます。最終的には、英語のひとかたまりを見て瞬時に日本語訳が頭に思い浮かべられるようになることが目標です。

英文中のスラッシュ (/) で囲まれた部分が、意味のかたまりです。このかたまりごとに日本語訳をしていきましょう。

英文を見ながら、語順通りに日本語で意味がわかるようになる！

著者紹介 **生越秀子**（おごせ ひでこ）

早稲田大学教育学部英語英文学科卒業。青山学院大学大学院国際コミュニケーション修士、早稲田大学大学院後期博士課程修了。大学卒業後、アルク他出版社で英語教育雑誌・書籍・音声・ビデオ教材等の企画・開発に携わる。現在、青山学院大学、明治大学、國學院大學で兼任講師として、TOEIC® テスト対策講座、英語コミュニケーション科目等を教えている。専門は英語教育、異文化コミュニケーション、メタ言語能力育成のための言語教育。TOEIC テスト対策学習教材としては、通信教育講座『TOEIC® テスト 730 点制覇講座』（ユーキャン）、『オンライン英会話』（ラングリッチ）、等のコンテンツ制作にかかわる。著書に『はじめての TOEIC© L&R テストこの 1 冊で 650 点』（コスモピア）ほか。

改訂新版
TOEIC® L&Rテスト この1冊で750点

2019年8月10日 第1版第1刷発行
2021年3月19日 改訂新版第1刷発行
2024年5月10日 改訂新版第4刷発行

著／生越秀子

問題作成／ PAGODA Education Group、ソニア・マーシャル、イアン・マーティン

校正／岡本茂紀
英文校正／ソニア・マーシャル

ナレーション／ジョシュ・ケラー、エマ・ハワード他

装丁／松本田鶴子

発行人／坂本由子
発行所／コスモピア株式会社
〒151-0053 東京都渋谷区代々木4-36-4 MCビル2F
営業部 Tel：03-5302-8378
email：mas@cosmopier.com
編集部 Tel：03-5302-8379
email：editorial@cosmopier.com
https://www.cosmopier.com/（会社・出版案内）
https://e-st.cosmopier.net/（コスモピアeステーション）

録音・製作／株式会社メディアスタイリスト
製版・印刷・製本／シナノ印刷株式会社